INTRODUCTION
AUX RELATIONS INTERNATIONALES

paramètres ▽

DIANE ÉTHIER

Avec la collaboration de MARIE-JOËLLE ZAHAR

INTRODUCTION AUX RELATIONS INTERNATIONALES

Deuxième édition

Les Presses de l'Université de Montréal

Catalogage avant publication de la Bibliothèque nationale du Canada

Éthier, Diane
Introduction aux relations internationales
2ᵉ édition
(Paramètres)
Comprend des réf. bibliogr.

ISBN 2-7606-1967-2

1. Relations internationales.
2. Droit international.
3. Organisations internationales.
I. Titre.
II. Collection.

JZ1242.E83 2004   327   C2004-940939-5

Dépôt légal : 3ᵉ trimestre 2004
Bibliothèque nationale du Québec
© Les Presses de l'Université de Montréal, 2004

Les Presses de l'Université de Montréal remercient de leur soutien financier le ministère du Patrimoine canadien, le Conseil des Arts du Canada et la Société de développement des entreprises culturelles du Québec (SODEC).

IMPRIMÉ AU CANADA EN JUILLET 2004

Nous dédions cet ouvrage à tous les étudiants qui ont suivi nos cours d'introduction aux relations internationales. Par leurs questions déconcertantes ou pertinentes, leurs commentaires positifs ou leurs critiques justifiées, leurs travaux de recherche souvent innovateurs, ils ont largement contribué à enrichir la matière de ce manuel. Nous le dédions également à tous les étudiants qui suivront nos cours dans le futur. Leur apport sera tout aussi important pour l'amélioration des futures éditions.

LISTE DES SIGLES

SIGLES FRANÇAIS		ÉQUIVALENTS ANGLAIS	
BIT	Bureau international du travail	ILO	International Labor Office
BP	Balance des paiements	BP	Balance of Payments
BS	Balance des services	SB	Services Balance
CAEM	Conseil d'assistance économique mutuelle	–	—
CARICOM	Communauté des Caraïbes	CARICOM	Caribbean Community and Common Market
CE	Communauté européenne	EC	European Community
CEA	Communauté économique africaine	AEC	African Economic Community
CECA	Communauté européenne du charbon et de l'acier	ECSC	European Coal and Steel Community
CEDEAO	Communauté économique des États de l'Afrique de l'Ouest	ECOWAS	Economic Community of Western African States
CEE	Communauté économique européenne	EEC	European Economic Community
CEEAC	Communauté économique des États de l'Afrique centrale	ECCAS	Economic Community of Central African States
CEI	Communauté des États indépendants	CIS	Commonwealth of Independent States
CEMAC	Communauté économique et monétaire de l'Afrique centrale	EMCCA	Economic and Monetary Community of Central Africa
CEMN	Coopération économique de la mer Noire	BSEC	Black Sea Economic Cooperation
CEPAL	Commission économique pour l'Amérique latine	ECLA	Economic Commission for Latin America
CES	Conseil économique et social	ECOSOC	Economic and Social Council
CJE	Cour de justice européenne	ECJ	European Court of Justice
CNUCED	Conférence des Nations Unies sur le commerce et le développement	UNCTAD	United Nations Conference on Trade and Development
COCONA	Conseil de coopération nord-atlantique	NACC	North Atlantic Cooperation Council
COMESA	Marché commun de l'Afrique australe et orientale	COMESA	Common Market of Eastern and Southern Africa
CAC	Convention sur les armes chimiques	CWC	Chimical Weapons Convention
CPEA	Conseil de partenariat euro-atlantique	EAPC	Euro-Atlantic Partnership Council
CPI	Cour pénale internationale	ICC	International Criminal Court
CSCE	Conférence sur la sécurité et la coopération en Europe	CSCE	Conference on Security and Cooperation in Europe

SIGLES FRANÇAIS		ÉQUIVALENTS ANGLAIS	
DIP	Droit international public	–	—
DTS	Droits de tirage spéciaux	**SDR**	Special Drawing Rights
EEE	Espace économique européen	**EEA**	European Economic Area
EURATOM	Communauté européenne de l'énergie atomique	**EURATOM**	European Atomic Energy Community
FAO	Organisation des Nations Unies pour l'alimentation et l'agriculture	**FAO**	Food and Agriculture Organization
FIDA	Fonds international de développement agricole	**IFAD**	International Fund for Agricultural Development
FMI	Fonds monétaire international	**IMF**	International Monetary Fund
FMN	Firmes multinationales	**MNF**	Multinational Firms
FNUAP	Fonds des Nations Unies pour les activités en matière de population	**UNFPA**	United Nations Population Fund
GATT	Accord général sur les tarifs et le commerce	**GATT**	General Agreement on Tariffs and Trade
GUUAM	Union Géorgie, Ukraine, Ouzbékistan, Azerbaïdjan, Moldavie	**GUUAM**	Georgia, Ukrainia, Uzbekistan, Azerbaidjan, Moldova
HCR	Haut commissariat des Nations Unies pour les réfugiés	**UNHCR**	United Nations High Commissioner for Refugees
ICE	Initiative centro-européenne	**CEI**	Central European Initiative
ICES	Initiative pour la coopération en Europe du Sud-Est	**SECI**	Southern European Cooperative Initiative
IDE	Investissements directs étrangers	**FDI**	Foreign Direct Investments
MERCOSUR	Mercado Común de America del Sur	**MERCOSUR**	Mercado Común de America del Sur
MM	Mouvements monétaires	**MA**	Monetary Account
MPNA	Mouvement des pays non alignés	**NAM**	Non-Aligned Movement
MSF	Médecins sans frontière	–	—
NDIT	Nouvelle division internationale du travail	**NIDL**	New International Division of Labor
NOEI	Nouvel ordre économique international	**NIEO**	New International Economic Order
–	—	**NORAD**	North American Aerospace Defense Command
NPI	Nouveaux pays industrialisés	**NICS**	New Industrialized Countries

SIGLES FRANÇAIS		ÉQUIVALENTS ANGLAIS	
OACI	Organisation de l'aviation civile internationale	ICAO	International Civil Aviation Organization
OCDE	Organisation de coopération et de développement économique	OECD	Organization for Economic Cooperation and Development
OCI	Organisation de la conférence islamique	OIC	Organization of Islamic Conference
OEA	Organisation des États américains	OAS	Organization of American States
OECE	Organisation européenne de coopération économique	EOEC	European Organization for Economic Cooperation
OEI	Organisation économique internationale	–	—
OI	Organisation internationale	IO	International Organization
OIT	Organisation internationale du travail	ILO	International Labor Organization
OMC	Organisation mondiale du commerce	WTO	World Trade Organization
OMM	Organisation météorologique mondiale	WMO	World Meteorological Organization
OMPI	Organisation mondiale de la propriété intellectuelle	WIPO	World Intellectual Property Organization
OMS	Organisation mondiale de la santé	WHO	World Health Organization
ONG	Organisation non gouvernementale	NGO	Non-Gouvernemental Organization
ONU	Organisation des Nations Unies	UN	United Nations
ONUDI	Organisation des Nations Unies pour le développement industriel	UNIDO	United Nations Industrial Development Organization
OPAC	Organisation pour la prohibition des armes chimiques	OPCW	Organization for the Prohibitions of Chimical Weapons
OPANO	Organisation des pêches de l'Atlantique Nord-Ouest	NAFO	Northwest Atlantic Fishery Organization
OPEP	Organisation des pays exportateurs de pétrole	OPEC	Organization of Petroleum Exporting Countries
OSCE	Organisation sur la sécurité et la coopération en Europe	OSCE	Organization for Security and Cooperation in Europe
OTAN	Organisation du traité de l'Atlantique Nord	NATO	North American Treaty Organization
OTASE	Organisation du traité de l'Asie du Sud-Est	SEATO	South-East Asia Treaty Organization
OUA	Organisation de l'unité africaine	OAU	Organization of African Unity

SIGLES FRANÇAIS		ÉQUIVALENTS ANGLAIS	
PAC	Politique agricole commune	CAP	Common Agricultural Policy
PB	Pacte de Baqdad	CENTO	Central Traty Orqanization
PCUS	Parti communiste d'Union soviétique	CPSU	Communist Party of Soviet Union
PD	Pays développés	–	–
PECO	Pays de l'Europe centrale et orientale	ECECS	Eastern and Central European Countries
PED	Pays en développement	DP	Developing Countries
PESC	Politique étrangère et de sécurité commune	CFSP	Common Foreign and Security Policy
PI	Pays industrialisés	IC	Industrialized Countries
PNUD	Programme des Nations Unies pour le développement	UNDP	United Nations Development Program
PSDE	Politique de sécurité et de défense européenne	ESDP	European Security and Defense Policy
PSESE	Pacte de stabilité avec l'Europe du Sud-Est	SPSEE	Stability Pact for South-East Europe
REI	Relations économiques internationales	–	–
RPC	République populaire de Chine	PRC	Popular Republic of China
–	–	SALT	Strategic Arms Limitation Talks
SDN	Société des Nations	LON	League of Nations
SFI	Société financière internationale	IFC	International Finance Corporation
SGP	Système généralisé de préférences	PTS	Preferential Trade System
TNP	Traité de non-prolifération	NPT	Non-Proliferation Treaty
TPIR	Tribunal pénal international du Rwanda	ICTR	International Criminal Tribunal for Rwanda
TPIY	Tribunal pénal international de l'ex-Yougoslavie	ICTY	International Criminal Tribunal for Former Yugoslavia
TUE	Traité sur l'Union européenne	TEU	Treaty on European Union
UE	Union européenne	EU	European Union
UEM	Union économique et monétaire	EMU	Economic and Monetary Union
UEMOA	Union économique et monétaire ouest-africaine	–	–
UEO	Union européenne occidentale	WEU	Western European Union
UIT	Union internationale des télécommunications	ITU	International Telecommunications Union

SIGLES FRANÇAIS		ÉQUIVALENTS ANGLAIS	
UNESCO	Organisation des Nations Unies pour l'éducation, la science et la culture	UNESCO	United Nations Educational, Scientific and Cultural Organization
UNICEF	Fonds des Nations Unies pour l'enfance	UNICEF	United Nations Children's Fund
UNITAR	Institut des Nations Unies pour la formation et la recherche	UNITAR	United Nations Institute for Training and Research
UNRWA	Offices des secours et des travaux des Nations Unies pour les réfugiés de Palestine au Proche-Orient	UNRWA	United Nations Relief and Works Agency for Palestine Refugees in the Near East
UNU	Université des Nations Unies	UNU	United Nations University
UPU	Union postale universelle	UPU	Universal Postal Union
–	—	USAID	United States Agency for International Development
URSS	Union des républiques socialistes soviétiques	USSR	Union of Soviet Socialist Republics
ZLEA	Zone de libre-échange des Amériques	FTAA	Free Trade Area of the Americas

INTRODUCTION

Qu'entend-on par « relations internationales » ?

L'expression « relations internationales » désigne généralement les rapports entre États alors, qu'au sens littéral, elle signifie rapports entre nations. Ce problème vient du fait que l'État a longtemps été confondu avec la nation, en raison de l'aspiration des États modernes à unifier en une seule nation les groupes humains résidant sur leurs territoires. Si certains y sont parvenus, la plupart sont demeurés des États plurinationaux. En outre, le caractère multiethnique des États s'est accentué au xxe siècle à cause des déplacements de population et des mouvements migratoires engendrés par la décolonisation, les guerres et les inégalités de développement. L'expression « relations internationales » n'est donc plus justifiée. Elle continue néanmoins d'être d'usage courant, bien que certains spécialistes aient tenté de lui substituer celle de « relations interétatiques[1] ».

Les relations internationales constituent un objet d'études extrêmement vaste puisqu'il englobe les rapports de toute nature que les organismes publics et privés, les groupements de personnes et les individus des divers États ont noués entre eux dans le passé, entretiennent dans le présent et prévoient développer dans le futur. Toutes les sciences et notamment les sciences sociales telles que le droit, l'histoire, l'économie, la philosophie, la psychologie, la démographie, la sociologie et la science politique s'y intéressent donc. Chaque discipline aborde évidemment ces relations sous un angle différent en privilégiant l'analyse de certains types d'interactions entre certaines catégories d'acteurs. Cela dit, la plupart des disciplines s'intéressent à l'action législative des gouvernements et des organisations multilatérales gouvernementales puisque celle-ci oriente la conduite des activités humaines dans tous les domaines.

La mondialisation des relations internationales

Depuis le début de l'humanité, les groupements d'individus ont développé diverses formes d'interactions : guerres, alliances, échanges de biens, mariages... Ces relations se sont toutefois diversifiées et étendues à des espaces géographiques plus vastes au fil du temps, concurremment à l'expansion et aux conquêtes des entités politiques (cités, empires, principautés, États-nations), au développement de la production et du commerce et à l'évolution des moyens de transport et de communication. Ce n'est cependant qu'au cours de la seconde moitié du xxe siècle que les relations internationales sont véritablement devenues mondiales, englobant tous les pays de la planète et la plupart des activités humaines. Le terme « mondialisation », équivalent français du terme anglais *globalization*, a été inventé durant les années 1950[2] pour rendre compte de cette transformation des relations internationales. Selon la plupart des auteurs, la mondialisation, à l'instar des stades antérieurs d'évolution des relations internationales, a été déterminée par l'extension géographique des activités économiques et l'essor des facilités de déplacement et de communication. La planétisation du marché, engendrée par la multinationalisation des entreprises et la libéralisation des échanges, et les innovations technologiques fulgurantes dans les transports (avions subsoniques et supersoniques, trains à grande vitesse, etc.) et les communications (téléphone sans fil, télécopieur, Internet, satellites) constituent les principales sources et traits distinctifs de la mondialisation.

La majorité des définitions du terme mondialisation insistent sur ces aspects. Ainsi, pour Pascal Boniface, ce qui distingue la mondialisation des stades antérieurs de l'évolution des relations internationales, ce ne sont pas « les interrelations entre les différentes parties du monde, mais la modification des notions d'espace et de temps[3] », le fait que les distances aient été supprimées. Pour Robert Reich, ce qui caractérise l'économie mondialisée, c'est que :

> L'argent, la technologie, l'information, les marchandises franchissent les frontières avec une rapidité et une facilité sans précédent. Le coût du transport et des télécommunications dégringole. Dans la plupart des pays industrialisés,

les transferts de capitaux ne sont plus contrôlés. Même les drogues, les immigrants pénètrent dans les pays développés, et les armes secrètes en sortent, malgré les efforts des gouvernements[4].

Pour le Fonds monétaire international (FMI), la mondialisation est :

l'interdépendance économique croissante de l'ensemble des pays du monde provoquée par l'augmentation du volume et de la variété des transactions transfrontalières de biens et de services, ainsi que des flux internationaux de capitaux, en même temps que par la diffusion accélérée et généralisée de la technologie[5].

Pour le Bureau international du travail (BIT), la mondialisation est caractérisée par « une vague de libéralisation des échanges, des investissements et des flux de capitaux ainsi que par l'importance croissante de tous ces flux et de la concurrence internationale dans l'économie mondiale[6]». Sans renier ces définitions, plusieurs spécialistes anglo-saxons insistent sur les effets théoriques et sociologiques du concept de mondialisation[7]. C'est également le cas de l'explication proposée par Bertrand Badie.

Mondialisation. Concept de relations internationales décrivant l'état du monde contemporain marqué en même temps par un renforcement des interdépendances et des solidarités, par le désenclavement des États et des espaces régionaux et par une uniformisation des pratiques et des modèles sociaux à l'échelle de la planète tout entière. Ce processus n'a du sens que sur un plan macrosociologique et ne renvoie pas à des indicateurs empiriques très précis ni très rigoureux. Son intérêt est davantage théorique : il suggère, en effet, que les phénomènes politiques, économiques et sociaux ne peuvent pas être étudiés en vase clos, indépendamment de leur insertion dans un système-monde qui, contrairement à autrefois, s'étend à l'ensemble du globe. Il suggère aussi que les catégories classiques de l'analyse internationale s'en trouvent ébranlées : distinction entre l'interne et l'externe, territoire, souveraineté... Son analyse est souvent associée à celle de l'essor du particularisme, de plus en plus conçu comme une réaction de protection face aux effets de la mondialisation[8].

Plusieurs auteurs considèrent toutefois que les partisans et les détracteurs de la mondialisation en exagèrent l'importance. Selon eux, l'activité économique est encore largement concentrée au sein des États-nations et les gouvernements de ces derniers demeurent les principaux décideurs et acteurs des relations internationales. Tout en admettant que les principaux phénomènes qui caractérisent la globalisation de l'économie—la multinationalisation des entreprises, l'essor des investissements directs étrangers, des transferts de technologies et du commerce intrafirmes, l'augmentation du volume des transactions commerciales et financières—se sont amplifiés au cours des deux dernières décennies du xxe siècle, ils soutiennent que ces phénomènes demeurent largement concentrés dans trois régions du globe : l'Europe occidentale et centrale, l'Amérique du Nord et l'Asie de l'Est et du Sud-Est. Au-delà de cette triade, la globalisation reste un phénomène marginal auquel ne participent que quelques pays « en émergence » de l'Afrique, de l'Asie centrale et de l'Amérique latine[9].

En conclusion, on retiendra que s'il existe un certain consensus sur l'essence de la mondialisation, les spécialistes ne s'entendent ni sur sa portée ni sur le caractère positif ou négatif de ses impacts. Au sein des milieux académiques, des élites politiques et des sociétés civiles, la mondialisation est devenue l'enjeu d'une vaste polémique au cours de la décennie 1990, certains prônant son extension et ses bienfaits, d'autres plaidant en faveur d'un arrêt ou d'une humanisation de la mondialisation.

La science politique et les relations internationales

Compte tenu que cet ouvrage est surtout destiné aux étudiants des programmes de premier cycle de science politique, il aborde les relations internationales du point de vue de cette discipline. Depuis sa constitution comme champ de connaissance autonome—durant les années 1930— jusqu'à la fin des années 1960, la science politique s'est intéressée presque exclusivement aux relations diplomatiques et stratégiques bilatérales des gouvernements centraux des États concernant la guerre et la paix. Cette vision correspondait à la réalité historique. En effet, entre la fin du xvie siècle—période de création des premiers États-nations modernes— et le milieu du xxe siècle, les relations internationales ont été monopolisées par un petit nombre d'États majoritairement unitaires et centralisés—les métropoles coloniales européennes et les États-Unis—, tout en étant centrées sur les conflits et les alliances politiques entre ces puissances.

Les nombreux changements survenus au cours de la période postérieure à la Seconde Guerre mondiale (1939-1945), en particulier le développement des relations des gouvernements centraux et subnationaux dans tous les domaines de leurs juridictions respectives (économie et finances, communications, immigration, éducation, loisirs, tourisme, environnement, etc.), l'augmentation du nombre des États souverains, à la suite du mouvement de décolonisation en Asie et en Afrique, la mise en place d'un vaste réseau d'organisations internationales universelles, régionales ou interrégionales, dotées de missions polyvalentes ou spécialisées (coopération politique, promotion des échanges économiques et commerciaux, aide au développement, sécurité et maintien de la paix, protection de l'environnement, etc.), l'essor rapide et sans précédent des moyens de transport et de communication, le développement des échanges commerciaux et financiers entre acteurs gouvernementaux et non gouvernementaux, l'augmentation des flux migratoires ont cependant obligé la science politique à modifier et à élargir sa conception des relations internationales. Ainsi, deux des trois principales théories des relations internationales — le réalisme et le libéralisme — se sont intéressées davantage aux relations établies par les gouvernements centraux dans d'autres domaines que la diplomatie et la stratégie. Elles ont accordé une attention beaucoup plus grande aux relations multilatérales se déroulant dans le cadre des organisations internationales et ont envisagé le système international d'un point de vue plus global et moins ethnocentriste. Le domaine d'études des relations internationales s'est également fractionné en plusieurs champs de spécialisation (politique étrangère, études stratégiques, économie politique internationale, organisations internationales, coopération et aide au développement, intégration internationale, relations transnationales, etc.) qui ont donné naissance à de nouvelles théories et méthodes adaptées à leurs objets d'études respectifs. La science politique n'a jamais abordé les relations internationales d'un point de vue strictement monodisciplinaire ayant, depuis ses origines, tenu compte des dimensions juridique, historique, sociologique et philosophique de ces dernières. Cependant, l'élargissement de son approche l'a amenée à s'ouvrir à plusieurs autres disciplines telles l'économie, l'administration et les langues étrangères, et à promouvoir la création de programmes pluridisciplinaires d'études des relations internationales.

Objectifs de cet ouvrage

Cet ouvrage ne traite pas de toutes les dimensions des relations internationales désormais prises en compte par la science politique. Il analyse successivement les théories des relations internationales, les acteurs majeurs des relations internationales (les États et les organisations internationales

gouvernementales), la politique étrangère des États, les relations économiques internationales et les nouvelles dimensions et problématiques des
relations internationales. Les quatre premiers chapitres s'intéressent aux
relations internationales intergouvernementales tout en ne limitant pas ces
dernières aux questions diplomatiques et stratégiques. Du fait qu'il accorde
une importance prépondérante à l'histoire, au droit et aux institutions, il
s'inscrit davantage dans la tradition française qu'américaine des relations
internationales, plus centrée sur l'analyse psychosociologique des motivations, des intérêts, des stratégies et des comportements des acteurs gouvernementaux et non gouvernementaux. Ces choix nous ont été dictés par
la volonté d'offrir aux premiers lecteurs de cet ouvrage, les étudiants de
première année de science politique, une introduction aux matières qui
constituent les principaux objets d'études des cours plus spécialisés de relations internationales dans les départements francophones de science politique. En outre, il nous semblait que l'approche historique, juridique et
institutionnaliste était plus adaptée à un cours d'introduction, ce qui ne
constitue absolument pas, cela va de soi, un jugement de valeur sur l'approche américaine. Les auteurs anglo-saxons occupent d'ailleurs une place
centrale au sein de cet ouvrage.

Étant donné que les relations internationales sont en constante mutation, tout ouvrage sur le sujet est condamné à devenir rapidement périmé.
Ce manuel se concentre donc sur les propriétés essentielles et les facteurs
fondamentaux d'évolution de ces relations. Le lecteur pourra compléter ses
connaissances de la matière en consultant les notes bibliographiques de fin
de chapitre et en explorant les références imprimées et informatisées qui
sont recensées en fin de volume.

Notes

1. Voir notamment Raymond Aron, *Guerre et Paix entre les Nations* (Paris : Calman-Lévy, 1984) ; Marcel Merle, *Sociologie des relations internationales* (Paris : Dalloz, 1982) ; Charles Zorgbibe, *Les relations internationales* (Paris : Presses universitaires de France, 5ᵉ éd., 1994).

2. Selon Bertrand Badie, le terme mondialisation a été répertorié pour la première fois par le dictionnaire Robert en 1953. Voir Guy Hermet, Bertrand Badie, Pierre Birnbaum, Philippe Braud, *Dictionnaire de la science politique* (Paris : Armand Colin, 4ᵉ éd., 2000), 177-178.

3. Pascal Boniface, *Le monde contemporain : grandes lignes de partage* (Paris : Presses universitaires de France, 2001), 9.

4. Robert Reich, *L'économie mondialisée* (Paris : Dunod, 1993), 17.

5. Boniface, *Le monde contemporain*, 11.

6. *Id., ibid.*, 11.

7. Voir notamment Jean-Marie Guéhenno, «Globalization and Fragmentation» *in* Marc F. Plattner et Aleksander Smolar, eds., *Globalization, Power and Democracy* (Baltimore : The John Hopkins University Press, 2000), 14-28 ; Suzanne Berger, «Introduction» *in* S. Berger et R. Dore, eds., *National Diversity and Global Capitalism* (Ithaca, NY : Cornell University Press, 1996). Pour une analyse des nombreuses définitions du concept de mondialisation, voir Claire Sjolander, «The Rhetoric of Globalization : What's in a Wor(l)d?», *International Journal*, 51, 4 (1996), 603-616.

8. Hermet *et al.*, *Dictionnaire de la science politique*, 177-178.

9. Robert Gilpin, *Global Political Economy. Understanding the International Economic Order* (Princeton : Princeton University Press, 2001), 293. Voir aussi Paul N. Doremus, William W. Keller, Louis W. Pauly et Simon Reich, *The Myth of the Global Corporation* (Princeton : Princeton University Press, 1998).

CHAPITRE 1

L'ANALYSE DES RELATIONS INTERNATIONALES

1

L'ANALYSE DES RELATIONS INTERNATIONALES

Préalables épistémologiques

Selon Philippe Braillard, « on peut dire, d'une façon tout à fait générale, qu'une théorie est une expression, qui se veut cohérente et systématique, de notre connaissance de ce que nous nommons la réalité. Elle exprime ce que nous savons ou ce que nous croyons savoir de la réalité[1]». La principale fonction d'une théorie est d'expliquer un phénomène en établissant des liens, notamment causals, entre les éléments qui le composent. Une autre fonction de la théorie est de prévoir l'évolution future de la réalité qui constitue son objet.

Aucune théorie n'est en mesure d'expliquer une réalité dans toute sa complexité. Toute théorie est une simplification ou une schématisation d'un phénomène, l'expression abstraite de certains de ses aspects jugés importants. Cela signifie que « la théorie implique une activité de sélection et de mise en ordre des phénomènes et des données[2]» qui n'est jamais neutre. Comme l'ont montré Jürgen Habermas et Thomas Kuhn, cette structuration de la réalité est conditionnée par divers facteurs, notamment l'intérêt, parfois inconscient, du chercheur pour telle épistémologie ou conception de la connaissance, le contexte socioculturel dans lequel se déroule la recherche, le système de valeurs et la méthodologie privilégiés par le chercheur[3].

Il existe différentes conceptions de ce qu'est une théorie dans le domaine des sciences. Dans le cadre des sciences de la nature ou des sciences exactes, une théorie est un ensemble cohérent de propositions déductibles logiquement entre elles et vérifiables empiriquement. Selon Anatol Rapoport, c'est le lien déductif entre les propositions qui est la caractéristique fondamentale de cette théorie[4]. En sciences sociales, il existe, selon Braillard, trois orientations fondamentales de la théorie. Premièrement, les théories essentialistes « dont le but est la mise à jour de l'essence des diverses entités sociales soit par le moyen d'une réflexion philosophique [...] soit à travers une compréhension intuitive ». Ces théories sont souvent dites «normatives» parce qu'elles tendent à montrer, plus explicitement que les autres théories, « quelle est la meilleure forme d'organisation sociale ou au moins quelles sont les valeurs qui doivent guider » les conduites humaines. Deuxièmement, l'orientation empirique qui envisage la théorie comme un ensemble logiquement cohérent de propositions soumises à vérification ou à falsification par une confrontation avec les faits. Le but de ces théories n'est pas de découvrir l'essence des choses mais d'expliquer les données qui se rapportent aux divers comportements, interactions et processus sociaux. Elles impliquent une description et une classification de ces données et tendent plus ou moins directement à une prévision des phénomènes qu'elles expliquent. Ces théories, tels le behaviouralisme et le positivisme, procèdent d'une démarche analytique hypothético-déductive et tendent à se rapprocher des théories des sciences exactes, bien qu'elles font face à d'énormes difficultés à relier d'une manière précise leurs concepts aux phénomènes étudiés. Certaines d'entre elles font toutefois également appel à une démarche intuitive ou rationnelle pour comprendre les comportements sociaux[5]. La troisième orientation théorique, illustrée notamment par le marxisme, procède d'une démarche dialectico-historique. Elle aborde la société comme une totalité et cherche à révéler ses antagonismes structurels et ses contradictions et à mettre à jour le sens objectif ou les lois dialectiques de l'Histoire. Elle se veut non seulement un outil de connaissance mais un instrument de critique sociale et un guide pour l'action[6].

Qu'est-ce qu'une théorie des relations internationales ?

Selon Braillard, on peut définir une théorie des relations internationales

comme un ensemble cohérent et systématique de propositions ayant pour but d'éclairer la sphère des relations sociales que nous nommons internationales. Une telle théorie est ainsi censée présenter un schéma explicatif de ces relations, de leur structure, de leur évolution, et notamment d'en mettre à jour les facteurs déterminants. Elle peut aussi, à partir de là, tendre à prédire l'évolution future de ces relations, ou au moins à dégager certaines tendances de cette évolution. Elle peut également avoir pour but plus ou moins direct d'éclairer l'action. Comme toute théorie, elle implique un choix et une mise en ordre des données, une certaine construction de son objet, d'où sa relativité[7].

Dans les faits, les théories des relations internationales englobent un grand nombre d'approches qui ne répondent pas à cette définition restrictive. Il est d'usage courant, comme dans plusieurs disciplines des sciences sociales, de qualifier de « théories » des méthodes, des modèles, des typologies, des taxinomies ou des ensembles d'hypothèses qui n'aboutissent pas à la formulation d'un ensemble logiquement cohérent de propositions. Il est également fréquent que l'on confonde théorie et paradigme. Un paradigme, selon Raymond Boudon et François Bourricaud, est un ensemble d'énoncés portant, non sur tels aspects de la réalité sociale, mais sur la manière dont le chercheur doit procéder pour construire une théorie explicative de cette réalité[8].

L'analyse des relations internationales a été pendant plusieurs siècles l'apanage des juristes—philosophes qui ont tenté d'expliquer les relations d'État à État à l'aide de théories essentialistes-normatives. Avec le développement des sciences sociales, aux XIXe et XXe siècles, les théories des relations internationales se sont multipliées et plusieurs ont tenté de se démarquer de ce cadre juridico-philosophique par l'emploi d'approches empiriques ou dialectico-historiques. L'élargissement, la complexification et la fragmentation du domaine d'études des relations internationales ont largement contribué à cette diversification théorique. Celle-ci a donné lieu à de nombreux débats au sein de la communauté scientifique. Ainsi, les théories empiriques positivistes et behavioralistes ont été accusées de camoufler leurs postulats normatifs « conservateurs » sous une pseudo-neutralité par les partisans des théories essentialistes et dialectico-historiques. Les théoriciens empiristes, pour leur part, ont critiqué la nature « aléatoire », « approximative » et « peu scientifique » des théories essentialistes et dialectico-historiques.

Un des points sur lesquels le débat s'est cristallisé est le recours à la formalisation et à la quantification. Comme le souligne Braillard, cette controverse a donné lieu à bien des confusions épistémologiques. D'une part, plusieurs empiristes ont eu tendance à surestimer la valeur du formalisme scientifique en considérant que l'on pouvait expliquer les phénomènes sociaux à l'aide des mêmes instruments mathématiques que ceux des sciences exactes. D'autre part, les tenants des approches essentialistes et dialectico-historiques ont sous-estimé l'apport de ces emprunts aux sciences exactes et la possibilité d'élaborer des outils de formalisation et de quantification plus conformes à l'essence des relations sociales. Une autre polémique a opposé les ethnocentristes et les relativistes, les seconds dénonçant l'incapacité des théories des sciences sociales—et des relations internationales—à expliquer adéquatement la réalité globale en raison de leurs présupposés explicites ou implicites occidentalo-centristes, et les premiers reprochant aux relativistes leur idéalisme et leur subjectivisme[9].

Classification des théories des relations internationales

Il existe plusieurs classifications différentes des théories des relations internationales. La plupart établissent néanmoins une distinction entre les théories générales, soit les trois philosophies qui ont proposé une explication normative, historique et relativement globale des relations internationales—le réalisme, le libéralisme et le marxisme[10]—et les autres théories. Cette deuxième catégorie regroupe les théories partielles propres aux divers champs de spécialisation des relations internationales et les conceptions normatives critiques des théories générales.

La première partie de cet ouvrage analyse les théories générales des relations internationales en établissant toutefois une distinction entre les conceptions classiques et néoclassiques du réalisme, du libéralisme et du marxisme, ce qui est peu courant dans les manuels consacrés aux relations internationales. Par la suite, elle examine deux théories normatives critiques des théories générales classiques et néoclassiques, qui sont inspirées du postmodernisme : le constructivisme et la perspective communautarienne. Les principales théories partielles des relations internationales sont étudiées dans les troisième et quatrième parties du livre, consacrées à la politique étrangère des États et aux relations économiques internationales.

Les théories générales classiques

Le réalisme

Selon Braillard, le qualificatif « réaliste » a été attribué aux auteurs qui prétendent considérer l'humain et les rapports sociaux—notamment les relations politiques—tels qu'ils sont et non tels que l'on voudrait qu'ils soient, au nom d'un idéal[11]. C'est la raison pour laquelle leurs détracteurs les considèrent souvent comme des conservateurs ou des défenseurs du *statu quo*. En vérité, les réalistes croient que le monde étant gouverné par certaines lois objectives ou caractéristiques naturelles immuables, le changement ou le progrès n'est possible que s'il est fondé sur la connaissance et la prise en compte de ces contraintes. La préoccupation première des réalistes est donc de comprendre ces contraintes grâce à une observation objective de la réalité. Dans les faits, toutefois, leur observation du réel demeure sélective et entachée de jugements de valeurs. En témoignent les quatre thèses qui constituent, selon Paul Viotti et Mark Kauppi, la quintessence de la pensée réaliste : les États sont les seuls ou les principaux acteurs des relations internationales ; l'État est par nature unitaire ; l'État est rationnel et vise constamment à maximiser son intérêt national, ce qui implique le recours périodique à la force ; la sécurité et les questions politiques constituent l'unique ou la principale finalité de la politique étrangère[12]. Il serait vain, toutefois, de vouloir retrouver l'expression intégrale de ces quatre thèses chez tous les penseurs réalistes. Comme nous le verrons, cette vision classique ou orthodoxe du réalisme s'est construite progressivement au fil des siècles pour trouver sa formulation la plus systématique chez les auteurs des années 1950-1980. Au cours des décennies ultérieures, elle a fait l'objet de diverses remises en question, reformulations et adaptations par les théoriciens néoréalistes.

Les précurseurs du réalisme

Plusieurs spécialistes soutiennent que le philosophe grec THUCYDIDE (471-400 av. J.-C.) est le premier précurseur de la tradition réaliste et de l'analyse des relations internationales[13]. Son célèbre ouvrage *Histoire de la guerre du Péloponnèse*, en effet, n'est pas uniquement une chronique de la guerre qui a opposé Athènes et Sparte pendant vingt-huit ans, mais une analyse des fondements de la puissance militaire et politique de ces deux États et des causes de leurs comportements agressifs l'un vis-à-vis de l'autre, analyse basée sur une observation minutieuse des évènements et la réalisation d'entrevues avec les protagonistes. La principale conclusion de son enquête est que la guerre est le résultat de la peur et d'un changement dans l'équilibre des puissances. Sparte a attaqué Athènes parce qu'elle craignait de perdre sa suprématie sur le Péloponnèse. Dans un premier temps, Athènes a riposté pour se défendre, mais la dégénérescence de ses institutions démocratiques l'ont amenée à devenir de plus en plus fanatique et agressive, l'incitant à poursuivre la guerre contre Sparte dans le but d'usurper à cette dernière sa position hégémonique. Deux enseignements fondamentaux de l'œuvre de Thucydide ont été retenus par les réalistes : premièrement, chaque État cherche nécessairement à défendre ou à maximiser sa puissance militaire et politique, ce qui crée des conditions favorables à la guerre ; deuxièmement, la guerre est plus probable entre États autoritaires qu'entre États démocratiques puisque les seconds sont moins impérialistes que les premiers.

Les deux philosophes les plus souvent cités comme fondateurs du réalisme demeurent néanmoins l'Italien Nicolas MACHIAVEL (1469-1527) et l'Anglais Thomas HOBBES (1588-1679). Machiavel est un contemporain de la Renaissance, marquée par la rupture de l'ordre juridique et moral de la chrétienté et le développement des premiers États-nations monarchiques qui ne reconnaissent aucune autorité supérieure à la leur, n'acceptent de se plier à aucune règle commune et qui, exclusivement préoccupés par le désir d'accroître leur influence, vivent dans un climat permanent d'hostilité et de rivalité. C'est la loi de la jungle qui régit les rapports interétatiques, le plus fort imposant sa volonté au plus faible. Hobbes est le témoin de la répression sanglante des rébellions irlandaise et écossaise et de l'instauration de la première république anglaise, sous l'égide du dictateur Oliver CROMWELL (1648-1658), évènements qui le terroriseront et l'amèneront à s'exiler en France. Ces contextes historiques ne sont pas étrangers à la vision pessimiste de la nature humaine et des rapports interétatiques de Machiavel et Hobbes. Ces derniers croient, sur la base de leur observation personnelle et nécessairement partielle de la réalité de leur époque, que les hommes sont animés d'un instinct inné de puissance et de domination qui les porte à rivaliser entre eux pour l'acquisition de la richesse, du pouvoir, du prestige, etc. Cette lutte se traduit inévitablement par la victoire de ceux qui, en raison des attributs de leur naissance (force physique, capacités intellectuelles, milieu familial plus favorisé) ou des chances que leur a procurées l'existence, possèdent des ressources supérieures aux autres. La nature et la conduite des États ne diffèrent pas de celles des hommes qui les dirigent. Les États sont animés d'une volonté de puissance ou de conquête qui les incite à rivaliser constamment entre eux. Dans la mesure où les États sont inégaux, certains étant avantagés par la distribution naturelle inégale des ressources géographiques, économiques, démographiques et autres et/ou plus aptes à utiliser efficacement la force (militaire) et la ruse (diplomatique), cette rivalité conduit à la domination des plus faibles par les plus forts.

C'est dans *Le Prince* (1513), petit opuscule dédié à Laurent de Médicis, maître de la Cité-État de Florence, que Machiavel a exposé le plus clairement sa vision des relations internationales. Celle-ci est dénuée de toute préoccupation religieuse et morale et consacrée essentiellement au triomphe du plus fort qui est, selon lui, « le fait essentiel de l'histoire humaine ». Pour Machiavel, le désir d'acquérir « est une chose ordinaire et naturelle » et tout État doit s'efforcer d'étendre ses possessions. Cette fin justifie l'emploi de tous les moyens. Pour agrandir son territoire et conserver ses conquêtes, le Prince doit s'inspirer de la ruse du renard (la diplomatie) et de la force du lion (la puissance militaire). L'infidélité aux engagements pris n'est qu'une nécessité pratique.

> Un prince doit savoir combattre en homme et en bête. Un prince doit se faire une réputation de bonté, de clémence, de pitié, de loyauté et de justice. Il doit d'ailleurs avoir toutes ces bonnes qualités, mais rester maître de soi pour en déployer de contraires, lorsque cela est expédient. Je pose en fait qu'un prince, et surtout un prince nouveau, ne peut exercer impunément toutes les vertus de l'homme moyen parce que l'intérêt de sa conservation l'oblige souvent à violer les lois de l'humanité, de la loyauté... (*Le Prince*, chapitre VIII).

Machiavel conçoit les États comme des monstres froids qui n'ont ni amis, ni ennemis, uniquement des intérêts nationaux à défendre. Cette aspiration naturelle à la souveraineté est la noble cause qui justifie l'emploi de tous les moyens pour sauvegarder et agrandir la puissance d'un État. Mais elle est également la cause des rivalités et des conflits inévitables et permanents entre les États.

Hobbes approfondira la pensée de Machiavel en montrant, dans *Le Léviathan* (1651), qu'il existe une opposition radicale entre la société internationale et les sociétés nationales. Dans celles-ci, en l'absence d'un pouvoir organisé, les hommes vivent dans une situation d'anarchie où chacun est un concurrent avide de puissance et voit son droit le plus fondamental, le droit à la vie, constamment menacé. Les hommes peuvent toutefois sortir de cet état naturel de guerre et entrer en société en concluant collectivement un « pacte » ou un « contrat social » avec un Prince ou une Assemblée, par lequel ils renoncent à leurs droits et libertés en échange de la protection de leur vie ou de leur sécurité. Cependant, un tel contrat social n'est pas possible entre les États puisqu'il impliquerait que ces derniers renoncent à leur souveraineté, qui est le fondement de leur existence, au profit d'une autorité supranationale unique. La société internationale est donc condamnée à demeurer anarchique et caractérisée par la méfiance et la force plutôt que par la confiance, l'ordre et la paix.

> À tout moment, les rois et les personnes qui détiennent l'autorité souveraine sont à cause de leur indépendance dans une continuelle suspicion et dans la situation et la posture des gladiateurs, leurs armes pointées, les yeux de chacun fixés sur les autres. Je veux parler ici des forts, des garnisons, des canons qu'ils ont aux frontières de leurs royaumes, et des espions qu'ils entretiennent continuellement chez leurs voisins, toutes choses qui constituent une attitude de guerre *(Le Léviathan*, chapitre XIII).

Comme le soulignent à juste titre Viotti et Kauppi[14], la vision des relations internationales de Machiavel et Hobbes est cynique et pessimiste parce qu'elle tient compte uniquement des relations diplomatico-stratégiques des États, essentiellement caractérisées par la guerre—latente ou ouverte—à leur époque. Les précurseurs du réalisme qui ont envisagé les relations internationales du point de vue économique aboutissent à une conclusion plus optimiste. Tel est le cas de **Hugo Grotius** (1583-1645), diplomate, juriste et historien hollandais contemporain de Hobbes. Étant donné l'importance de la navigation et du commerce pour les Pays-Bas au tournant du XVIIᵉ siècle, Grotius plaide en faveur de la négociation de traités et de conventions internationales destinées à assurer la paix et à garantir la liberté de la navigation et des échanges. Dans son plus célèbre ouvrage, *De jure belli ac pacis*, Grotius soutient que la guerre ne peut être la seule forme des rapports entre États puisque la puissance de ces derniers ne repose pas uniquement sur la sauvegarde et l'agrandissement de leurs territoires ; elle dépend également de leur prospérité économique, elle-même liée au dynamisme de leur commerce avec les autres États. Grotius est un des premiers auteurs à avoir défendu la thèse selon laquelle le développement du commerce est un facteur de pacification et de réglementation des relations internationales. Dans la mesure où cette thèse a été reprise par les libéraux, il est souvent considéré comme un précurseur du libéralisme autant que du réalisme. Pourtant, alors que les libéraux croient que l'extension du droit international mènera à la création d'institutions supranationales et à l'instauration d'une paix universelle durable, Grotius envisage les ententes juridiques entre États comme une conséquence de l'absence d'autorité centrale au sein de la société internationale et un facteur susceptible de limiter mais non d'éliminer le recours à la force.

Parmi les auteurs qui ont contribué à établir les fondements de la théorie réaliste, il faut également mentionner Karl von CLAUSEWITZ (1780-1831). Dans son ouvrage *De la Guerre*, ce dernier a apporté une contribution centrale à l'explication de la stratégie militaire en montrant que toutes les décisions prises sur un champ de bataille sont caractérisées par l'incertitude. L'issue de toute guerre est imprévisible, car aucune planification rationnelle des opérations militaires ne peut prévoir tous les obstacles qui sont susceptibles d'entraver ou de faire échouer le déroulement de ces opérations. L'influence de l'œuvre de Clausewitz ne tient pas uniquement, cependant, au fait qu'il a conceptualisé la notion d'incertitude qui deviendra, au XXe siècle, un des éléments centraux de la théorie réaliste de l'acteur rationnel. Il a également montré que la guerre est la continuation de la politique par d'autres moyens et que son issue repose, non seulement sur les capacités militaires d'un État, mais sur ses ressources sociales et économiques[15]. Enfin, il a soutenu que la finalité ultime d'une guerre est la paix.

Les réalistes du XXe siècle[16]

Compte tenu que le réalisme a constitué le cadre d'analyse dominant des relations internationales au XXe siècle, notamment dans les pays anglo-saxons, une multitude d'auteurs ont contribué à son approfondissement et à sa systématisation. Il est évidemment impossible de recenser ici tous leurs travaux. Nous nous attarderons sur trois auteurs qui ont eu une influence particulièrement déterminante.

Hans J. MORGENTHAU est considéré par plusieurs comme le principal successeur contemporain de Machiavel et Hobbes en raison de sa contribution majeure à la conceptualisation et à la systématisation de la pensée réaliste classique[17]. Dans son ouvrage le plus célèbre, *Politics among Nations. The Struggle for Power and Peace*[18], il définit ainsi cette théorie :

[Le réalisme] croit que le monde, tout imparfait qu'il est d'un point de vue rationnel, est le résultat de forces inhérentes à la nature humaine. Pour rendre le monde meilleur, on doit agir avec ces forces et non contre elles. Ce monde étant par inhérence un monde d'intérêts opposés et de conflits entre ceux-ci, les principes moraux ne peuvent jamais être entièrement réalisés, mais doivent au mieux être approchés à travers l'équilibrage toujours provisoire des intérêts et le règlement toujours précaire des conflits[...][19].

Le réalisme politique, selon Morgenthau, est basé sur six principes fondamentaux. 1) La politique, comme la société en général, est gouvernée par des lois objectives qui ont leurs racines dans la nature humaine. Il est donc possible de développer une théorie rationnelle qui reflète au moins partiellement ces lois objectives. Il est également possible d'établir une distinction entre ce qui est vrai, objectivement et rationnellement —c'est-à-dire soutenu par l'évidence et éclairé par la raison—et l'opinion. 2) La loi objective fondamentale qui gouverne les relations internationales est le fait que les États agissent toujours dans le but de défendre leur intérêt ou leur puissance politique, qui est indépendante de l'économie, de l'éthique, de l'esthétique ou de la religion, bien qu'ils prétendent souvent, sincèrement ou hypocritement, agir au nom de motivations morales, humanistes et autres. 3) La puissance politique d'un État peut inclure toute chose qui établit et maintient le contrôle de l'homme sur l'homme. Les conditions dans lesquelles s'exerce la politique étrangère peuvent varier mais non la finalité de cette dernière. 4) Le réaliste est conscient de l'inéluctable tension entre l'impératif moral et les exigences de l'action politique mais il considère le respect de ces dernières comme la vertu suprême en politique. 5) Le réaliste refuse d'identifier les aspirations morales particulières d'un État avec la morale universelle. Si un État défend son intérêt politique tout en respectant celui des autres États, il rend justice à tous. 6) Le réaliste croit à l'autonomie de la sphère politique bien qu'il reconnaisse l'importance d'autres sphères et la pertinence d'autres modes de pensée. Le réalisme repose sur une vision pluraliste de la nature humaine mais il croit que pour saisir la dimension politique de cette dernière, il faut l'aborder dans ses propres termes[20].

Edward Hallett CARR a également apporté une contribution majeure au développement de la pensée des précurseurs du réalisme. Dans son œuvre jugée la plus importante, *The Twenty Years' Crisis 1919-1939*[21], il se demande pourquoi la paix établie par le traité de Versailles (1919) n'a duré que vingt ans. La réponse, dit-il, se trouve chez Thucydide, Machiavel et Hobbes. La Première Guerre mondiale (1914-1918) a été déclenchée par les puissances européennes (Autriche-Hongrie, Allemagne) qui craignaient un affaiblissement de leur position au profit d'autres puissances rivales (Russie, France, Grande-Bretagne). Au départ, les États victimes d'agression ont riposté pour protéger leur sécurité mais, progressivement, ils sont devenus de plus en plus belliqueux et ont cherché à poursuivre la guerre dans le but d'affaiblir leurs ennemis et de réaliser de nouvelles conquêtes. À la suite de leur victoire, ils ont imposé à l'Allemagne vaincue de très lourdes réparations, inspirées d'un esprit revanchard plutôt que rationnel ou réaliste, ce qui a contribué à alimenter le ressentiment, le réarmement et une nouvelle agression de l'Allemagne en 1939. Carr rejoint Morgenthau—et l'économiste anglais John Maynard Keynes[22]—lorsqu'il conclut que si les puissances victorieuses de la Première Guerre mondiale avaient adopté une attitude réaliste et approuvé des traités qui défendaient leurs intérêts tout en respectant ceux des puissances vaincues, la Seconde Guerre mondiale n'aurait pas eu lieu.

Hedley **BULL**, autre auteur britannique, a pour sa part approfondi l'analyse de la nature anarchique des relations internationales. Dans *The Anarchical Society. A Study of Order in World Politics*[23], il soutient que la société internationale est anarchique parce que les États souverains qui la composent sont entièrement libres d'agir selon leurs intérêts égoïstes, n'étant soumis à aucune autorité supérieure. La société internationale n'est pas pour autant désordonnée et chaotique. Il existe un ordre international émanant des États : ce sont les rapports de force et les règles coutumières de comportement qu'établissent les dirigeants politiques et les normes morales communes auxquelles ils adhèrent. L'analyse de Bull a une dimension pluraliste car elle combine les idées réalistes classiques de Machiavel et Hobbes sur la puissance, les thèses réalistes hétérodoxes de Grotius sur les fondements du droit international et les aspirations du philosophe libéral Emmanuel Kant relativement à l'instauration d'un ordre international fondé sur des normes morales universelles. En ce sens, elle s'inscrit dans la mouvance du néoréalisme. En effet, comme nous le verrons plus loin, ce qui distingue fondamentalement le néoréalisme du réalisme classique ce sont ses emprunts à d'autres courants de pensée et plus spécifiquement au libéralisme.

Principaux concepts du réalisme

Pour la très grande majorité des réalistes classiques, les relations internationales sont strictement les rapports diplomatiques et stratégiques qu'entretiennent entre eux les États souverains à l'extérieur des organisations internationales. Ces rapports sont nécessairement caractérisés par la rivalité, d'une part, parce que chaque État vise naturellement et constamment à défendre et à accroître sa puissance politique et militaire ; d'autre part, parce que la puissance est inégalement répartie au sein de la société internationale; enfin parce qu'il est impensable que les États acceptent de se soumettre à une autorité centrale qui les obligerait à coopérer entre eux. C'est uniquement pour cette dernière raison que la société internationale est anarchique, et non pas parce qu'elle est entièrement dépourvue d'ordre et livrée totalement à la violence. Les États souverains adhèrent librement et volontairement à des ententes et à des règles qui maintiennent la dynamique des conflits interétatiques dans un cadre pacifique. Toutefois, l'instauration d'une paix perpétuelle est inimaginable en raison de la souveraineté, des ambitions, des inégalités et de la méfiance mutuelle des États qui les placent dans un dilemme de sécurité[24]. Le recours à la force est inévitable, mais il n'est pas souhaitable et peut être limité. La guerre n'est pas désirable parce que, bien qu'elle permette de redistribuer la puissance et d'instaurer une rotation de la suprématie entre les États, ses coûts sont souvent plus élevés que ses bénéfices. Les affrontements armés peuvent être évités pendant des périodes de temps plus ou moins longues grâce à deux comportements : l'adoption de politiques défensives, isolationnistes ou neutralistes ou l'instauration d'un équilibre des puissances par la conclusion d'alliances stratégiques.

> La première solution (à la guerre) qui vient à l'esprit (des réalistes) consiste à rechercher entre les forces en présence un équilibre qui fasse obstacle à la domination des plus puissants et qui diminue les risques d'affrontements armés. Pour parvenir à cet état d'équilibre [...], les États sont incités non seulement à modérer leurs ambitions mais aussi à conclure entre eux les alliances nécessaires[25].

Selon Thucydide et ses successeurs, c'est lorsqu'un État croit que sa puissance politique et militaire est menacée par un autre État qu'il lui déclare la guerre. La principale finalité des alliances que concluent les États entre eux est donc d'empêcher un État tiers puissant de leur imposer sa domination. Ainsi, la Quadruple Alliance, conclue en 1815 par l'Autriche, l'Angleterre, la Russie et la Prusse, visait à contrer les visées expansionnistes et républicaines de la France napoléonienne. De telles alliances favorisent la paix dans la mesure où elles créent un nouvel équilibre de la puissance. Cette paix est toutefois relative, puisque les effets d'une alliance sont circonscrits à un nombre restreint d'États et qu'ils sont temporaires, une alliance ne durant que le temps où les États signataires ont un intérêt commun à y adhérer. La Quadruple Alliance permit de vaincre Napoléon et de maintenir la paix entre l'Autriche, l'Angleterre, la Russie et la Prusse pendant trente ans (1815-1848). Elle fut ensuite dissoute en raison, notamment, de la reprise des hostilités entre la Prusse et l'Autriche.

Une question a donné lieu à de nombreux débats chez les réalistes classiques : quelles sont les conditions d'établissement d'une alliance stratégique ? Selon Henry Kissinger, les alliances stratégiques résultent essentiellement de la volonté des États, mais elles ne peuvent exister qu'entre États dont les systèmes économiques, politiques et idéologiques sont similaires, convergents ou compatibles. Durant la période la plus dure de la guerre froide (1947-1956/1960), Kissinger soutiendra qu'aucune alliance n'est envisageable entre les États-Unis et l'Union des républiques socialistes soviétiques (URSS) en raison du caractère antagonique de leurs systèmes économiques et politico-idéologiques. La dissuasion nucléaire ou l'équilibre de la terreur lui apparaîtra, ainsi qu'à un très grand nombre d'autres réalistes, dont Raymond **ARON**, la seule alternative susceptible de maintenir la paix entre les deux superpuissances et à l'échelle mondiale. Durant la période de détente ou de dégel qui suivra le xxᵉ Congrès du Parti communiste de l'Union soviétique (PCUS), en 1956, congrès marqué par la révision des principes du marxisme-léninisme, la dénonciation du stalinisme et l'adoption d'une nouvelle politique étrangère fondée sur la coexistence pacifique avec l'Ouest, Kissinger concluera, à l'instar de Aron[26], que les systèmes communiste et capitaliste étant désormais convergents, il est possible d'envisager une alliance stratégique entre les deux superpuissances. Il sera, à titre de secrétaire d'État du président Richard Nixon, le principal négociateur des *Strategic Arms Limitation Talks* (SALT) I et II entre les États-Unis et l'Union soviétique au cours de la période 1969-1973[27]. Le contenu des accords SALT I et II illustre clairement les principes inhérents aux alliances stratégiques conclues volontairement par des États dont les systèmes économiques et politiques sont convergents : la confiance mutuelle, assurée par la possibilité pour chaque membre d'être informé sur l'évolution et la modernisation des armements des autres membres et la volonté commune des partenaires de parvenir à un équilibre de leurs forces militaires. Ce principe, qui relève du contrôle des armements, n'est pas incompatible toutefois avec la course aux armements, soit la possibilité pour les membres d'une alliance d'améliorer la performance et l'efficacité de leurs armements. La vision réaliste des alliances stratégiques est donc très éloignée du désarmement revendiqué par l'école libérale.

Le libéralisme

Comme le souligne André Liebich, « le terme libéral vient du mot latin *liber* c'est-à-dire libre... mais cette première constatation ne donne qu'un aperçu partiel du libéralisme. Liberté de quoi et liberté pour quoi?[28]» Au début, aux XVIe et XVIIe siècles, les penseurs et les partisans européens du libéralisme veulent se libérer des contraintes imposées par les sociétés de leur époque. La première liberté qu'ils recherchent est celle de croire dans la religion de leur choix, de suivre leur propre conscience et leur propre raison. Cette liberté implique la liberté d'expression et la liberté de militer en faveur de ses idées, donc de s'organiser sans crainte de représailles. Dans la mesure où ces revendications se heurtent au despotisme politique des monarchies absolutistes, instigatrices des premiers États-nations centralisés de la fin du Moyen Âge, le libéralisme deviendra un mouvement de lutte en faveur de l'instauration d'un régime politique qui place les libertés individuelles au-dessus de tout : la démocratie. C'est en faisant de l'individu la seule unité d'analyse possible, la principale unité de valeur que le libéralisme acquiert un caractère révolutionnaire ou radicalement nouveau par rapport aux idées des époques antérieures de l'histoire et notamment par rapport au réalisme pour lequel les intérêts de l'État priment sur ceux des individus.

Les libéraux imaginent l'état de nature antérieur aux sociétés organisées, non pas comme une jungle où l'homme est un loup pour l'homme, à l'instar de Hobbes, mais comme un état dans lequel les hommes vivent libres, dans une égalité et une harmonie relative. La conception libérale de l'état de nature n'est pas déduite d'une observation de la réalité existante, comme chez les réalistes ; elle est une construction de l'esprit — le mythe du bon sauvage de Jean-Jacques Rousseau — destinée à légitimer les revendications en faveur du respect des droits naturels de l'homme.

Les droits naturels sont les droits que chaque individu réclame simplement en tant qu'être humain. La définition de ces droits varie : on évoque le droit à la vie, à la liberté, à la sécurité, à la propriété... les droits naturels ont ceci de commun qu'ils sont inaliénables... ou non négociables. La notion de loi naturelle est reliée de très près à celle de droit naturel... La loi naturelle consiste en des préceptes qui sont obligatoires pour toute l'humanité. Elle est parfois conçue de façon descriptive ; pour les économistes libéraux, les lois de fonctionnement du marché sont des lois naturelles. Mais la loi naturelle est surtout prescriptive. Chez Hobbes, elle oblige les hommes à préserver leur propre vie, à chercher la paix si c'est possible et à faire la guerre si c'est nécessaire. Chez Locke, elle impose aux hommes l'obligation non seulement de préserver leur propre vie, mais de concourir à la préservation de la vie des autres, à leur porter secours[29].

Pour le libéral, l'individu est autonome, séculaire et rationnel. C'est surtout un être doté de droits naturels qui ne connaît pas d'unité de valeur supérieure à lui-même et dont la raison s'exerce par le calcul de ses intérêts propres. Comment peut-il dans ces conditions vivre en harmonie avec ses semblables ? C'est que, répond Adam Smith, pour satisfaire ses intérêts et ses besoins personnels chaque individu a besoin des autres et qu'au fur et à mesure qu'il satisfait ses intérêts, il satisfait insconsciemment les intérêts des autres et de l'ensemble. La société est possible en tant que somme des intérêts individuels égoïstes car « les relations sociales se fondent sur l'échange des biens, matériels comme symboliques, possédés par les uns et réclamés par les autres[30] ». Pour que chacun trouve son compte dans l'échange, il faut cependant que l'État garantisse par des lois le respect des libertés individuelles et l'existence de conditions égales de concurrence pour tous. C'est uniquement en ce sens que la Loi incarne l'Intérêt général ou la Raison. Seul un État démocratique dont les législateurs sont élus et dépositaires de la volonté populaire est en mesure de jouer ce rôle. Les libéraux admettent cependant que certains citoyens peuvent contrevenir aux lois et menacer la sécurité, la propriété et les libertés des autres citoyens. L'État doit donc disposer d'un pouvoir non seulement législatif (parlement) et exécutif (gouvernement) mais aussi judiciaire (tribunaux) et répressif (armée, police). Une conclusion évidente se dégage de ces énoncés de principes : le seul modèle de société qui est capable de donner corps ou substance aux droits et aux lois naturels est celui qui conjugue un système économique capitaliste et un régime politique démocratique.

C'est la transposition de ces deux systèmes au plan mondial qui assurera, selon les libéraux, l'instauration d'une paix universelle durable. Si les réalistes sont convaincus que les États ne renonceront jamais complètement et définitivement à leur souveraineté pour se soumettre au droit international ou à une autorité supranationale, les libéraux pensent qu'un tel renoncement est possible si les États sont démocratiques, ce qui implique qu'ils accordent la primauté aux droits individuels plutôt qu'aux droits collectifs de la nation, et s'ils sont interdépendants et relativement égaux au plan économique en raison du développement des échanges commerciaux.

Les précurseurs du libéralisme

Les précurseurs du libéralisme, bien qu'influencés par les idées de certains philosophes grecs, dont PLATON (428-348 av. J.-C.) et ARISTOTE (384-322 av. J.-C.), sont essentiellement des auteurs ouest-européens et américains, philosophes, économistes, financiers, juristes, médecins et hommes politiques des XVIIe et XVIIIe siècles et du début du XIXe siècle, notamment : les Allemands Gottfried Wilhelm LEIBNIZ (1646-1716), Emmanuel KANT (1724-1804) et Johann Gottlieb FICHTE (1762-1814) ; le Hollandais Baruch SPINOZA (1632-1677) ; les Français Charles de MONTESQUIEU (1689-1755), Jean-Jacques ROUSSEAU (1712-1778), Denis DIDEROT (1713-1784), Jean-Baptiste SAY (1767-1832) et Alexis de TOCQUEVILLE (1805-1859) ; les Anglais John LOCKE (1632-1704), David HUME (1711-1776), Adam SMITH (1723-1790), David RICARDO (1772-1823) et Jeremy BENTHAM (1748-1832) ; les Américains Benjamin FRANKLIN (1706-1790) et Thomas PAINE (1737-1809). Dès ses origines, le libéralisme a emprunté plusieurs formes doctrinales et promu diverses conceptions (idéaliste, aristocratique, libertaire, utilitariste) de la démocratie. Nous nous concentrerons ici sur les thèses des libéraux anglais qui ont largement influencé l'élaboration des constitutions démocratiques dans plusieurs pays d'Europe et aux États-Unis.

John Locke dans son *Deuxième traité sur le gouvernement civil* (1689) et David Hume dans son *Traité de la nature humaine* (1737) insistent sur la primauté des droits naturels individuels, dans les domaines politique et économique, et la nécessité de limiter le rôle de l'État à la création et au maintien de conditions économiques, sociales et politiques propices aux échanges entre individus, le marché étant le lieu essentiel de réalisation des aspirations individuelles au bien-être et au bonheur. David Ricardo dans ses *Principes d'économie politique* (1817) et Adam Smith dans ses *Recherches sur la nature et les causes de la richesse des Nations* (1776) mettent l'emphase sur le rôle de l'entrepreneur qui doit être soumis au minimum de contraintes par l'État. Quant à l'utilitariste Jeremy Bentham, il a systématisé la thèse selon laquelle les individus sont des êtres rationnels, qui cherchent à maximiser leurs plaisirs — dont la richesse est un élément crucial — et qui sont capables de calculer par eux-mêmes ce qui est moralement bon ou mauvais pour eux, sans intervention de l'État ou de l'Église[31]. L'État minimal — à l'opposé de l'État totalitaire de Hobbes — est nécessaire et possible pour les libéraux parce que les intérêts des individus sont compatibles et non antagoniques. La concurrence au sein du marché améliore le bien-être matériel général et la compétition des idées engendre une augmentation du bon sens (raison) politique.

Les libéraux admettent que la société internationale est constituée d'États indépendants qui rivalisent pour la défense de leurs intérêts propres, comme les individus rivalisent au sein de chaque société nationale pour la satisfaction de leurs intérêts et besoins. Cependant, les relations internationales peuvent être civilisées et pacifiées au même titre que les relations interpersonnelles si elles sont fondées sur le capitalisme, le droit et la démocratie. Le développement des économies de marché oblige les États à commercer entre eux, donc à conclure des ententes juridiques qui favorisent la coopération ou la solution pacifique des conflits. La démocratie, qui est le système politique le plus propice à l'expression de la liberté—du marché notamment—, diminue les risques d'affrontements internationaux en soumettant les dirigeants politiques au pouvoir des citoyens, qui sont par nature rationnels, donc favorables à la paix. Selon les philosophes libéraux idéalistes comme Emmanuel Kant et Friedrich HEGEL, le recours à la force est l'apanage des États autoritaires nationalistes qui sont mus par une volonté instinctive de puissance plutôt que par la Raison ou l'Intérêt général. C'est le développement des connaissances ou du Savoir qui permettra à la Raison, incarnée par la démocratie, de triompher des passions guerrières. L'instauration de la démocratie à l'échelle mondiale signifiera la fin de l'Histoire (des contradictions et des guerres) et l'avènement d'une paix universelle durable.

Les libéraux du xxᵉ siècle

Les continuateurs de la pensée libérale classique au xxᵉ siècle sont peu nombreux. Parmi eux, on peut mentionner les présidents américains Thomas Woodrow WILSON (1856-1924) et Franklin Delano ROOSEVELT (1882-1945) qui ont innové en prônant la création d'organisations internationales vouées au maintien de la paix—la Société des Nations (SDN), après la Première Guerre mondiale, l'Organisation des Nations Unies (ONU) et la Communauté européenne (CE), après la Seconde Guerre mondiale[32]. Selon Colard, c'est chez les spécialistes du droit international qu'on retrouve les principaux défenseurs du libéralisme classique au xxᵉ siècle[33]. Chez les juristes positivistes, la société internationale est présentée comme une juxtaposition d'États souverains et égaux, le droit international public étant conçu comme un

« droit interétatique » qui repose sur les relations contractuelles librement négociées par les personnes morales que sont les États. Les juristes objectivistes, quant à eux, sont opposés à la souveraineté des États et soutiennent que la société internationale est une société d'individus et de groupements d'individus. Ainsi, Georges SCELLE, dans son *Précis de droit des gens* (1932), part de l'idée que les rapports internationaux ne s'établissent qu'entre les personnes qui sont liées les unes aux autres par des liens de solidarité. Les rapports interpersonnels doivent se substituer aux rapports interétatiques. Le droit est un produit de la vie sociale. Il n'y a pas de différence de nature entre la société internationale et la société nationale. Dans les deux cas, l'individu occupe la première place. Selon cet auteur, un minimum d'ordre règne déjà dans le milieu international. Les gouvernements agissent tantôt pour le compte de l'État, tantôt pour l'ensemble de la Communauté internationale. Parfois la collaboration et la coopération des États débouchent sur un véritable gouvernement international comme dans le cas du Concert européen au XIXe siècle. Dans l'ensemble, on peut conclure que l'évolution du libéralisme classique au début du XXe siècle a été caractérisée par l'approfondissement de la réflexion sur les modalités juridiques et organisationnelles de la coopération internationale.

Principaux concepts du libéralisme

Les libéraux classiques ont une conception des relations internationales plus large que celle de la majorité des réalistes. Ils associent ces dernières non seulement aux rapports diplomatiques et stratégiques mais aussi aux échanges économiques et commerciaux des États[34]. Tout en reconnaissant que les relations internationales sont fondées sur la compétition, ils soutiennent que cette compétition peut être pacifique si les États sont démocratiques et interdépendants du point de vue économique. L'extension de la démocratie et l'essor des échanges capitalistes obligent les États à accorder la primauté aux intérêts rationnels de leurs citoyens, centrés sur l'accès au bien-être matériel et au bonheur, plutôt qu'à leur soif de puissance ; par ailleurs, ils renforcent les intérêts communs des nations les incitant à régler leurs différends par des ententes juridiques. C'est grâce aux progrès de la démocratie et du capitalisme que se développent le droit international et les organisations internationales, principaux instruments de la coopération entre les nations. Les États souverains autoritaires et protectionnistes sont les principaux fauteurs de guerres parce qu'ils agissent de manière égoiste, en fonction de leurs intérêts propres plutôt qu'en fonction des intérêts de la majorité de leurs citoyens. Seules la libéralisation des systèmes économiques et la démocratisation des systèmes politiques des États permettront de pacifier les relations internationales tout en procurant la liberté et la prospérité aux citoyens des différents pays.

Le marxisme

Les fondateurs du marxisme

La théorie marxiste tire son nom de son fondateur, l'historien, économiste et philosophe allemand Karl **Marx** (1818-1883). Cette appellation ne rend pas justice à Friedrich **Engels** (1820-1895), économiste et homme politique allemand, dont l'œuvre est indissociable de celle de Marx[35]. Si le libéralisme est né en réaction contre le réalisme, le marxisme trouve son origine dans la critique du libéralisme, en particulier celui de la philosophie idéaliste de Friedrich Hegel (1770-1831) et de l'économie politique de Smith et Ricardo.

Selon Hegel, c'est le développement du Savoir, la conscience que l'Esprit prend de son existence et de sa liberté, qui est le moteur essentiel de l'Histoire. La progression des connaissances engendre une transformation de la réalité économique, sociale et politique qui à son tour suscite un nouvel avancement des connaissances... jusqu'à la réalisation du Savoir absolu ou de la Raison sous la forme d'une société libre, égalitaire et juste : la Démocratie[36]. La philosophie marxiste, le matérialisme dialectique, soutient *a contrario* que ce sont les transformations des conditions économiques matérielles d'existence qui déterminent l'évolution des rapports politiques, des idées et de la conscience, cette évolution engendrant à son tour de nouvelles métamorphoses des conditions concrètes d'existence... jusqu'à l'avènement d'une société égalitaire et juste : le Communisme[37].

L'analyse de l'évolution des sociétés humaines sur la base du matérialisme dialectique a donné naissance à la théorie marxiste de l'Histoire : le matérialisme historique. Selon cette théorie, développée notamment par Marx dans le premier tome du *Capital* (1867) et Engels dans *L'Origine de la famille, de la propriété et de l'État* (1884), depuis l'apparition de la propriété privée et de l'État, toutes les sociétés — esclavagistes, féodales, capitalistes — ont été divisées en classes : la classe dirigeante qui possède les moyens de production de la richesse économique et contrôle l'État ; la classe opprimée, qui produit la richesse par son travail sans exercer de contrôle sur les moyens de production et le pouvoir politique ; et des classes intermédiaires (artisans, commerçants, intellectuels, professionnels...) qui ont un accès limité à la propriété des moyens de production et qui exercent une influence restreinte sur le pouvoir politique. Le passage d'un type de société à un autre survient lorsque le mode de production économique se transforme et qu'il permet l'émergence d'une nouvelle classe dirigeante qui entre en lutte contre l'ancienne classe dirigeante, s'empare du pouvoir politique et instaure un nouvel ordre économique, social et politique. C'est donc la lutte des classes qui est le moteur fondamental de l'Histoire. La lutte des classes, selon Marx et Engels, n'est cependant ni une fatalité, ni une caractéristique de la nature humaine : elle n'existait pas avant la naissance de la propriété privée, à l'époque du communisme primitif, et elle disparaîtra avec le remplacement du capitalisme par le communisme.

Les raisons pour lesquelles le capitalisme, dernier mode de production fondé sur la propriété privée de l'Histoire, est inévitablement condamné à être supplanté par le communisme sont expliquées dans plusieurs ouvrages, dont *Travail salarié et capital* (1849), *Contribution à la critique de l'économie politique* (1859) et le premier tome du *Capital.* Smith et Ricardo soutenaient que, dans le cadre du capitalisme, c'est la valeur produite par le travail qui est la source de la richesse. Marx et Engels se démarquent de cette théorie en affirmant que seul le temps de travail du producteur, l'ouvrier ou le prolétaire, est source de valeur. Le profit du capitaliste provient de la plus-value ou du temps de travail de l'ouvrier qui ne lui est pas payé en salaire. Alors que pour Smith et Ricardo la concurrence au sein du marché capitaliste favorise le libre-accès à la propriété privée pour tous et l'enrichissement général de la société, pour Marx et Engels cette concurrence oblige les entreprises à accroître constamment leur taux de plus-value par des stratégies qui provoquent des crises de surproduction et un appauvrissement des classes ouvrières et moyennes. La fabrication d'une quantité de biens supérieure à la demande, la formation de monopoles grâce à la fusion des entreprises et l'augmentation de la productivité par le remplacement du travail manuel par des machines de plus en plus perfectionnées entraînent une croissance du chômage, la faillite des petites et moyennes entreprises et des déséquilibres de plus en plus graves entre l'offre et la demande. Afin de contrer la baisse des profits qui résulte des crises cycliques de surproduction, les entreprises élargissent leurs débouchés par la conquête de nouveaux marchés. Toutefois, les lois du capitalisme étant inexorables, ces nouveaux marchés sont avec le temps confrontés aux mêmes stratégies d'exploitation et à leurs conséquences négatives.

La mondialisation du capitalisme étant une solution temporaire à la baisse tendancielle des taux de profit ; elle crée, à long terme, des conditions objectives favorables à la révolution socialiste mondiale. Cette révolution ne peut toutefois être victorieuse que si elle est dirigée par le prolétariat, qui est le producteur de la plus-value et la seule classe qui n'a rien à perdre et tout à gagner dans cette révolution puisque, contrairement aux autres classes incluant la paysannerie, il est dépossédé de toute propriété. De là le célèbre appel du *Manifeste du parti communiste* : « Prolétaires de tous les pays unissez-vous ! » Dans *La guerre civile en France* (1871), autopsie de l'échec de la Commune de Paris qui fut la première tentative de révolution socialiste de l'histoire, Marx affirme toutefois que cette révolution ne peut triompher que si le prolétariat dispose d'une organisation politique capable de s'emparer de l'État, qui est l'instrument essentiel de défense des intérêts de la bourgeoisie.

Au-delà de ces réflexions, la théorie de Marx et Engels contient fort peu d'enseignements sur la manière de faire la révolution et sur les caractéristiques du régime communiste qui succédera à cette dernière. Seuls quelques écrits, dont *La guerre civile en France*, apportent certaines précisions sur ces questions. À la suite de la révolution prolétarienne, la construction de la société nouvelle s'effectue en deux phases : la phase socialiste, durant laquelle l'État de dictature du prolétariat socialise progressivement tous les moyens de production, élimine les classes sociales et répartit les biens selon le principe « à chacun selon ses moyens, à chacun selon ses besoins » ; et la phase ultérieure du communisme, caractérisée par la disparition définitive des classes et de l'État.

> Le communisme est un paradis. L'histoire s'arrête. Un homme nouveau apparaît. Les contradictions ont disparu. La société est sans classe, fraternelle et unanime. Tous les biens existent en abondance. Chacun reçoit selon ses besoins. Enfin, c'est une société sans appareil répressif et coercitif. La machine étatique a été selon les termes d'Engels « reléguée au musée des antiquités, à côté du rouet et de la hache de bronze »[38].

Les successeurs du marxisme

De toutes les théories, celle de Marx et Engels est sans doute celle qui a donné lieu au plus grand nombre d'interprétations divergentes. Ceci est dû en grande partie au fait que les théoriciens les plus influents du marxisme après Marx ont été les dirigeants des partis et des États communistes et que ces derniers, faute d'enseignements précis des fondateurs sur l'organisation de la révolution et la construction du socialisme, ont élaboré des complé ments à la doctrine qui correspondaient à leurs visions, à leurs intérêts, à leurs expériences particulières et aux conditions spécifiques de leur époque. Cet ouvrage établit une distinction entre ces penseurs, qui prétendent être les véritables successeurs de Marx et Engels, et les intellectuels néomarxistes de la période postérieure à 1945 dont les théories synthétisent les idées d'une ou de plusieurs variantes du marxisme et celles d'autres théories.

Vladimir Ilitch Oulianov Lénine (1870-1924), fondateur du parti bolchevik, dirigeant de la révolution russe de 1917 et premier chef d'État de l'URSS est, avec Rosa Luxemburg (1870-1919), fondatrice du parti communiste allemand, le premier auteur à avoir systématisé et adapté aux conditions du xxᵉ siècle la théorie marxiste des relations internationales. Ses deux ouvrages les plus importants sur le sujet sont *L'Impérialisme, stade suprême du capitalisme* (1916) et *L'État et la Révolution* (1917). Selon Lénine, dont les thèses rejoignent largement celles de Luxemburg, le capitalisme est parvenu à son stade ultime—l'impérialisme—en raison de l'accélération sans précédent de la concentration du capital et des moyens de production depuis 1870. Désormais, les économies de chaque pays capitaliste sont contrôlées par des oligopoles financiers, nés de la fusion des grandes entreprises bancaires et industrielles. Ces oligopoles rivalisent férocement pour le partage du monde. Cette rivalité, qui s'accroît au fur et à mesure qu'augmente le nombre de pays capitalistes participant à la chasse aux territoires et aux ressources encore disponibles, est la cause des crises économiques mondiales et des guerres que se livrent les États à la solde des oligarchies financières nationales. Seule l'élimination de l'impérialisme par une révolution prolétarienne mondiale permettra de rétablir la prospérité économique et la paix. Selon Lénine, la guerre de 1914-1918 est le type même de guerre entre puissances impérialistes rivales. Elle a pour but un nouveau partage du monde, une redistribution des colonies et la création de nouveaux espaces pour le capital financier. C'est cette analyse qui justifiera, en 1917, l'appel du parti bolchevik en faveur d'une transformation de la guerre impérialiste en révolution socialiste, appel dont l'application sera couronnée de succès en Russie, mais non dans les autres pays, tel l'Allemagne, où les tentatives de révolution communiste de 1918 et 1919 seront écrasées.

L'échec de la révolution socialiste mondiale, dans le contexte de la guerre de 1914-1918, explique que cette thèse ait perdu de son influence par la suite, sauf chez certains leaders révolutionnaires comme Léon TROTSKI (1879 1940). Le ouccocceur de Lénine, à la tête de l'URSS, Joseph STALINE (1879-1953), prétendra « qu'il est possible de construire le socialisme dans un seul pays », grâce au renforcement de la dictature du prolétariat et à l'appui des partis communistes des autres pays. Néanmoins, à la fin de la Seconde Guerre mondiale, il négociera avec ses alliés, la Grande-Bretagne et les États-Unis, un partage de l'Europe qui permettra à l'URSS d'imposer le communisme aux pays limitrophes de sa frontière occidentale[39]. Nikita KHROUCHTCHEV (1894-1971) désavouera le stalinisme et procédera à une révision du marxisme-léninisme. Trois thèses en particulier caractérisent le révisionnisme soviétique, issu du rapport Khrouchtchev présenté en 1956 au XXᵉ Congrès du PCUS : la révolution prolétarienne n'est pas nécessaire, le socialisme peut être instauré de manière pacifique, par la voie électorale ; la dictature du prolétariat n'est pas une étape incontournable de la construction du socialisme, elle est compatible avec l'existence de certains principes capitalistes ; les États communistes doivent développer une politique de coexistence pacifique avec l'Ouest, en raison de la menace nucléaire. Son successeur, Leonid BREJNEV (1908-1982), ajoutera à cette nouvelle politique révisionniste la thèse de « la souveraineté limitée des États socialistes », conçue afin de justifier l'intervention de l'armée rouge soviétique en Tchécoslovaquie, en 1968[40].

> Selon celle-ci, le Parti communiste au pouvoir est responsable non seulement devant sa propre classe ouvrière mais aussi devant l'ensemble du mouvement communiste international. En cas de déviation ou de trahison, l'URSS a le devoir d'intervenir pour préserver les acquis du socialisme, étant entendu que Moscou est le seul pays qualifié pour en décider et qu'il est le gardien du système[41].

Youri Andropov et Constantin Tchernenko poursuivront dans la voie idéologique tracée par Khrouchtchev et Brejnev durant leur court séjour au pouvoir (1982-1985). Leur remplaçant, Mikhaïl GORBATCHEV (1931-), abandonnera toutefois le révisionnisme au profit du libéralisme. Il s'engagera dans un processus de réformes caractérisé par la réintroduction des principes de l'économie de marché (la perestroïka), la démocratisation du système politique (glasnost) et la coopération pacifique avec les États-Unis et l'Europe occidentale, réformes qui aboutiront à la disparition du communisme, à la fin de la guerre froide et à l'éclatement de l'URSS (1990-1991).

Les dirigeants de l'URSS ne parviendront jamais à imposer totalement leur vision du marxisme au mouvement et aux régimes communistes au cours de la période postérieure à la Seconde Guerre mondiale. La contestation de l'autorité idéologique de Moscou sera plus ou moins radicale et elle sera justifiée par des motivations diverses, souvent même radicalement opposées. Ainsi le maréchal Josip Broz dit TITO (1882-1990) fera de la Yougoslavie un État indépendant du bloc soviétique, notamment parce que Staline refusait son modèle de socialisme fondé sur l'autogestion plutôt que la propriété collective d'État. Les communistes hongrois, sous la direction de Imre Nagy, et les communistes tchèques, sous l'influence d'Alexandre Dubcek, tenteront sans succès, en 1956 et 1968, d'instaurer un modèle socialiste plus libéral que celui de l'URSS. L'Albanie de Enver HOXHA (1908-1985) et la Chine de MAO TSÉ-TOUNG (1893-1976) rompront leurs relations avec Moscou en 1960 pour protester contre le reniement de l'héritage de Staline par Khrouchtchev. Dans les pays du tiers-monde, le mouvement communiste se démarquera à maints égards, tant des idées du marxisme originel que de celles du marxisme révisionniste soviétique. Les mouvements de décolonisation ou de libération nationale, suivis de l'instauration d'un régime socialiste (Chine, Cuba, Vietnam), inciteront leurs leaders — Mao Tsé-toung, HO CHI MINH (1890-1969) et Fidel CASTRO (1927...) — à soutenir que la révolution socialiste peut être victorieuse dans des pays qui n'ont pas fait l'expérience du capitalisme et qui ne possèdent pas un prolétariat susceptible de mener une lutte frontale contre la classe dominante, si elle est dirigée par un parti communiste qui s'appuie sur la paysannerie et une stratégie de guérilla rurale. En fait, en Amérique latine, en Afrique et en Asie, les stratégies de lutte révolutionnaire et les expériences socialistes varieront énormément tout en se démarquant de l'expérience soviétique.

La rupture sino-soviétique aura d'importantes répercussions sur l'idéologie et la pratique du mouvement communiste. Elle conduira à des scissions au sein des partis communistes pro-soviétiques et à la création de nouveaux partis marxistes-léninistes se réclamant de la pensée de Staline, Mao Tsé-toung et Enver Hoxha. Dans les faits, la politique de ces partis sera largement inféodée à la politique étrangère de la République populaire de Chine (RPC). Cette politique, dont l'objectif véritable est de permettre à la RPC d'accéder au statut de grande puissance mondiale, cherchera à rassembler dans une vaste coalition contre les deux superpuissances américaine et soviétique les pays dépendants du tiers-monde, les mouvements de libération nationale et les mouvements révolutionnaires des pays développés. Le réseau des nouveaux partis marxistes-léninistes ne sera qu'un des instruments de cette politique, les autres étant le soutien de la RPC à plusieurs mouvements de guérilla, en Asie de l'Est et du Sud-Est notamment, et la création du Mouvement des pays non alignés, en 1955, avec la collaboration de certains dirigeants « anti-impérialistes » du tiers-monde : Ahmed Sukarno, Gamal Abdel Nasser, Tito et Jawaharlal Nehru.

L'échec et la disparition de la majorité des régimes socialistes et communistes, au cours des années 1990, ont discrédité les idées des fondateurs et des successeurs du marxisme. Cependant, quoique atténuée, l'influence des variantes de cette théorie subsiste dans la littérature, notamment celle des néomarxistes, et dans différents milieux. Deux raisons en particulier peuvent être invoquées pour expliquer ce fait. D'une part, comme le soulignent Kuhn et Imre Lakatos, même si une théorie est infirmée par les faits, elles continuera à être utilisée pendant une longue période en raison de l'attachement des chercheurs à ses valeurs et de l'intérêt qu'ils ont à défendre ces dernières[42]. D'autre part, si la théorie marxiste du socialisme a été infirmée par la faillite des socialismes réels, l'analyse marxiste des lois et des contradictions du développement capitaliste est à divers égards corroborée par la dynamique actuelle de mondialisation du capitalisme. Comme l'a souligné Robert Gilpin :

> Le marxisme survit en tant qu'instrument d'analyse et de critique du capitalisme et il continuera à survivre aussi longtemps que les lacunes du capitalisme identifiées par Marx et ses successeurs persisteront : les cycles de croissance et de récession du capitalisme, l'extension de la pauvreté parallèlement à la croissance de la richesse et l'intense rivalité des économies capitalistes pour le partage du marché (traduction de l'auteure)[43].

Les théories générales néoclassiques

Les théories néoréaliste, néolibérale et néomarxiste sont des reformulations et des adaptations des théories réaliste, libérale et marxiste à l'évolution de la réalité internationale et des connaissances. Elles sont plus éclectiques que les approches classiques, d'une part, parce qu'elles combinent ou synthétisent les idées des réalistes, des libéraux et des marxistes ; d'autre part, parce qu'elles empruntent plusieurs éléments aux théories de diverses disciplines, notamment l'économie, la psychologie et les mathématiques. Le néoréalisme et le néolibéralisme se sont surtout imposés durant les années 1970 et 1980, mais leur origine est plus ancienne. On peut facilement identifier des auteurs qui ont remis en question, à un égard ou à un autre, la pensée réaliste ou libérale classique au cours des années 1950-1970[44]. Les divers courants du néomarxisme, quant à eux, ont connu leur apogée durant les années 1960 et 1970 mais ont perdu de leur influence au cours des deux décennies ultérieures.

Le néoréalisme

Selon Viotti et Kauppi, la reformulation de la pensée réaliste par les néoréalistes s'articule principalement autour des thèmes suivants : la définition de la puissance des États ; l'équilibre des puissances ; les relations entre interdépendance, hégémonie et paix ; la place du changement dans les relations internationales[45]. Cependant, tous les auteurs néoréalistes ne se démarquent pas nécessairement de la pensée réaliste sur chacun de ces thèmes.

La définition néoréaliste de la puissance de l'État est plus large que celle des réalistes et plus proche de celle des libéraux et marxistes. Elle associe cette dernière, non seulement aux capacités militaires et politiques, mais aussi à l'importance des ressources économiques et technologiques de l'État. Certains auteurs, dont Paul KENNEDY et Charles KINDLEBERGER, affirment même que la puissance politique et militaire d'un État découle de ses capacités économiques et technologiques[46].

Selon les réalistes, tel Kissinger, la construction d'un système d'équilibre de la puissance résulte de la volonté des dirigeants politiques, elle n'est en aucun cas automatique. Kenneth WALTZ, dont l'ouvrage *Theory of International Politics* (1979)[47] est souvent considéré comme la première reformulation de la pensée réaliste traditionnelle[48], considère à l'inverse que l'équilibre des puissances est un attribut inhérent au système des États. Waltz aboutit à cette conclusion en appliquant aux relations internationales les préceptes de l'économie libérale néoclassique. De la même façon que la compétition entre les forces du marché tend naturellement vers l'équilibre, en raison du comportement rationnel des vendeurs et des acheteurs, la rivalité entre les États tend spontanément vers un équilibre de la puissance à cause de la rationalité des États qui utilisent leurs capacités pour défendre leurs intérêts et réaliser leurs objectifs. La rationalité des

États fait en sorte que les plus faibles se coalisent spontanément contre les États les plus puissants. Contrairement aux libéraux, Waltz affirme que tous les États, et non seulement ceux qui sont démocratiques et capitalistes, sont rationnels. L'équilibre des puissances peut donc, à l'inverse de ce que prétend Kissinger, se réaliser entre États dont les systèmes économiques et politiques sont différents. Cette conception déterministe de l'équilibre au sein du système international est bien illustrée par la métaphore du jeu de billard de Arnold Wolfers[49]. Selon ce dernier, les États sont comme des boules de billard qui se cognent. Les boules les plus grosses et les plus rapides (les grandes puissances) frappent et éliminent de leur chemin les plus petites boules (les puissances faibles), bien que leur trajectoire puisse être légèrement déviée par ces collisions. Lorsque le mouvement des boules ralentit, on se retrouve dans une situation d'équilibre ou de stabilité internationale temporaire, toute nouvelle impulsion des boules entraînant un nouveau déséquilibre des forces[50].

Si les auteurs réalistes, tel Kissinger, ont analysé les conditions favorables à l'instauration d'un système d'équilibre de la puissance, les auteurs néoréalistes, comme Waltz, David SINGER et Karl DEUTSCH se sont plutôt interrogés sur les avantages et les désavantages respectifs des divers systèmes—unipolaire, bipolaire et multipolaire—d'équilibre de la puissance[51]. Selon leurs analyses, plus un système d'équilibre comporte un nombre élevé d'États, plus les risques d'incertitude et d'instabilité sont grands, car plus il est difficile pour les dirigeants de prendre des décisions rationnelles puisqu'ils sont confrontés à une profusion d'informations difficiles à maîtriser. Cette logique rappelle celle de l'économie libérale néoclassique pour laquelle c'est la circulation imparfaite de l'information, qui en hypothéquant la rationalité des décisions des agents économiques, crée de l'incertitude au sein du marché. Ce raisonnement amène Waltz, Singer et Deutsch à conclure que le système bipolaire de la guerre froide est plus porteur de certitude et de stabilité que les systèmes multipolaires du XIXe siècle[52] et de la période 1918-1939. On comprend aisément qu'en vertu de cette logique, le système d'équilibre préféré d'un grand nombre de néoréalistes soit un système unipolaire, fondé sur un seul pôle hégémonique. Bruce BUENO DE MESQUITA a critiqué cette conception en arguant qu'un système multipolaire n'est pas plus instable qu'un système bipolaire ou unipolaire. Tout système—peu importe sa nature—est caractérisé par une faible incertitude lorsque ses structures ne changent pas, car les acteurs politiques sont alors en mesure d'anticiper ce que feront leurs partenaires en se référant aux comportements qu'ils ont adoptés dans le passé dans des circonstances similaires[53].

Pour les réalistes, l'interdépendance politique et militaire des États est négative puisqu'elle est synonyme d'une limitation de la souveraineté des États faibles par les États les plus puissants. Tout en adhérant à cette vision, les néoréalistes, tels Robert GILPIN et Peter KATZENSTEIN[54], ajoutent que l'interdépendance des États est aussi économique et déterminée par les ressources des gouvernements et des entreprises privées. La domination des pays riches se concrétise largement par l'emprise qu'exercent leurs firmes multinationales sur l'économie des pays moins développés. Cette conception néoréaliste de l'interdépendance est beaucoup plus proche de celles des marxistes et des néomarxistes que de celle des libéraux qui considèrent que l'interdépendance économique atténue les inégalités de développement et renforce les intérêts communs et la coopération des États.

Cela dit, si pour les néoréalistes l'interdépendance est fondamentalement une source d'inégalités entre États, elle n'est pas nécessairement synonyme de conflits. Les affrontements militaires peuvent être évités si les États éliminent ou évitent des contacts avec leurs opposants ou adversaires. Dans les autres domaines, en particulier le domaine économique, la coopération est possible si elle est initiée et dirigée par un pôle ou une puissance hégémonique. Une telle coopération a existé durant le xixe siècle et les premières années du xxe siècle, parce que la Banque d'Angleterre contrôlait le système monétaire international, et après la Seconde Guerre mondiale, parce que leadership monétaire des États-Unis a remplacé celui de la Grande-Bretagne. Par contre, l'absence d'un *hegemon* durant les années 1930, dû à l'affaiblissement de la puissance britannique et au refus des États-Unis d'assumer un rôle de leader, a conduit au chaos et à l'instabilité, c'est-à-dire à la plus grave crise boursière et à la dépression économique la plus sévère de l'histoire moderne. Selon les néoréalistes, la direction du système international par une puissance hégémonique n'atténue pas les inégalités, mais elle profite à tous les États en suscitant la stabilité, la prospérité et la coopération. En revanche, le déclin de l'hégémonie engendre une diversification ou une fragmentation de la puissance et un renforcement de l'instabilité et des conflits. Les intérêts des États plus faibles ou dépendants sont donc mieux protégés dans le cadre d'un système international centralisé que dans celui d'un système international décentralisé.

Durant les années 1980, plusieurs auteurs se sont demandé si la stabilité de l'ordre international était menacée par la montée de la puissance économique et financière du Japon et de l'Union européenne (UE) et l'affaiblissement relatif de la position hégémonique des États-Unis. Certains ont répondu oui[55], d'autres non[56]. Ce débat s'est toutefois estompé dans les années 1990 en raison de la consolidation du rôle hégémonique des États-Unis après la fin de la guerre froide. Il a fait place à un nouveau questionnement sur les menaces à cette hégémonie et les stratégies susceptibles de les contrer. Deux ouvrages en particulier rendent compte des divergences des néoréalistes sur le sujet : *Le choc des civilisations* de Samuel HUNTINGTON et *Le grand échiquier* de Zbigniew BRZEZINSKI[57]. La théorie néoréaliste de la stabilité hégémonique a été et demeure un des principaux cadres d'analyse des relations internationales.

Comme nous l'avons mentionné dans la section précédente, la notion de changement n'est pas absente de la théorie réaliste, contrairement à ce que prétendent nombre de ses détracteurs. Selon les réalistes, le changement est possible mais uniquement dans le cadre des lois objectives immuables qui gouvernent la réalité : tout État cherche naturellement ou rationnellement à conserver et à maximiser sa puissance ; la rivalité entre les États est inéluctable et fondée sur la loi du plus fort ; la société internationale est anarchique car aucun État ne peut rationnellement accepter de céder sa souveraineté à une autorité supranationale. Les néoréalistes ont complété plutôt que contesté cette conception en tentant d'approfondir la connaissance empirique des lois dans le cadre desquelles le changement est possible. Ainsi, sur la base d'études statistiques, Lewis RICHARDSON a démontré que la principale cause des guerres était la contiguïté territoriale des États ou leur aspiration à agrandir l'espace de leur souveraineté[58]. David Singer et ses collaborateurs ont constaté que les grandes puissances étaient les principales responsables des guerres et que les États engagés dans une course aux armements étaient plus susceptibles d'attaquer les autres États[59]. Gilpin, quant à lui, a démontré que le changement des rapports de force politiques résultait de la volonté des États de promouvoir leurs propres intérêts[60].

Le néolibéralisme

Selon les libéraux classiques, c'est le triomphe des intérêts individuels sur les intérêts des États qui garantira l'instauration d'une paix universelle. Cependant, alors que pour les libéraux anglo-saxons, plus pragmatistes et utilitaristes, la primauté des intérêts individuels est principalement assurée par le développement des échanges économiques, pour les libéraux idéalistes — allemands et français —, elle dépend surtout de l'extension du droit et de la démocratie politique. La pensée néolibérale contemporaine, d'origine américaine principalement, est beaucoup plus proche de la première conception que de la seconde puisqu'elle fonde l'avenir de la coopération internationale et de la paix sur l'interdépendance économique des États. En outre, sa vision de l'État démocratique diffère de celles des libéraux. L'État démocratique n'est plus perçu comme l'incarnation de la somme des intérêts individuels, équivalent de la Raison ou de l'Intérêt général, mais comme le lieu d'arbitrage des divers groupes nationaux et transnationaux d'intérêts. Selon Viotti et Kauppi, ce glissement théorique est dû au fait, qu'étant principalement d'origine américaine, le néolibéralisme définit l'État et le système international en fonction du système américain, dans le cadre duquel le jeu politique est dominé par la compétition et la négociation des groupes d'intérêt. Il s'inspire davantage des théories centrées sur les acteurs collectifs — celles de Marx, de Max Weber et des comparativistes américains comme David Truman, Harold Lasswell et Robert Dahl[61] — que des théories libérales pour lesquelles l'acteur individuel constitue la principale unité d'analyse. Compte tenu de leur vision de l'État, les néolibéraux accordent aux acteurs non gouvernementaux des relations internationales une importance plus grande que les libéraux. Selon eux, les États ne sont pas les seuls acteurs majeurs du système international. Les forces transnationales comme les grandes corporations multinationales et les organisations à vocation humanitaire et environnementale constituent également des acteurs de premier plan des relations internationales. Dans la mesure où la politique des États est déterminée par les conflits et les compromis des groupes ou des coalitions d'intérêts, il n'existe pas de différence de nature entre la politique intérieure et la politique étrangère des États, entre les sociétés nationales et la société internationale. L'environnement national est en constante interaction avec l'environnement international. Les changements qui se produisent à l'intérieur de chaque société ont une incidence sur le système international et les transformations du système international ont un impact sur la dynamique interne de chaque société.

Ces postulats expliquent que l'école néolibérale se soit beaucoup intéressée aux déterminants et aux modalités du processus de décision, dans le domaine de la politique étrangère notamment (voir troisième partie), et aux interrelations entre la modernisation économique, sociale et culturelle des sociétés (industrialisation, mobilité des biens, des personnes et des informations, urbanisation, éducation, laïcisation, diversification sociale, égalisation relative de la répartition des revenus)[62], à l'essor des relations transnationales, au développement des processus d'intégration internationale (établissement de zones de libre-échange, d'unions douanières, de marchés communs, d'unions économiques et monétaires ou d'unions politiques) et à l'approfondissement de l'interdépendance des États au cours de la période postérieure à 1945.

Ainsi, plusieurs auteurs se sont intéressés aux processus d'intégration internationale. Selon la théorie fonctionnaliste de David MITRANY, la modernisation des sociétés génère une myriade de problèmes de nature non politique dont la solution requiert la collaboration des experts de divers pays. Les bénéfices découlant de cette collaboration incitent les États à renforcer leur coopération par la conclusion d'ententes régionales d'intégration économique qui contribuent au développement de l'intégration politique[63]. Selon la théorie néofonctionnaliste d'Ernest HAAS, l'intégration résulte, non seulement de l'obligation pour les États de coopérer dans divers domaines non politiques afin de résoudre les problèmes inhérents à la modernisation, mais aussi de la conviction des dirigeants politiques nationaux qu'il est dans leur intérêt de transférer leurs loyautés, leurs attentes et leurs capacités d'intervention à de nouvelles institutions qui possèdent un pouvoir de juridiction supranational[64]. L'intégration n'est toutefois pas idéalisée. Elle est vue comme une dynamique extrêmement complexe et porteuse d'incertitudes, en raison de la multiplicité des champs d'activité et des acteurs concernés, du caractère souvent incompatible des objectifs poursuivis tant par les différents acteurs que par un même État dans divers domaines d'activité. La solution d'un problème peut créer un autre type de problèmes dans un autre secteur. Par exemple, une entente en vue de remplacer le pétrole par le charbon et l'énergie nucléaire peut résoudre les problèmes d'approvisionnement des industries des pays consommateurs de pétrole tout en créant de nouvelles menaces pour leur environnement.

Plusieurs auteurs se sont également intéressés au phénomène de l'interdépendance des États qui est un concept plus large que celui d'intégration puisqu'il fait référence aux multiples relations que nouent les acteurs gouvernementaux et non gouvernementaux des États, dans tous les domaines d'activité, dans le cadre ou non d'accords d'intégration. Alors que pour les néoréalistes, la balance des coûts/bénéfices de l'interdépendance est plus rentable pour les États forts ou dominants que pour les États faibles ou dépendants, pour les néolibéraux, la balance des coûts/bénéfices de l'interdépendance est moins inégalitaire. Pour les néoréalistes, l'interdépendance peut être un jeu à somme nulle dans le cadre duquel les États forts gagnent tout et les États faibles perdent tout. Pour les néolibéraux, une telle situation est impossible. Tous les États retirent des gains relatifs de l'interdépendance et dans certains cas ces gains peuvent être absolus, c'est-à-dire supérieurs aux coûts pour tous les partenaires.

L'interdépendance est donc plus favorable à la coopération qu'aux conflits. Cette coopération ne résulte pas uniquement du leadership d'un *hegemon*, comme le prétendent les néoréalistes, mais de la convergence des intérêts des États qui les incite à créer des régimes internationaux. Selon Stepen KRASNER, un régime international est « un ensemble de principes, normes, règles et procédures de décision implicites ou explicites » que les États adoptent sur une base volontaire en vue de gérer leurs relations et de résoudre leurs conflits dans un domaine particulier d'activité[65]. Robert Keohane définit les régimes comme des institutions de coopération relatives à des domaines spécifiques, tels que le commerce, l'environnement, le désarmement ou les droits de la personne. Les régimes signifient des accords de principes, des normes, des conventions, des procédures de prise de décision gouvernant les interactions des acteurs internationaux dans des domaines spécifiques. Dans les échanges économiques, aussi bien que dans la sphère politique, ces institutions favorisent la production et la circulation de l'information, diminuant ainsi le coût des transactions et l'irrationalité des choix. Elles instaurent des règles du jeu et donnent ainsi un cadre à la politique étrangère des États, rendant prévisibles leur comportement sur la scène internationale. Elles contribuent au processus de socialisation des gouvernements et des autres acteurs internationaux, en définissant les attitudes considérées comme acceptables et celles qui ne le sont pas, en orientant leurs préférences, leurs attentes, leurs choix, en inspirant leurs motivations. Elles impliquent des mécanismes de coordination et des procédures de négociation qui diminuent les aspects aléatoires des rapports diplomatiques. Elles favorisent l'arbitrage des conflits et la recherche de compromis reflétant l'intérêt général des États. Un régime international ne donne pas nécessairement naissance à une OI. Par ailleurs, une OI polyvalente, telle l'ONU, peut être le cadre de plusieurs régimes internationaux[66].

Contrairement aux libéraux, les néolibéraux ne croient pas que l'avènement d'un gouvernement mondial et la disparition de la souveraineté des États soient inéluctables. Cependant, ils n'écartent pas la possibilité qu'un renforcement de la convergence des intérêts des États les amène éventuellement à accepter volontairement de transférer leur pouvoir de décision à une autorité supranationale. Selon leur perspective, en effet, la capacité des États de transformer l'environnement international est quasiment illimitée car elle n'est pas soumise à des contraintes ou lois objectives immuables, comme le prétend la tradition réaliste. Aucun scénario de changement n'est donc utopique[67].

Néoréalisme et néolibéralisme

L'étude ci-dessus démontre que les théories néoréaliste et néolibérale comportent des éléments de similitude et de divergence. Elles sont donc plus difficiles à différencier que les théories réaliste et libérale qui sont radicalement opposées. Les nombreux débats entre néoréalistes et néolibéraux ont néanmoins permis de cerner les principaux points d'accord et de dissension entre eux. Selon l'ouvrage de David Baldwin, *Neorealism and Neoliberalism* (1993)[68], qui fait suite à celui de Robert Keohane, *Neorealism and its Critics* (1986)[69], les accords et désaccords des deux écoles se cristallisent principalement autour de quatre thèmes: la nature et les conséquences de l'anarchie; la coopération internationale; les régimes internationaux; les objectifs et les déterminants de la politique étrangère.

La nature et les conséquences de l'anarchie. Les néoréalistes et les néolibéraux adhèrent à l'idée que le système international est anarchique, i.e. dépourvu d'une autorité centrale et supranationale, mais ils définissent différemment les conséquences de l'anarchie. Pour les néoréalistes, celle-ci fait en sorte que les États agissent ou décident toujours de manière indépendante en fonction de leurs intérêts propres, y compris dans le cadre des OI et des régimes internationaux. Il n'existe pas de prise de décision collective. Par contre, une puissance hégémonique peut imposer ses vues aux autres États. Les néolibéraux, en revanche, croient qu'en raison de leur interdépendance, les États peuvent—dans le cadre des OI et des régimes internationaux—prendre des décisions qui reflètent leurs intérêts communs.

En résumé, les néoréalistes reprochent aux néolibéraux de sous-estimer les motivations individuelles des États et les néolibéraux reprochent aux néoréalistes de sous-estimer l'interdépendance des États et ses conséquences.

La coopération internationale

Les néoréalistes et les néolibéraux croient que la coopération internationale est possible et souhaitable. Mais alors que pour les premiers elle est difficile à réaliser et à maintenir en raison des intérêts divergents des États, pour les seconds elle se renforce au fur et à mesure que s'approfondit l'interdépendance des États. En outre, les deux théories n'envisagent pas exactement de la même façon les effets de la coopération. Pour les néoréalistes, la balance des coûts/bénéfices de la coopération varie selon la puissance de chaque État; les néolibéraux ne réfutent pas entièrement ce point de vue mais ils pensent que, dans certains cas, la coopération peut engendrer des gains absolus ou des gains supérieurs aux pertes pour tous les États, quelle que soit leur position dans le système international.

Les régimes internationaux. Les deux écoles de pensée reconnaissent d'emblée la prolifération des régimes internationaux depuis 1945 mais elles n'accordent pas la même signification à ces derniers. Pour les néolibéraux, les régimes internationaux constituent la principale source de coopération et de paix au sein du système international et un instrument de mitigation de l'anarchie. Les néoréalistes ne partagent pas cet optimisme. Les régimes internationaux demeurent principalement selon eux des lieux de conflits d'intérêts — ou d'imposition du leadership d'une puissance hégémonique — plutôt que des forums de coopération, car ils ne croient pas que l'interdépendance entraîne une convergence des intérêts des États.

Les objectifs et les déterminants de la politique étrangère. Les néoréalistes et les néolibéraux admettent que les principaux objectifs de la politique étrangère sont la sécurité et la prospérité économique. Les premiers considèrent toutefois que la sécurité est prioritaire par rapport à la prospérité économique alors que les seconds défendent la thèse inverse. Les deux théories reconnaissent que les deux principaux déterminants de la politique étrangère sont, d'une part, les intentions ou motivations des dirigeants politiques et, d'autre part, les capacités militaires et économiques dont dispose l'État; mais elles ne leur accordent pas la même importance. Les néoréalistes privilégient la première variable et les néolibéraux la seconde.

Dans l'ensemble, il est possible de conclure que la source essentielle des divergences entre néoréalistes et néolibéraux est l'importance inégale que chaque théorie accorde aux déterminants politiques et économiques des relations internationales. Il est souhaitable et envisageable qu'un traitement plus équilibré de ces variables par les spécialistes permette un jour de fusionner ces deux théories en un seul paradigme.

Le néomarxisme

Les néomarxistes doivent être distingués des successeurs contemporains de Marx et Engels, premièrement parce que ce sont des intellectuels et non des dirigeants de partis et/ou d'États communistes ; deuxièmement, parce que plusieurs d'entre eux sont des marxistes hétérodoxes qui s'inspirent, non seulement de Marx et de ses successeurs, mais aussi de diverses théories des sciences sociales, elles-mêmes partiellement influencées par le marxisme, notamment les théories économiques libérales hétérodoxes, la théorie de la modernisation, les modèles positiviste, fonctionnaliste et rationnaliste de la sociologie et de l'anthropologie structuraliste[70] ; troisièmement, parce que leur principale préoccupation n'est pas la révolution et la construction du socialisme, mais l'analyse du développement du capitalisme, en particulier à l'époque contemporaine. Certains auteurs ont étudié les transformations et les contradictions du capitalisme au sein des sociétés occidentales ou en développement[71]. D'autres se sont intéressés aux rapports d'échange entre pays capitalistes développés et pays en développement (PED). D'autres enfin ont analysé les contradictions du capitalisme au sein des États du système-monde et entre ceux-ci. Puisque cette section traite des théories des relations internationales, nous laisserons ici de côté la première catégorie de travaux.

Si tous les néomarxistes soutiennent, à l'instar de Marx et de Lénine, que le développement du capitalisme engendre des contradictions et des inégalités au sein des États-nations et entre ces derniers, leurs explications des causes, de la nature et des conséquences de ces contradictions sont très diversifiées.

Pour les auteurs les plus critiques ou radicaux, tels Emmanuel ARRIGHI, Pierre JALÉE[72], André GUNDER FRANK[73], Samir AMIN[74], Harry MAGDOFF[75] et James PETRAS[76], la mondialisation du capitalisme impérialiste renforce la dépendance des PED à l'égard des pays développés, tout en accentuant leur appauvrissement ou leur sous-développement. La principale cause de cette dynamique est l'inégalité des échanges entre le Nord et le Sud. Celle-ci est due principalement au fait que les pays du Sud obtiennent, pour les matières premières qu'ils exportent vers les pays du Nord, un prix inférieur à celui qu'ils paient pour les produits manufacturés qu'ils importent de ces derniers. Ce traitement inéquitable résulte de divers facteurs, notamment la manipulation des prix des matières premières par les cartels qui contrôlent ce marché et la surévaluation du prix des biens manufacturés, en raison des augmentations salariales obtenues par les syndicats ouvriers dans les pays développés. Selon ces auteurs, l'inégalité des échanges Nord-Sud n'a fait que s'aggraver au cours des siècles, de telle sorte que la pauvreté relative des pays du tiers-monde est aujourd'hui plus grande qu'elle ne l'était à l'époque coloniale. La seule issue à cette dynamique d'exploitation est la rupture avec l'ordre capitaliste-impérialiste grâce à la révolution socialiste[77]. À l'exception de Samir Amin[78], la plupart des auteurs appartenant à cette mouvance idéologique ont cependant cessé de prôner cette alternative après l'échec et l'effondrement des régimes communistes.

Immanuel WALLERSTEIN[79] et plusieurs auteurs parmi lesquels Charles-Albert MICHALET[80], Peter EVANS[81], Pierre SALAMA et Patrick TISSIER[82] ont contesté la théorie de l'échange inégal en démontrant que les transferts massifs de capitaux et de technologies liés à la délocalisation des banques et des firmes multinationales vers la périphérie avaient entraîné l'industrialisation de plusieurs pays du tiers-monde et l'émergence d'une nouvelle division internationale du travail (NDIT), au cours de la période postérieure à 1960. La NDIT est caractérisée par trois pôles : les pays développés (PD) du centre dont l'économie est désormais spécialisée dans les services et les industries de haute technologie ; les nouveaux pays industriels (NPI) du Sud où se concentre de plus en plus la production manufacturière ; les PED qui demeurent essentiellement des exportateurs de matières premières. La NDIT a profondément modifié les rapports de domination/dépendance économiques et politiques au sein du système international. Elle a affaibli la dépendance des NPI vis-à-vis des PD tout en renforçant leur domination vis-à-vis des PED. Elle a atténué la puissance relative du Nord vis-à-vis du Sud tout en introduisant de nouvelles inégalités entre les pays du Sud. Les auteurs de cette école ne croient pas, cependant, que la NDIT permettra aux NPI de se libérer complètement de leur dépendance vis-à-vis des PD. Quoique plus autonomes du point de vue économique et commercial, ils demeureront assujettis à la domination financière, technologique et culturelle des PD.

Pour ces néomarxistes moins radicaux, qui associent la mondialisation du capitalisme à une certaine redistribution du pouvoir, notamment économique, entre la périphérie et le centre, l'avènement du socialisme n'est pas une issue inéluctable. D'autres solutions de rechange sont possibles, notamment le nationalisme ou le protectionnisme, le renforcement de la coopération Nord-Sud et Sud-Sud et l'universalisation du modèle social-démocrate[83]. L'école néomarxiste a souvent été confondue avec l'école de la dépendance, ce qui est une erreur. D'une part, les théories neomarxistes ne traitent pas uniquement du phénomène de la dépendance des pays du tiers-monde; d'autre part, les théories de la dépendance ne sont pas toutes, loin s'en faut, d'inspiration marxiste. Comme l'a fort bien expliqué Cardoso[84], « l'école de la dépendance », d'origine latino-américaine, est constituée de plusieurs approches idéologiques dont les deux plus importantes sont l'approche développementiste, conceptualisée principalement par les économistes libéraux hétérodoxes de la Commission économique pour l'Amérique latine (CEPAL)—Raul Prebish, Oswaldo Sunkel, Ernesto Faletto et Cardoso notamment—, et le courant marxiste auquel se rattachent entre autres Frank, Amin, Jalée, Magdoff, Petras, Theotonio DOS SANTOS et Ruy Mauro MARINI.

En conclusion, soulignons qu'au cours de la décennie 1990 plusieurs néomarxistes ont proposé une nouvelle théorie des relations internationales inspirée de l'œuvre de Antonio GRAMSCI (1891-1937), idéologue et dirigeant du parti communiste italien durant l'entre-deux-guerres. Selon Gramsci, la bourgeoisie impose son hégémonie, par son emprise sur l'ensemble des institutions étatiques, notamment les institutions culturelles productrices d'idées et de valeurs. Selon les néogramsciens, tels Stephen GILL et Robert COX[85], l'hégémonie des principaux États repose, non seulement sur la puissance économique, financière, politique et militaire de leurs classes dirigeantes, mais sur la capacité de ces dernières d'imposer leurs conceptions idéologiques, leurs normes et leurs valeurs culturelles aux classes subordonnées et aux institutions transnationales. La dimension idéologique et culturelle est un déterminant décisif de la hiérarchisation du pouvoir au sein du système international. Les mouvements sociaux qui s'organisent sur une base transnationale et qui contestent la dynamique du marché capitaliste et l'idéologie des grandes puissances et des organisations internationales jouent ainsi un rôle important dans la redéfinition des rapports de force au sein et entre les nations. Selon Pierre de Senarclens, cette conception de l'hégémonie, qui accorde beaucoup de poids aux facteurs idéologiques dans l'orientation de la politique internationale, s'inscrit dans le cadre d'un historicisme d'inspiration idéaliste. Elle se caractérise aussi par un certain flou conceptuel, où se mêlent des cadres d'analyse hétérogènes, versant occasionnellement dans une forme de relativisme d'inspiration postmoderniste. Ses adeptes ont toutefois le mérite de souligner que les pays de l'OCDE, les États-Unis en tête, marquent de leur prépondérance idéologique et culturelle les symboles et les valeurs façonnant les modes de vie, et qu'ils menacent d'entretenir une forme d'unification idéologique et culturelle du monde contemporain, notamment dans le contexte de la mondialisation[86].

La critique des théories générales

Au-delà de leurs divergences, les théories générales classiques et néoclassiques des relations internationales adhèrent à la vision moderniste du monde et de la science élaborée par la philosophie des Lumières du XVIIIᵉ siècle. Les réalistes, les néoréalistes, les libéraux, les néolibéraux, les marxistes et la plupart des néomarxistes croient à l'existence d'une réalité objective gouvernée par des lois intrinsèques dérivées de la nature ou de l'histoire. Ils conçoivent les agents de la société internationale—États, individus, groupes d'intérêt et classes sociales—comme des acteurs rationnels qui cherchent, dans leurs interactions conflictuelles ou coopératives avec les autres acteurs, à défendre leurs intérêts particuliers objectifs, déterminés par la position qu'ils occupent au sein du système économique, social et politique national et international. Le rôle de la science consiste à découvrir les lois qui gouvernent l'univers et la conduite des acteurs par l'élaboration d'explications déductives (issues d'un raisonnement logique) ou inductives (résultant de l'observation des faits) et la vérification de la validité de ces explications par leur confrontation avec la réalité, à l'aide de diverses méthodes empiriques et expérimentales. Selon les modernistes, la connaissance scientifique progresse malgré l'infirmation de certaines théories par de nouvelles recherches et preuves empiriques, ce qui permet d'améliorer les conditions d'existence de l'humanité. Connaissant mieux les lois qui régissent la nature et la vie en société, les humains sont plus en mesure de s'adapter à ces lois (visions réaliste et néoréaliste du mieux-être) ou de les changer en fonction de leur idéal (visions libérale, néolibérale, marxiste et néomarxiste du bonheur).

Le postmodernisme

Le terme « postmodernisme » désigne les courants de pensée qui ont critiqué cette conception moderniste du monde et de la science, en s'inspirant notamment des idées de Friedrich NIETZSCHE (1844-1900)[07]. Certains situent les origines du postmodernisme dans les années 1930, d'autres à la fin de la décennie 1960. « Son empreinte se retrace dans maintes disciplines : d'abord en architecture, puis en histoire de l'art et en littérature, ensuite en sociologie, en histoire, en science politique, en cinéma, etc.[88] » Ce n'est cependant que vers la fin des années 1980 que l'influence du postmodernisme s'est faite sentir dans le domaine des relations internationales, sous la forme d'approches méthodologiques (intercontextualité, généalogie, déconstruction) empruntées à des philosophes français (Michel FOUCAULT, Jacques Lacan, Julia Kristeva, Roland Barthes, Jean Baudrillard) et popularisées par des auteurs américains comme ASHLEY, CAMPBELL, WALKER et SHAPIRO[89].

Comme l'explique entre autres Kim Richard Nossal[90], les postmodernistes mettent en doute l'existence d'une réalité objective peuplée d'acteurs rationnels. Selon eux, la réalité est construite par les interprétations que choisissent d'en faire les agents individuels et collectifs. Ces interprétations dépendent non seulement de leur situation économique, sociale et politique objective, mais aussi d'éléments subjectifs comme leurs convictions religieuses et morales, leur attachement émotif à leur communauté nationale ou ethnique, leurs affinités psychologiques avec les individus de même sexe ou de même orientation sexuelle. Les postmodernistes rejettent la notion de science des modernistes. Selon eux, il est illusoire de vouloir expliquer la réalité au moyen de théories rationnelles et empiristes puisqu'il n'existe pas de réalité et de vérité unique. Il n'existe que des réalités et des vérités multiples qui sont autant d'interprétations subjectives et intersubjectives. Les chercheurs peuvent tout au plus interpréter, en fonction de leur propre subjectivité, ces interprétations de la réalité en se référant aux discours ou langages par lesquels elles s'expriment. Aucune interprétation subjective de la réalité n'est donc plus valable qu'une autre. Le progrès de la connaissance est un leurre. Cette conception relativiste explique qu'il n'existe pas de théorie postmodernisme des relations internationales. Par contre, diverses approches critiques récentes des théories générales classiques et néoclassiques des relations internationales s'inspirent de la vision postmoderne. C'est le cas, notamment, des théories constructiviste et communautarienne.

Le constructivisme

Le constructivisme est devenu une perspective analytique importante des relations internationales à la suite de la publication des écrits de Nicholas ONUF et Alkexander WENDT au tournant des années 1990[91]. Selon James March et Johan Olsen[92], le terme « constructivisme » désigne les théories qui s'intéressent à la structure sociale des relations internationales. Ces théories prétendent que les individus, plutôt que de chercher à maximiser leurs intérêts particuliers objectifs, adoptent le comportement qui leur paraît le plus correct ou le plus approprié dans une situation donnée, compte tenu de leurs liens identitaires avec telle communauté, à tel ou tel moment de leur vie. Les comportements des individus sont donc largement irrationnels, très différenciés et changeants. La réalité des relations internationales est construite ou « coconstituée » selon l'expression de KATZENSTEIN, KEOHANE et KRASNER[93] par l'interaction des comportements individuels et des institutions. Les structures ou institutions déterminent les identités, les intérêts et le comportement des individus mais ces derniers à leur tour créent, reproduisent et changent les structures institutionnelles de la société internationale.

Le constructivisme a donné lieu à plusieurs interprétations. Ralph PETTMAN[94] distingue trois types de constructivisme : le constructivisme conservateur, le constructivisme social et le constructivisme du bon sens. Martha FINNEMORE identifie aussi trois sortes de constructivisme : le contructivisme social ou institutionnalisme réflexif, le constructivisme étatique et l'institutionnalisme sociologique[95].

Le « constructivisme social » de Finnemore est qualifié de « constructivisme conservateur » par Pettnam parce que, s'il accepte que les valeurs irrationnelles ou subjectives des individus influencent leurs comportements et les institutions de la société internationale, il s'intéresse principalement aux aspects concrets ou tangibles de ces comportements qui peuvent être analysés à l'aide des théories rationnelles empiristes[96]. Ainsi John RUGGIE adhère à l'idée que le système international est en partie construit par les « pratiques cognitives » des acteurs, c'est-à-dire leurs idées, leurs croyances, leurs aspirations, leur attachement émotif à telle culture identitaire, leur acceptation ou rejet des normes créées par les régimes internationaux. Il croit toutefois que ces pratiques cognitives peuvent être appréhendées à l'aide d'une combinaison des théories scientifiques des sciences sociales, notamment celles des relations internationales, de la sociologie et de la psychologie[97]. Pettnam réserve le qualificatif de « constructivisme social » aux travaux plus éclectiques qui recourent aux théories scientifiques et à d'autres approches de nature intuitive et interprétative pour comprendre et expliquer les attitudes et comportements irrationnels et subjectifs des acteurs. Le «constructivisme étatique» focalise son analyse sur l'État plutôt que sur les individus. Il soutient que la politique étrangère des États n'est pas uniquement déterminée par leurs intérêts objectifs, c'est-à-dire leurs capacités militaires, politiques et économiques ou leur puissance relative par rapport aux autres États. Elle est également façonnée par les normes et les valeurs qui structurent les relations internationales[98]. Certains auteurs utilisent la même approche pour expliquer les intérêts et les comportements des organisations transnationales[99]. « L'institutionnalisme sociologique », dont John **MEYER** est l'un des principaux instigateurs[100], soutient que c'est la diffusion à l'échelle planétaire des valeurs modernistes occidentales qui structure la société internationale actuelle. Pour comprendre et prévoir l'évolution de cette dernière, il faut donc analyser la façon dont ces valeurs sont assimilées, transformées ou rejetées par les États, les organisations non gouvernementales et les individus dans chaque société.

Le «constructivisme du bon sens» pousse cette logique encore plus loin. Selon Pettnam, **BERGER** et **LUCKMAN**[101], c'est la façon dont les gens ordinaires perçoivent les affaires internationales qui structure les relations et les institutions du système international. Ces perceptions étant en partie rationnelles et en partie irrationnelles il faut, pour les expliquer, recourir non seulement aux théories modernistes rationnelles mais aussi aux approches postmodernistes, de nature interprétative : analyse du langage, lecture de documents d'archives, réalisation d'entrevues, fréquentation des lieux d'activité quotidienne des gens ordinaires (transports en commun, bars, réunions d'associations de quartier, centres de loisirs, etc.[102]).

La perspective communautarienne

Selon Barry B. Hughes[103], la perspective communautarienne consiste à analyser la société internationale en fonction des valeurs culturelles d'une ou de plusieurs communautés nationales ou ethniques. Selon cette approche, les acteurs majeurs des relations internationales ne sont pas ceux qu'identifient les théories générales classiques et néoclassiques — États-nations, individus, groupes d'intérêt, classes sociales — mais les communautés nationales et ethniques ou groupes identitaires. Ces derniers sont des groupements humains unis non seulement par leurs caractéristiques objectives (territoire, histoire, conditions économiques et politiques...) communes, mais aussi par le partage de valeurs culturelles similaires (convictions religieuses et morales, langue, traditions, etc.) qui ont une influence prépondérante sur leurs attitudes et leurs comportements. La logique à la base de l'action des groupes identitaires est donc largement subjective. L'approche communautarienne prétend qu'elle occupe une place de plus en plus centrale dans la dynamique des relations internationales puisque au cours de la période post-guerre froide, la majorité des conflits pacifiques ou armés ont été motivés par des aspirations nationalistes, ethniques et/ou religieuses des groupes identitaires (ex.: les mouvements sécessionnistes dans les républiques de l'ex-URSS, de l'ex-Tchécoslovaquie, de l'ex-Yougoslavie et en Indonésie); les affrontements ethniques et guerres civiles au Rwanda, Burundi, Zaïre, Somalie et Soudan; les guérillas ou mouvements terroristes en Irlande du Nord, Algérie, Philippines, Cachemire.

L'ouvrage de **HUNTINGTON**, *Le choc des civilisations*, constitue une bonne illustration de l'approche communautarienne des relations internationales. Selon ce dernier, les principales composantes du système international actuel sont les civilisations ou cultures identitaires rattachées aux cinq principales religions: la civilisation chinoise ou confucéenne, la civilisation japonaise, la civilisation hindoue, la civilisation musulmane et la civilisation judéo-chrétienne occidentale[104]. Chacune de ces civilisations, et au premier chef la civilisation musulmane, aspire à imposer sa domination au reste du monde de telle sorte que l'hégémonie de la civilisation judéo-chrétienne occidentale, garant de la stabilité de l'ordre international unipolaire actuel, est gravement menacée. Cette menace ne pourra être écartée que par le renforcement des valeurs judéo-chrétiennes, au sein de la société américaine notamment, et le raffermissement des liens de cette dernière avec les pays dont la religion dominante appartient au judéo-christianisme (Israël, Amérique du Nord et du Sud, Europe).

La conception islamique des relations internationales est un autre exemple d'approche communautarienne des relations internationales. Colard expose les principaux éléments de cette conception en se référant à l'ouvrage de Mohammad-Reza Djalili sur la stratégie internationale du khoménysme[105]. Selon cet auteur, la tradition islamique partage le monde en deux: le « dar al-islam » (demeure de l'Islam où s'applique sa loi divine) et le « dar al-harb » (le monde du non-Islam ou demeure de la guerre).

TABLEAU 1.1

Les théories des relations internationales

CONCEPTS/ THÉORIES	RÉALISME		LIBÉRALISME		MARXISME		CONSTRUCTIVISME	PERSPECTIVE COMMUNAUTAIRE
	Classique	Néoréalisme	Classique	Néolibéralisme	Classique	Néomarxisme		
Acteurs centraux des relations internationales	États souverains	États souverains	Individus	Groupes d'intérêt nationaux et transnationaux	Classes sociales	Classes sociales États-nations FMN	Individus, ou États Groupes identitaires	Communautés nationales Groupes identitaires
Motivations des acteurs	Intérêts politiques stratégiques	Intérêts politiques stratégiques économiques technologiques	Intérêts politiques économiques	Intérêts politiques économiques autres	Intérêts économiques	Intérêts économiques politiques	Intérêts économiques politiques Valeurs culturelles	Valeurs culturelles
Comportement des acteurs	Compétition	Compétition	Coopération	Compétition/ coopération	Compétition/ coopération	Compétition/ coopération	Compétition/ coopération	Compétition/ coopération
Fondement de la stabilité/paix internationale	Équilibre des puissances	Équilibre des puissances Leadership d'un hegemon	Planétisation du capitalisme, du droit et de la démocratie	Interdépendance/ intégration	Socialisme	Socialisme/ Social-démocratie/ Coopération Nord-Sud	Équilibre des puissances/ Coopération/ Intégration	Aucun/ Coopération inter-culturelle
Vision prospective du système international	*Statu quo*	*Statu quo*	Émergence d'un État mondial démocratique	Essor de l'intégration et de la coopération internationale	Disparition du capitalisme Coopération des États socialistes	Aucune	Aucune	Décentralisation, fragmentation porteuses de conflits/chaos ou coopération

Théoriquement, le « dar al-islam » ne forme qu'une seule unité, trouvant sa substance dans l'unicité de la communauté, de la foi et de la loi : un seul Dieu, un seul État dirigé par une seule autorité. Ainsi donc les musulmans ne forment qu'une seule communauté

> Dans cette vision, la religion est à la base de la citoyenneté et la communauté musulmane—dans sa forme parfaite—n'est pas une institution supranationale, mais bien la seule « nation » ayant plein droit à exister sur terre. Le droit islamique classique ne reconnaît d'autre nation que la nation islamique. À l'instar du droit romain et du régime juridique de la chrétienté médiévale, l'Islam est fondé sur la théorie de l'État universel et en aucun cas sur l'idée de la coexistence d'une pluralité d'États égaux et souverains (...) Tant que l'humanité dans sa totalité n'est pas soumise à cet État islamique idéal—le « dar al-islam »—, il reste une partie du monde qui échappe à la loi divine, le « dar-harb ». Pour conquérir ces territoires, le recours à la force (guerre) est en principe licite jusqu'à la victoire finale de l'Islam sur les non-croyants (...) Quelques juristes admettent l'existence d'un troisième espace territorial—le « dar al-ahd » ou « dar al-sohl » (terre de pacte ou terre de trêve)—, sorte de zone intermédiaire entre les deux précédentes. Cette notion concerne les États non musulmans ayant conclu avec l'État musulman un pacte en vertu duquel ils reconnaissent la suzeraineté musulmane et acceptent de payer tribut. Le « dar al-harb » est le produit des développements logiques de la notion de « jihad » (effort, lutte), autrement dit l'obligation de la guerre sainte ordonnée par Dieu que tout musulman doit mener contre les infidèles afin d'obtenir leur conversion. Si le jihad n'est pas un devoir individuel impératif, il est un devoir collectif ou communautaire, nécessaire pour la propagation et la défense de l'Islam. Le Coran mentionne bien l'obligation de combattre les infidèles, mais il fait référence aussi à la nécessité de la légalité de la guerre et de sa conformité au droit[106].

Ces deux exemples ne représentent pas, cependant, la diversité des interprétations communautariennes des relations internationales. S'il est vrai que certaines d'entre elles conçoivent la communauté nationale ou ethnique comme une entité totalitaire incompatible avec les droits et libertés individuelles, d'autres l'envisagent comme une entité pluraliste compatible avec les droits et libertés individuelles[107]. Dans l'ensemble, selon Hugues, les interprétations communautariennes des relations internationales considèrent que la relation d'une communauté avec le monde extérieur dépend de la nature de ses aspirations ou idéaux. Seules les communautés qui se prétendent supérieures (par la race, la langue ou la culture) peuvent chercher à s'isoler par l'établissement de frontières étanches ou tenter d'imposer leur domination aux autres par le missionnariat ou la conquête. Dans tous les cas, ce sont les valeurs d'unité et d'autonomie qui incitent les individus à s'impliquer dans les activités de construction ou de sauvegarde de leur communauté. La conviction des tenants de l'approche communautarienne est que la puissance des mouvements identitaires est en croissance et qu'elle implique un renforcement de la fragmentation et de la désintégration de la société internationale, un point de vue totalement opposé à celui des libéraux et néolibéraux pour lesquels la société internationale évolue vers une intégration de plus en plus poussée[108]. Cependant, alors que pour certains, comme Wallerstein[109] et Huntington[110], cette désintégration est synonyme de chaos et de conflits souvent violents, pour d'autres, tel Rosenau[111], elle est porteuse de nouvelles formes de coopération entre les groupes humains.

En terminant, soulignons que d'autres approches critiques des théories classiques et néoclassiques des relations internationales ont été influencées par le paradigme postmoderniste. C'est le cas, notamment, des approches féministe et écologique. Dans l'ensemble, la majorité des féministes et des écologistes analysent les phénomènes transnationaux qui affectent les femmes (pauvreté, droits humains, guerre civile, etc.) ou l'environnement (émission de polluants, déforestation, réchauffement climatique, etc.) d'un point de vue réaliste, néoréaliste, libéral, néolibéral, marxiste ou néomarxiste. Les féministes et les écologistes les plus radicaux rejettent toutefois ces théories et utilisent une argumentation d'inspiration postmoderniste.

Ainsi, plusieurs auteures féministes anglo-saxonnes contestent l'objectivité et la neutralité des approches réaliste et néoréaliste des relations internationales. La soif égoïste de pouvoir, les calculs d'intérêts, les rapports de compétition et de domination, le recours à la force, que ces théories présentent comme des comportements intrinsèques à la nature immuable des États sont, selon elles, des valeurs inhérentes à la génétique et à la psychologie de la gent masculine qui contrôle l'analyse et les leviers de la politique internationale. Si les femmes détenaient plus de pouvoir au sein des institutions de savoir et de recherche, des gouvernements et des organisations internationales, la conceptualisation et la dynamique des relations internationales ne seraient pas plus objectives, mais elle seraient guidées par des valeurs plus altruistes, pacifistes et égalitaristes car, étant physiologiquement constituées pour donner la vie et ayant été victimes de multiples formes d'oppression et de discrimination, les femmes sont viscéralement attachées au respect de la vie; elles ont une répulsion naturelle pour toute forme d'agression; elles comprennent d'instinct les principes à la base de la solution des conflits[112].

Les écologistes radicaux, quant à eux, rejettent la thèse libérale selon laquelle la cause première des problèmes environnementaux est l'exploitation abusive des ressources naturelles de la planète, une demande d'énergie, de combustibles et d'aliments supérieure à l'offre. Ils ne croient pas, comme les réalistes, que la persistance et l'aggravation des problèmes environnementaux sont insolubles en raison de la nature anarchique du système international, du refus des États de se plier à des réglementations environnementales internationales qui limitent leur souveraineté et contreviennent à certains de leurs intérêts nationaux. Ils contestent la vision néolibérale selon laquelle l'écologie de la planète peut être sauvegardée par l'interdépendance croissante des États et la création de régimes environnementaux internationaux. Ce sont, selon eux, les valeurs capitalistes modernistes occidentales (individualisme, matérialisme, productivisme, consumérisme) qui sont la cause fondamentale de la dégradation des écosystèmes. La solution des problèmes environnementaux est donc liée à l'adoption, par les citoyens des pays occidentaux au premier chef, d'une culture postmatérialiste qui: 1) valorise la protection de la nature ; 2) qui est réfractaire à l'industrialisation et à l'urbanisation ; 3) qui associe le bonheur à l'amélioration de la qualité des relations humaines plutôt qu'à la consommation des biens matériels. Ce sont les ONG nationales et transnationales — partis verts, groupes écologiques, syndicats, mouvements paysans alternatifs, etc. — et non les États et les OI qui sont le fer de lance de cette révolution culturelle, amorcée durant les années 1970[113].

* * *

L'analyse des théories des relations internationales soulève une interrogation importante pour le néophyte ou l'étudiant des relations internationales : comment choisir entre les théories disponibles ? Comment juger de la validité scientifique respective des modèles proposés ?

La réponse à cette question n'est pas simple puisque les épistémologues eux-mêmes ne s'entendent pas sur le sujet. La conception la plus généralement admise est celle de Karl Popper selon laquelle une théorie est valable sur le plan scientifique lorsqu'elle est confirmée par les faits et potentiellement falsifiable. Kuhn et Lakatos[114] ont cependant relativisé l'importance de la vision poppérienne en arguant que, même si une théorie est contredite par la réalité, elle continue souvent à être utilisée par les chercheurs qui adhèrent encore à ses valeurs normatives et qui sont liés entre eux par des intérêts personnels, économiques et professionnels. En outre, une théorie peut être jugée non conforme aux faits sur la base d'une connaissance partielle ou superficielle de ces derniers. L'approfondissement du savoir et l'amélioration des méthodes d'investigation du réel peuvent conduire à la réhabilitation d'une théorie. L'élimination définitive d'une théorie est donc un processus très long qui implique son invalidation par un très vaste ensemble de recherches empiriques et la répudiation de ses postulats normatifs. Certains philosophes, tel Paul K. Feyerabend[115], rejettent de manière encore plus radicale l'approche rationnaliste-positiviste de Popper, considérant que l'influence qu'exerce une théorie dépend moins de sa confirmation par la réalité que des critères esthétiques et personnels des chercheurs et des conditions sociales dans le cadre desquelles elle est élaborée. À la limite, selon cette conception postmoderniste, relativiste ou anarchiste, toutes les théories se valent puisqu'il n'existe aucun critère objectif d'évaluation de ces dernières.

Même si on admet comme Popper qu'une théorie est valide sur le plan scientifique tant qu'elle n'a pas été infirmée par les faits, il est difficile de faire un choix entre les théories générales classiques et néoclassiques des relations internationales puisque chacune d'entre elles comporte certaines propositions qui ont été contredites par l'histoire et d'autres qui ne l'ont pas été. En outre, aucune de ces théories n'aborde la société internationale dans sa globalité et sa complexité. L'attitude la plus pertinente, dans ces conditions, est de considérer que toutes les approches—y compris celles qui critiquent les théories générales classiques et néoclassique—peuvent être utiles à la compréhension des relations internationales et qu'elles doivent être utilisées dans une perspective de complémentarité. Un grand nombre de chercheurs refusent néanmoins d'adopter une telle perspective pluraliste, soit pour des raisons méthodologiques—il est très exigeant, souvent même impossible, de concilier les propositions de plusieurs théories dans le cadre d'une étude—, soit pour l'une et/ou l'autre des motivations personnelles évoquées ci-dessus.

En dépit de ces réticences, l'analyse des relations internationales a progressé sur la voie de l'éclectisme depuis quelques décennies, comme le montre la convergence des théories néoréaliste et néolibérale et les tentatives de synthèse des visions modernistes et postmodernistes de certaines approches constructivistes. Plusieurs raisons expliquent cette évolution, notamment la transformation de la dynamique des relations internationales (voir chapitres 3, 4 et 5), le développement de la pluridisciplinarité dans les sciences sociales et la fin de la guerre froide[116].

Notes

1. Philippe Braillard, *Théories des relations internationales* (Paris, Presses universitaires de France, 1977), 12.

2. *Id., ibid.*, 13.

3. Jürgen Habermas, *La technique et la science comme idéologie* (Paris: Gallimard, 1973) ; Thomas Kuhn, *La structure des révolutions scientifiques* (Paris: Flammarion, 1972).

4. Anatol Rapoport, « Various Meanings of Theory », *American Political Science Review*, 52 (1958), 972-988.

5. Voir Karl Popper, *La logique de la découverte scientifique* (Paris: Payot, 1973) ; Rapoport, « Various Meanings of Theory ».

6. Braillard, *Les théories des relations internationales*, 15-16.

7. *Id., ibid.*, 17.

8. Raymond Boudon et François Bourricaud, *Dictionnaire critique de la sociologie* (Paris: Presses universitaires de France, 3e éd., 1990), 563. Il existe d'autres définitions du terme paradigme. Ainsi, pour Imre Lakatos, un paradigme est un ensemble de théories qui partagent le même système de valeurs.

9. Braillard, *Les théories des relations internationales*, 18-23 ; Baghat Korany et al., *Analyse des relations internationales. Approches, concepts et données* (Montréal: Gaëtan Morin, 1987).

10. Il est important de signaler ici que les mots réalisme, libéralisme et marxisme ne sont pas toujours utilisés pour identifier ces trois philosophies. Par exemple Daniel Colard associe les deux premiers courants de pensée à la « théorie classique de l'État de nature » et à la « théorie moderne de la communauté internationale ». Philippe Braillard parle du marxisme-léninisme plutôt que du marxisme et de la théorie juridico-idéaliste plutôt que de la théorie libérale. Paul Viotti et Mark Kauppi emploient le terme pluralisme pour désigner le libéralisme et le terme mondialisme pour désigner le marxisme. Voir Daniel Colard, *Les relations internationales de 1945 à nos jours* (Paris: Masson, 1993) ; Braillard, *Théories des relations internationales* ; Paul R. Viotti et Mark V. Kauppi, *International Relations Theory* (Boston/Londres: Allyn and Bacon, 3e éd., 1999).

11. Braillard, *Théories des relations internationales*, 69.

12. Viotti et Kauppi, *International Relations Theory*, 55-56.

13. *Id., ibid.,* 57; Michael Doyle, « Thucydides: a Realist? » *in* Richard Ned Lebow et Barry S. Strauss, eds., *Hegemonic Rivalry: From Hegemony to the Nuclear Age* (Boulder, CO: Westview Press, 1991), 169-188.

14. Viotti et Kauppi, *International Relations Theory,* 61.

15. Cette thèse sera illustrée de façon magistrale par Paul Kennedy dans *The Rise and Fall of the Great Powers* (New York: Vintage Books, 1987).

16. Cette section et la suivante sont largement inspirées de Viotti et Kauppi, *International Relations Theory,* chap. 2.

17. Pour d'autres, le principal instigateur du réalisme au XXe siècle est le théologien protestant américain Reinhold Niebuhr (1892-1971) qui a notamment publié *Christian Realism and Political Problems* (1954).

18. Hans J. Morgenthau, *Politics among Nations. The Struggle for Power and Peace* (New York: Alfred A. Knopf, 1re éd., 1950).

19. Braillard, *Théories des relations internationales,* 85.

20. *Id., ibid.,* 82-96.

21. Edward H. Carr, *The Twenty Years' Crisis 1919-1939* (New York: Harper and Row, 1964).

22. John Maynard Keynes, qui a participé à la négociation du traité de Versailles à titre de conseiller du premier ministre britannique Lloyd George, tire cette conclusion dans *Les conséquences économiques de la paix* (Paris: Gallimard, 1921).

23. Hedley Bull, *The Anarchical Society. A Study of Order in World Politics* (New York: Columbia University Press, 1977).

24. Voir John H. Herz, « Idealist Internationalism and Security Dilemma », *World Politics,* 5, n° 2 (janvier 1950), 157-180.

25. Merle, *Sociologie des relations internationales,* 68.

26. Voir Henry Kissinger, *Pour une nouvelle politique étrangère américaine* (Paris: Fayard, 1970); *Id., Le chemin de la paix* (Paris: Denoël, 1972); Raymond Aron, *Paix et Guerre entre les Nations.*

27. Les accords Salt I, adoptés en 1972, limitaient à deux le nombre de systèmes de missiles antibalistiques que pouvait posséder chacune des deux superpuissances. Les accords Salt II, négociés entre Nixon et Brejnev lors du Sommet de Washington de 1973, prévoyaient: (1) un gel permanent des forces offensives stratégiques; (2) un contrôle mutuel des arsenaux d'armes offensives; (3) une réduction mutuelle des forces stratégiques. Le traité Salt II, signé à Vienne en 1979, ne fut jamais ratifié par le Congrès américain. Dans les faits toutefois, l'URSS et les États-Unis acceptèrent informellement d'être liés par SALT II... que le président Ronald Reagan convertit en Strategic Arms Reduction Talks (STARTS) durant les années 1980. La troisième génération de STARTS déboucha en mai 2002 sur un accord qui prévoit la réduction des missiles nucléaires de la Russie et des États-Unis de 6 000 à 2 000 têtes environ.

28. André Liebich, *Le libéralisme classique* (Québec: Presses de l'Université du Québec, 1985), 13-29. Cette section du texte est largement inspirée de l'introduction de cet ouvrage.

29. *Id., ibid.*, 17.

30. *Id., ibid.*, 18.

31. Les principales œuvres de Jeremy Bentham sont *Introduction aux principes de la morale et de la législation* (1789), *Traité des peines et des récompenses* (1811) et *Déontologie* (1834).

32. Pour une analyse de la pensée libérale de Woodrow Wilson, voir Félix Gilbert, «"New Diplomacy" of the Eighteenth Century», *World Politics*, 4 (octobre 1951), 1-38.

33. Colard, *Les relations internationales*, 31-32.

34. Certains réalistes, tels Grotius et Carr, tiennent compte de la dimension économique des relations internationales comme nous l'avons vu précédemment.

35. Marx lui-même s'est opposé au terme « marxiste » parce que ce dernier servait à désigner plusieurs conceptions divergentes de la sienne. Pour une analyse de la pensée internationale de Marx et Engels, voir notamment Miklos Molnar, *Marx, Engels et la politique internationale* (Paris : Gallimard, 1975).

36. C'est dans ses *Leçons sur la philososphie de l'histoire* et sa *Philosophie du droit* que Hegel a exposé sa théorie de l'histoire et de l'État.

37. Les idées philosophiques de Marx et Engels ont été exposées dans plusieurs ouvrages dont *La critique du droit de la philosophie de Hegel* (1844), les *Thèses sur Feuerbach* (1845), *La Sainte Famille* (1845) et *L'Idéologie allemande* (1846).

38. Colard, *Les relations internationales*, 37.

39. Entente conclue lors du traité de Yalta de 1945.

40. Cette intervention mit fin au « printemps de Prague », le mouvement de réformes visant à réintroduire certains principes libéraux capitalistes dans le fonctionnement économique et politique du système socialiste tchèque. Sur la vision internationale des dirigeants soviétiques, voir notamment V. Kubalkova, *Marxism-Leninism and the Theory of International Relations* (Londres/Boston : Routledge and Kegan Paul, 1980).

41. Colard, *Les relations internationales*, 39.

42. Kuhn, *La structure des révolutions scientifiques*; Imre Lakatos, *Histoire et méthodologie des sciences : programmes de recherche et reconstruction rationnelle* (Paris : Presses universitaires de France, 1994).

43. Robert Gilpin, *Global Political Economy. Understanding the International Economic Order* (Princeton : Princeton University Press, 2001), 13.

44. David A. Baldwin, « Neoliberalism, Neorealism and World Politics » *in* D. A. Baldwin, ed., *Neorealism and Neoliberalism. The Contemporary Debate* (New York : Columbia University Press, 1993), 12-13.

45. Viotti et Kauppi, *International Relations Theory*, 64. Pour une analyse des particularités du néoréalisme par rapport au réalisme, voir aussi Kenneth Waltz, « Realist Thought and Neo-Realist Theory », *Journal of International Affairs*, 44 (printemps 1990), 21-37.

46. Voir notamment Kennedy, *The Rise and Fall of the Great Powers*; Charles Kindleberger, *The Declining Hegemon: United States and European Defense*: 1960-1990, (New York : Praeger, 1990).

47. Kenneth Waltz, *Theory of International Politics* (Reading, Mass: Addison-Wesley, 1979).

48. C'est du moins l'avis de Robert O. Keohane dans *Neo-Realism and Its Critics* (New York: Columbia University Press, 1986).

49. Arnold Wolfers, « The Actors in International Politics » *In* William T.R. Fox, *Theoretical Aspects of International Relations* (Notre Dame: Notre Dame University Press, 1959), 83-106.

50. Viotti et Kauppi, *International Relations Theory*, 72.

51. Kenneth Waltz, « The Stability of a Bipolar World », *Daedalus*, 93 (été 1964), 881-909; Karl Deutsch et J. David Singer, « Multipolar Power Systems and International Stability », *World Politics*, 16, n° 3 (avril 1964), 390-406.

52. La paix de Westphalie (1648) qui a mis fin à la guerre de Trente Ans; le Congrès de Vienne de 1815 qui a suivi la défaite de Napoléon.

53. Bruce Bueno de Mesquita, « Systemic Polarization and the Occurrence and Duration of War », *Journal of Conflict Resolution*, 22, n° 2 (juin 1978).

54. Robert Gilpin, *The Political Economy of International Relations* (Princeton: Princeton University Press, 1987); Peter Katzenstein, *Small States in World Markets* (Ithaca, NY: Cornell University Press, 1985).

55. Cette position était largement inspirée du livre de Kennedy, *The Rise and Fall of the Great Powers*. Voir Henry R. Nau, *The Myth of America's Decline* (New York: Oxford University Press, 1990); Joseph S. Nye, *Bound to Lead: The Changing Nature of American Power* (New York: Basic Books, 1990); Samuel Huntington « The US — Decline or Renewal ? », *Foreign Affairs*, 67, n° 2 (hiver 1988-89), 76-96.

56. Voir, entre autres, Gilpin, *The Political Economy of International Relations*.

57. Samuel Huntington, *Le choc des civilisations* (Paris: Odile Jacob, 1997); Zbigniew Brzezinski, *Le grand échiquier* (Paris: Éditions Bayard, 1997).

58. Lewis Richardson, *Statistics of Deadly Quarrels* (Chicago: Quadrangle Books, 1960).

59. J. David Singer et P.F. Diehl, *Measuring the Correlates of War* (Ann Arbor: University of Michigan Press, 1993).

60. Rober Gilpin, *War and Change in World Politics* (New York: Cambridge University Press, 1981).

61. Viotti et Kauppi, *International Relations Theory*, 204.

62. Pour une définition plus approfondie du concept de modernisation, voir Boudon et Bourricaud, *Dictionnaire critique de la sociologie*, 363-370.

63. David Mitrany, « The Functional Approach to World Organization », *International Affairs*, 24, n° 3 (juillet 1948), 350-363.

64. Ernst Haas, *The Uniting of Europe* (Stanford, CA: Stanford University Press, 1958).

65. Stephen Krasner, « Structural Causes and Regime Consequences: Regimes as Intervening Variables » *in* S. Krasner, ed., *International Regimes* (Ithaca, NY: Cornell University Press, 1983), 1-21. Pour une discussion des différentes interprétations du concept de « régime international », voir Christian Deblock, « La sécurité économique internationale: entre l'utopie et le réalisme » *in* C. Deblock et D. Éhier (dir.), *Mondialisation et régionalisation. La Coopération interna-*

tioniale est-elle encore possible ? (Québec : Presses de l'Université du Québec, 1992), 338-341.

66. Tiré de Pierre de Senarclens, *La mondialisation : théories, enjeux et débats* (Paris : A. Colin, 3ᵉ éd., 2002), p. 47. Sur la théorie néo-institutionnaliste des régimes, voir : Robert Keohane et Joseph Nye (dir.), *Transnational Relations and World Politics* (Cambridge : Cambridge University Press, 1972); Id., *Power and Interdependance : World Politics in Transition* (Boston : Little Brown, 1977); Robert Keohane, *After Hegemony. Cooperation and Discord in the World Political Economy* (Princeton : Princeton University Press, 1984); Id., « Neoliberal Institutionalism : A Perspective on World Politics » in R. Keohane (dir.), *International Institutions and State Power : Essays in International Relations Theory* (Boulder : Westview Press, 1989).

67. Sur ce thème, voir notamment James Rosenau, *Turbulence in World Politics* (Princeton : Princeton University Press, 1990).

68. David A. Baldwin, « Neoliberalism, Neorealism and World Politics », 3-29.

69. Robert Keohane, *Neorealism and its Critics* (New York : Columbia University Press, 1986).

70. Parmi les auteurs les plus représentatifs de ces courants, mentionnons John Maynard Keynes, Gunnar Myrdal et Albert O. Hirschman (économie libérale hétérodoxe); Seymour Martin Lipset et Walter Rostow (théorie structuraliste de la modernisation); Auguste Comte (sociologie positiviste); Talcott Parsons (sociologie fonctionnaliste); Max Weber (sociologie rationnaliste); Claude Levi-Strauss (anthropologie structuraliste).

71. C'est le cas, par exemple, des travaux de Maurice Dobb sur l'histoire du capitalisme en Angleterre; de ceux de Pierre-Philippe Rey, Étienne Balibar et Samir Amin sur les modalités de pénétration du capitalisme dans les sociétés africaines; des analyses de Nicos Poulantzas, Ralph Miliband et Theda Skocpol sur les mutations des États capitalistes occidentaux; des travaux de James Petras, Ruy Mauro Marini et Theotonio Dos Santos sur le développement capitaliste en Amérique latine.

72. Pierre Jalée, *Le pillage du Tiers-monde* (Paris : Maspéro, 1982, 5ᵉ éd.).

73. André Gunder Frank, *Capitalisme et sous-développement en Amérique latine* (Paris : Maspéro, 1979); Id., *Dependent Accumulation and Underdevelopment* (Londres : Macmillan, 1978).

74. Samir Amin, *L'échange inégal et la loi de la valeur* (Paris : Anthropos, 1988); Id., *La faillite du développement en Afrique et dans le Tiers-monde. Une analyse politique* (Paris : l'Harmattan, 1989).

75. Harry Magdoff, *L'impérialisme : de l'époque coloniale à nos jours* (Paris : La Découverte, 1980).

76. James Petras, *Critical Perspective on Imperialism and Social Class in the Third World* (New York : Monthly Review Press, 1978).

77. Voir notamment Pierre Jalée, *Le projet socialiste, approche marxiste* (Paris : La Découverte, 1976).

78. Voir Samir Amin, *L'avenir du développement* (Louvain-la-Neuve/Montréal : Centre tricontinental/l'Harmattan, 1997); Id., *Les défis de la mondialisation*

(Paris/Montréal: l'Harmattan, 1996); *Id., The Future of Socialism — L'avenir du so-cialisme* (Harare: Southern Africa Political Economy Series Trust, 1990).

79. Immanuel Wallerstein, *Le système-monde du xve siècle à nos jours* (Paris: Flam-marion, 1985).

80. Charles-Albert Michalet, *Le capitalisme mondial* (Paris: Armand Colin, 1976).

81. Peter Evans, *Dependent Development, The Alliance of Multinationals, State and Local Capital in Brazil* (Princeton NJ: Princeton University Press, 1979).

82. Pierre Salama et Patrick Tissier, *L'Industrialisation dans le sous-développement* (Paris: Maspero, 1982).

83. Alain Lipietz, *Mirages et miracles: problèmes d'industrialisation dans le Tiers-monde* (Paris: La Découverte, 1985).

84. Fernando Henrique Cardoso, « The Originality of a Copy: CEPAL and the Idea of Development », CEPAL *Review*, (second half of 1977).

85. Stephen Gill, «Global Finance, Monetary Policy and Cooperation among the Group of Seven, 1944-1992» in: P. Cerny (dir.), Finance and World Politics (Ald-hershot: Edward Elgar, 1993), p. 91; Robert Cox, Social Forces, States and World Orders: Beyond International Relations Theory, *Millenium Journal of Internatio-nal Studies*, vol 10, no 2

86. De Senarclens, *La mondialisation: théories, enjeux et débats*, p. 56. Sur l'approche néogramscienne, voir notamment: Robert Cox, Social Forces, States and World Orders: Beyond International Relations Theory, *Millenium Journal of International Studies*, vol. 10, no 2.

87. Parmi les œuvres importantes de ce philosophe allemand, on trouve: *Le Gai Sa-voir* (1883-1887), *Par-delà le bien et le mal* (1886), *Ainsi parlait Zarathoustra* (1883-1885), *La généalogie de la morale* (1887).

88. Isabelle Masson, « Poststructuralisme/postmodernisme » *in* Alex Macleod, Éve-lyne Dufault et F. Guillaume Dufour (dir.), *Relations internationales. Théories et concepts* (Montréal: Athéna/CEPES, 2002), 137. Pour une définition plus appro-fondie du postmodernisme et des approches constructivistes, on consultera avec profit les articles consacrés à ces théories dans cet ouvrage.

89. Les principaux auteurs qui ont popularisé ces approches en relations internatio-nales sont R.K. Ashley, « The Poverty of Neo-Realism », *International Organiza-tion*, 38, 2 (1984), 225-286; J. George, « International Relations and the Search for Thinking Space: Another View of the Third Debate », *International Studies*, 33, 3 (1989), 269-279; J. Der Derian et M. Shapiro (dir.), *International/Intertextual Re-lations: Post Modern Readings of World Politics* (Lexington, Lexington Books, 1989); D. Campbell, *Writing Security. United States Foreign Policy and the Politics of Identity* (Minneapolis: Minnesota University Press, 2e éd. 1998).

90. Kim Richard Nossal, *The Patterns of World Politics* (Scarborough: Prentice Hall — Allyn and Bacon Canada, 1998), 18.

91. Nicholas Onuf, *World of our Making: Rules and Rule in Social Theory and Inter-national Relations* (Columbia: University of South Carolina Press, 1989); Alexan-der Wendt, « Anarchy is What States Make of It: The Social Construction of Power Politics », *International Organization*, 46, 2 (1992), 391-425.

92. James G. March et Johan P. Olsen, « The Institutional Dynamics of International Political Orders », *International Organization*, 52 (1998), 943-969.

93. Peter Katzenstein, Robert Keohane et Stephen Krasner, « International Organization and the Study of World Politics », *International Organization*, 52 (1998), 645-685.

94. Ralph Pettman, *Commonsense Constructivism* (New York/Londres : M.E. Sharpe, 2000).

95. Martha Finnemore, *National Interests in International Society* (Ithaca : Cornell University Press, 1996).

96. Voir Katzenstein, Keohane et Krasner, « International Organization and the Study of World Politics ».

97. John Ruggie, « What Makes the World Hang Together? Neo-utilitarianism and the Social Constructivist Challenge », *International Organization*, 52 (1998) 855-885.

98. Voir notamment Finnemore, *National Interests in International Society*.

99. Voir notamment Thomas Risse-Kapen, Stephen Ropp et Kathryn Sikkink, « The Socialization of International Human Rights Norms into Domestic Practices : Introduction » *in* T. Risse, S. Ropp et K. Kikkink, eds., *The Power of Human Rights. International Norms and Domestic Change* (Cambridge : Cambridge University Press, 1999), 1-38.

100. John W. Meyer et Brian Rowan, « Institutional Organizations : Formal Structure as Myth and Ceremony » *in* W.W. Powell et P.J. DiMaggio, eds., *The New Institutionalism in Organizational Analysis* (Chicago/Londres : University of Chicago Press, 1991), 41-62.

101. Pettman, *Commonsense Constructivism*; Peter Berger et Thomas Luckman, *The Social Construction of Reality* (Harmondsworth : Penguin, 1996).

102. Pettman, Commonsense Constructivism, 24-25.

103. Voir Barry B. Hughes, *Continuity and Change in World Politics. Competing Perspectives* (Upper Saddle River, NJ : Prentice Hall, 3ᵉ éd. 1997), 42.

104. Huntington, *Le choc des civilisations*, 42-43.

105. Mohammad-Reza Djalili, *Diplomatie islamique* (Paris : Presses universitaires de France, 1989).

106. Colard, *Les relations internationales de 1945 à nos jours*, 52-53.

107. Voir notamment Will Kimlicka, *Multicultural Citizenship : A Liberal Theory of Minority Rights* (Oxford : Oxford University Press, 1995) ; Charles Taylor, « Pourquoi les nations doivent-elles se transformer en États? » *in* C. Taylor, *Rapprocher les solitudes. Écrits sur le fédéralisme et le nationalisme au Canada* (Sainte-Foy : Presses de l'Université Laval, 1992).

108. Hughes, *Continuity and Change in World Politics*, 62-64.

109. Wallerstein, *After Liberalism*.

110. Huntington, *Le choc des civilisations*.

111. Rosenau, *Turbulence in World Politics*.

112. Voir Darryl S.L. Jarvis, *International Relations and the Challenge of Postmodernism* (Columbia: University of South Carolina Press, 2000), p. 144-147. Pour une présentation de la perspective féministe des relations internationales, incluant le courant postmoderniste et ses critiques voir: J. Ann Tickner, «Feminist Perspectives on International Relations» in: W. Carlsnaes, T. Risse et D.A. Simmons (dir.), *Handbook of International Relations* (Londres: Sage Publications, 2001), p. 275-292.

113. Pour une analyse plus approfondie des diverses approches écologistes des relations internationales, voir notamment: Eric Laferrière et Peter J. Stoett, *International Theory and Ecological Thought: Toward a Synthesis*, Londres/New-York, Routledge, 1999; Ronald B. Mitchell, «International Environment», *Handbook of International Relations*, p. 500-517.

114. Kuhn, *La structure des révolutions scientifiques*; Lakatos, *Histoire et méthodologie des sciences*.

115. Paul K. Feyerabend, *Contre la méthode. Esquisse d'une théorie anarchiste de la connaissance* (Paris: Le Seuil, 1988).

116. Sur cette question, voir Richard Ned Lebow et Thomas Risse-Kappen, *International Relations Theory and the End of the Cold War* (New York: Columbia University Press, 1995). Pour une évaluation récente des théories des relations internationales, à la lumière de la méthode de Imre Lakatos, voir: Colin Elman et Miriam Fendius Elman (dir.), *Progress in International Relations Theory. Appraising the Field* (Cambridge : MIT Press, 2003).

CHAPITRE 2

LES ACTEURS MAJEURS DES RELATIONS INTERNATIONALES

2

LES ACTEURS MAJEURS
DES RELATIONS INTERNATIONALES

Les États

Les théories des sciences sociales et des relations internationales définissent l'État de diverses façons. Ainsi, pour les libéraux classiques, l'État est l'incarnation de la Raison ou de l'Intérêt général. Pour les néolibéraux, il est le lieu d'arbitrage des conflits entre les groupes d'intérêt de la société. Pour les réalistes, il est l'expression de la puissance et de la souveraineté de la nation. Pour les marxistes, il est l'instrument dont se sert la classe dirigeante pour imposer sa domination aux autres classes. Dans le langage courant, l'État est généralement assimilé à l'ensemble des institutions qui le constituent—les assemblées parlementaires (pouvoir législatif), le chef de l'État et le cabinet ou gouvernement (pouvoir exécutif), les tribunaux (pouvoir judiciaire), l'armée et la police (pouvoir répressif), la fonction publique, les entreprises et les services publics—et il est encore souvent confondu avec la nation. Cependant, dans la pratique des relations internationales, c'est la définition que donne le droit international public de l'État qui est généralement utilisée. C'est donc à cette dernière que s'intéressera cette section.

L'État selon le droit international public[1]

Selon le droit international public, l'État comporte cinq éléments: un espace territorial, une population, un système de gouvernement, une personnalité juridique internationale, la souveraineté.

Un espace territorial

Un État ne peut exister sans territoire. C'est pourquoi la sauvegarde du territoire a une importance suprême pour les États; la majorité des conflits internationaux dans l'histoire ont été motivés par la défense ou la conquête d'un territoire. L'existence d'un État implique qu'il exerce des droits souverains et exclusifs sur une zone géographique déterminée qui est constituée par trois éléments: la terre, l'eau et l'air.

L'espace territorial terrestre. L'espace terrestre est délimité par des frontières naturelles (cours d'eau, montagnes, océans) ou artificielles (longitude, latitude) fixées par un traité. Dans les faits, les frontières terrestres de plusieurs États continuent à faire l'objet de contestations, soit parce qu'elles n'ont pas fait l'objet d'un acte juridique, soit parce que cet acte juridique n'est pas accepté par les autorités de l'État concerné. Cette situation est la cause de conflits parfois très violents et meurtriers. Ainsi la guerre livrée par le Paraguay à ses voisins en 1865-1870 lui a coûté les deux tiers de son territoire et 65% de sa population. De même, les affrontements sino-vietnamiens de 1979 ont été responsables de 70 000 blessés ou tués.

La délimitation de l'espace terrestre des États est complexifiée par le fait que plusieurs d'entre eux possèdent un plateau continental qui se prolonge sous la mer. Cette situation a été la source de nombreuses controverses car les règles définissant la souveraineté des États sur leur plateau continental demeuraient incomplètes, en dépit des quatre conventions de Genève de 1958 sur le droit de la mer. Ainsi un différend a opposé la France et le Canada entre 1966 et 1989 relativement au partage de la souveraineté des deux pays sur les eaux recouvrant le plateau continental de l'archipel de Saint-Pierre-et-Miquelon. La France revendiquait des droits de souveraineté sur une zone de 200 milles marins au large des côtes de l'archipel, alors que le Canada prétendait que la souveraineté de la France devait être limitée à 12 milles marins sous peine d'un large empiètement sur ses propres eaux territoriales. En 1989, un tribunal d'arbitrage a finalement statué en faveur du Canada en limitant la souveraineté de la France à 12 milles marins, sauf pour un corridor de 10 milles marins de largeur s'étendant jusqu'à 200 milles marins au sud de l'archipel[2]. La Convention des Nations Unies sur le Droit de la Mer, ratifiée par 159 pays entre 1982 et 1984 et entrée en vigueur en 1994[3], a clarifié les règles relatives à la souveraineté des États sur leur plateau continental. Elle stipule qu'un État exerce une souveraineté absolue sur les eaux qui bordent ses côtes jusqu'à 12 milles marins, qu'il possède ou non un plateau continental. Elle ajoute que tout État qui possède un plateau continental se prolongeant au-delà de 12 milles marins détient une souveraineté contiguë sur la zone comprise entre 12 milles et 24 milles marins et une souveraineté exclusive sur la zone comprise entre 24 milles et 200 milles marins. La souveraineté contiguë signifie que l'État peut exercer les contrôles nécessaires pour prévenir et réprimer les infractions à ses lois et règlements douaniers, fiscaux, sanitaires ou d'immigration dans sa mer territoriale. La souveraineté exclusive signifie que « l'État a des droits souverains sur l'exploration, l'exploitation, la conservation et la gestion des ressources naturelles, biologiques et non biologiques » de cette zone. Mais les autres États « jouissent de la liberté de navigation et de survol, de la liberté de poser des câbles et pipelines sous-marins et de la liberté d'exploiter la mer à d'autres fins internationalement licites ». La souveraineté exclusive dont jouissent plusieurs États sur leur zone économique entre 24 et 200 milles marins ne les empêche pas de conclure des ententes avec d'autres États relativement à l'exploration et l'exploitation des ressources de cette zone. Ainsi, dans le cadre de l'Organisation des pêches de l'Atlantique Nord-Ouest (OPANO), le Canada, l'UE, les États-Unis et les autres États riverains de l'Atlantique Nord-Ouest s'attribuent mutuellement des quotas ou droits de pêche dans leurs zones économiques respectives. La Convention des Nations Unies sur le Droit de la Mer a aussi établi un régime international de gestion des fonds sous-marins qui s'étendent au-delà de la limite des 200 milles marins sur la base du principe que ces fonds constituent un héritage commun de l'humanité. Toutefois, les grandes puissances ayant refusé de ratifier la Convention en raison de ce régime, ce dernier a été abandonné en 1994 de telle sorte que la gestion de ces fonds demeure jusqu'à ce jour soumise à la loi du marché.

L'espace territorial aquatique et maritime. L'espace aquatique et maritime sur lequel un État exerce sa souveraineté comprend les mers, les lacs et les cours d'eau enclavés dans son espace terrestre ainsi que la mer qui borde ses côtes jusqu'à 12 milles marins (dans tous les cas) et qui recouvre son plateau continental jusqu'à une limite maximale de 200 milles marins (dans plusieurs cas).

L'espace territorial aérien. Les conventions de Washington de 1919, de Chicago de 1944 et de Genève de 1958 stipulent que tout État a une souveraineté complète et exclusive sur son espace aérien, soit l'espace atmosphérique (entre 3 et 80 kilomètres de hauteur) qui recouvre son espace terrestre et maritime (jusqu'à 12 milles marins). À l'intérieur de cet espace, le survol d'avions militaires est interdit, sauf en cas d'accords explicites avec d'autres États. Par exemple, le Canada a autorisé les avions militaires de l'Organisation du traité de l'Atlantique Nord (OTAN), dont il est membre, à procéder à des exercices dans certaines zones de son espace aérien (au-dessus du Labrador notamment). Il a aussi conclu avec les États-Unis, en 1993, un accord qui permet à ces derniers de tester des systèmes d'armement dans certains secteurs de son espace aérien[4]. Par contre, en vertu du droit international, chaque pays doit permettre aux avions civils des autres pays de survoler son espace aérien et de faire escale sur son territoire pour des raisons techniques. Le droit d'embarquer ou de débarquer des passagers ou des marchandises est quant à lui conditionnel à la signature d'accords bilatéraux entre les États. En vue de résoudre les problèmes posés par la navigation aérienne civile, les États ont créé la Commission internationale de la Navigation en 1919, remplacée par l'Organisation de l'aviation civile internationale (OACI) en 1944.

Les États n'exercent aucune souveraineté sur l'espace extra-atmosphérique (au-delà de 80 kilomètres en hauteur) qui recouvre leurs territoires terrestres et maritimes. En vertu du traité de 1967 et de l'Accord de 1979 de l'ONU[5], l'espace extra-atmosphérique et les corps célestes ne peuvent faire l'objet d'aucune appropriation par les États. En principe, chaque pays a donc le droit d'installer en orbite des satellites, télescopes, navettes spatiales, systèmes de défense antimissiles ou autre technologie civile et militaire. En pratique, l'espace extra-atmosphérique est principalement occupé par les véhicules aérospatiaux des grandes puissances qui possèdent le savoir et les ressources financières indispensables à la production et à la mise en orbite de ces véhicules : les États-Unis, l'UE, la Russie, la RPC.

Une population

Un État ne peut exister sans une population. De plus, très rares sont les États dont la population est constituée d'une seule nation. Soulignons au passage qu'en raison de sa forte connotation subjective et politique, le terme nation a donné lieu à plusieurs définitions. Pour certains, une nation est « une communauté stable d'individus historiquement constituée d'une langue, d'un territoire, d'une vie économique et d'une formation psychique qui se traduit par une communauté de culture ». Pour d'autres, <u>elle est « une âme</u>, un principe spirituel » ou « un riche legs de souvenirs, un désir de vivre ensemble, une grande solidarité, un rêve d'avenir partagé[6] ». Les modifications de frontières et les déplacements de populations causés par la décolonisation, les guerres, les conflits internes, les mouvements migratoires et la mondialisation ont fait en sorte que la population d'un grand nombre d'États est aujourd'hui constituée d'une ou plusieurs nations dominantes et de minorités nationales ou groupes ethniques. Le corollaire de cette situation est que plusieurs nations n'ont pas d'État propre et/ou sont dispersées entre plusieurs États (les Palestiniens, les Kurdes, les Arméniens notamment). Comme nous l'avons vu dans le chapitre précédent, les opinions sont partagées quant aux incidences de cette hétérogénéité ethnique de plus en plus marquée des États. Certains considèrent qu'elle accroît les risques de conflits internes en alimentant les mouvements autonomistes ou sécessionnistes et les tendances xénophobes et racistes ; d'autres croient que ces conflits peuvent être évités si les États adoptent une approche démocratique et pluraliste permettant de concilier le respect des droits et libertés fondamentales de la personne et la reconnaissance des identités communautaires et culturelles. Le Canada, dont la constitution est fondée sur les principes du fédéralisme, de la démocratie et du multiculturalisme, est souvent cité en exemple à cet égard. Mais ce modèle ne fait pas l'unanimité, étant notamment décrié par les partisans de l'indépendance du Québec.

La population d'un État, quel que soit le degré de son homogénéité ethnique, est constituée de deux catégories d'individus : les nationaux et les étrangers. La nationalité, qui concerne non seulement les personnes physiques mais également les personnes morales, notion qui englobe les entreprises, les organisations et les moyens de transport tels les navires et avions, est le lien juridique d'un individu ou d'une personne morale à un État déterminé. Selon la Déclaration universelle des Droits de l'Homme de 1948, « tout individu a droit à une nationalité ». En fait, il arrive que certaines personnes n'aient pas de nationalité, ce sont les apatrides (situation dans laquelle se trouvent un certain nombre de gitans). Par contre, d'autres personnes cumulent plus d'une nationalité. Ces différences sont la conséquence du principe selon lequel chaque État a le droit souverain de déterminer par sa législation les conditions d'acquisition et de perte de la nationalité. Les principaux critères d'attribution de la citoyenneté utilisés par les États sont : la filiation par le sang (*jus sanguinis*), la naissance ou la résidence sur le territoire de l'État (*jus solis*) et la combinaison de ces deux critères. Selon la loi fédérale de 1976, les trois critères d'octroi de la citoyenneté au Canada sont le *jus sanguinis*, le *jus solis* et la naturalisation. Plusieurs pays, dont le Canada, permettent à leurs citoyens de conserver leur nationalité même s'ils détiennent ou obtiennent la nationalité d'un autre ou d'autres États. D'autres pays interdisent le cumul des nationalités.

Les nationaux jouissent, en principe, des droits prévus par le droit interne de l'État : droit de vote, éligibilité, accès aux emplois publics et aux programmes sociaux, libre accès au territoire national, droit d'y résider, etc. De même, ils sont soumis aux obligations prévues par le droit national, par exemple l'obligation du service militaire. En revanche, les étrangers sont soumis à un régime particulier moins favorable. Il faut cependant observer que le statut juridique des étrangers tend à se rapprocher de celui des nationaux, en raison de la ratification par les États de conventions internationales protégeant les droits des réfugiés[7] et immigrants et des accords bilatéraux ou multilatéraux conclus par les États en cette matière. Ainsi, depuis l'adoption du Traité sur l'Union européenne (TUE), en 1993, chaque État membre de l'UE est tenu d'accorder aux citoyens des autres États de l'Union des droits égaux à ceux qu'il accorde à ses propres citoyens (droit au travail, droit à la sécurité sociale, droit de vote, etc.). On notera également qu'en vertu de la loi fédérale canadienne de 1976, tout citoyen d'un pays du Commonwealth — et de l'Irlande — jouit des droits concédés à un citoyen canadien lorsqu'il réside au Canada. Du point de vue international, le principal intérêt de la nationalité est qu'elle permet à son détenteur d'obtenir la protection diplomatique de son État lorsqu'il est victime de la violation d'une loi internationale par le pays étranger où il se trouve.

Un système de gouvernement

Selon le droit international, tout État doit posséder un système de gouvernement. Le principe selon lequel « tout État a le droit inaliénable de choisir son système politique, économique, social et culturel sans aucune forme d'ingérence de la part de n'importe quel autre État » a été reconnu par divers actes juridiques, notamment la résolution du 24 octobre 1970 de l'Assemblée générale de l'ONU et l'acte final de la Conférence sur la sécurité et la coopération en Europe (CSCE) de 1975. Il signifie que les États ne doivent pas lier la reconnaissance d'un autre État ou l'établissement de relations diplomatiques avec ce dernier à la nature de son système politique, économique, social et culturel. Les déclarations mentionnées n'ont cependant pas un caractère obligatoire de telle sorte que les États demeurent libres de tenir compte ou non de la nature du régime politique d'un État lorsqu'il s'agit de le reconnaître ou d'établir des relations diplomatiques avec lui. Dans les faits, le principe selon lequel la reconnaissance des États doit être indépendante de la nature de leur régime politique est plus ou moins respecté depuis 1945. Les pays occidentaux ont entretenu des relations diplomatiques normales avec la plupart des pays communistes durant la guerre froide. Les États-Unis n'ont pas fermé leur ambassade à La Havanne malgré leur aversion pour le régime de Fidel Castro. Par contre, tous les États, à l'exception de l'Arabie saoudite et du Pakistan, ont rompu leurs relations diplomatiques avec l'Afghanistan, après 1992.

L'application de ce principe soulève parfois des problèmes cependant. Par exemple, la décision de la France et de plusieurs pays de maintenir leurs relations diplomatiques avec le Chili, après le coup d'État du général Augusto Pinochet en septembre 1973, a été critiquée par plusieurs défenseurs de la démocratie. Une large partie de la communauté haïtienne canadienne a reproché au gouvernement canadien de ne pas avoir rompu ses relations diplomatiques avec Port-au-Prince, à la suite du coup d'État anticonstitutionnel du général Cedras en 1991.

Il faut ajouter que le droit international n'interdit pas à un groupe d'États ou à une organisation internationale d'exiger d'autres États qu'ils modifient leurs politiques et/ou leurs institutions à la condition que ces exigences n'impliquent pas une intervention directe au sein de ces États. Ainsi, le FMI conditionne ses prêts aux pays en difficulté économique et financière à l'adoption, par ces derniers, de mesures de stabilisation et d'ajustement structurel. Les programmes d'aide aux pays en développement sont de plus en plus souvent assortis de conditions telles que l'application des règles de la bonne gouvernance, le respect des droits de la personne, la libéralisation des politiques commerciales et la démocratisation du système politique. Depuis 1962, le respect des valeurs et des normes démocratiques est une condition *sine qua non* d'adhésion à la Communauté/Union européenne. Pour entrer dans l'UE, les pays de l'Europe centrale et orientale (PECO) se sont vu imposer des conditions supplémentaires: posséder des économies de marché fonctionnelles et capables de concurrencer celles de l'UE; être en mesure d'appliquer effectivement les normes et valeurs démocratiques; adopter les législations et réglementations en vigueur dans l'UE[8].

En vertu du droit international, il ne suffit pas, cependant, qu'un État possède un système de gouvernement. Il faut que ce système soit effectif, c'est-à-dire « que les individus qui se présentent comme étant qualifiés pour parler au nom de l'État puissent faire respecter de manière durable les normes qu'ils édictent par la majeure partie, sinon la totalité de leur population sur leur territoire[9] ». Dans les faits, il est rare qu'un État cesse d'être reconnu par la communauté internationale s'il s'avère incapable de mettre fin à une guerre civile ou à une rébellion sévissant à l'intérieur de ses frontières. Une telle décision, en effet, peut être interprétée comme une violation du principe de non-ingérence et elle peut dans certains cas aller à l'encontre du droit à l'autodétermination des nations opprimées. Ainsi, l'opération *Restore Hope* menée par les États-Unis et les casques bleus de l'ONU en Somalie, en 1992, a été justifiée par des raisons humanitaires — nourrir la population acculée à la famine — et non par l'absence de toute autorité gouvernementale capable de mettre fin à l'anarchie créée par une guerre prolongée entre clans tribaux rivaux. Les massacres répétés de populations par les organisations islamistes fondamentalistes terroristes en Algérie au cours des années 1991 ont incité la France à s'interroger sur l'effectivité du gouvernement algérien et la pertinence d'une intervention internationale mais ces interrogations n'ont pas eu de suite.

Les représentants de l'État. Les autorités qui représentent l'État sur la scène internationale varient selon la nature du système politique et la répartition des pouvoirs en matière de politique étrangère. Dans les régimes semi-présidentiels, comme ceux de la France et de la Russie, les principaux représentants de l'État sont le président de la république, le premier ministre et le ministre des Affaires étrangères. Dans les régimes présidentiels comme celui des États-Unis, ces fonctions sont assumées par le président et le secrétaire d'État. Dans les monarchies constitutionnelles, comme la Grande-Bretagne, l'Espagne et le Canada, et les républiques parlementaires, comme l'Allemagne et l'Italie, c'est le chef du gouvernement et son ministre des Affaires étrangères qui sont les principaux représentants de l'État car le chef officiel de l'État (monarque ou président) n'a que des pouvoirs honorifiques ou symboliques. Ces autorités sont assistées dans leurs fonctions par plusieurs autres personnes, notamment les divers ministres du gouvernement et le corps diplomatique (voir chapitre 3).

Une personnalité juridique internationale

La personnalité juridique internationale de l'État signifie qu'il a, en tant que personne morale ou collectivité humaine possédant une assise territoriale et des individus qualifiés pour agir en son nom, des droits et des obligations ayant une portée et une dimension internationale[10].

La première conséquence de la personnalité juridique internationale de l'État est qu'il a une continuité dans le temps. L'État continue d'exister même s'il subit des modifications territoriales (cession, sécession, conquête, annexion) et des changements violents ou anticonstitutionnels de régime politique. C'est la raison pour laquelle les nouveaux gouvernements déclarent fréquemment qu'ils respecteront les obligations internationales de leurs prédécesseurs. C'est également la raison pour laquelle le droit international dissocie la reconnaissance des États, par l'établissement de relations diplomatiques *de jure* ou *de facto*, des changements de gouvernement.

La seconde conséquence de la personnalité juridique internationale des États est que les actes dont les gouvernants sont les auteurs ne leur sont pas imputables personnellement mais à l'État lui-même, ce dernier étant considéré comme une entité distincte de ceux qui agissent en son nom. C'est là toute la différence entre le vieux système princier ou patrimonial et le système de l'État moderne. Dans le premier, les intérêts du Prince et de sa famille se confondent avec ceux de l'État de telle sorte que le Prince et les membres de son clan peuvent disposer à leur guise du territoire, des biens et même des sujets de l'État. Dans le système des États modernes, les gouvernants ne sont que des représentants de l'État qui est le véritable dépositaire du pouvoir politique (ou de la volonté populaire en démocratie). La troisième conséquence est qu'en vertu de leur personnalité juridique internationale, les États sont responsables des actes que commettent leurs ressortissants (individus ou personnes morales) dans un pays étranger. Signalons qu'il n'existe aucun traité ou accord international écrit quant aux modalités d'application de ces principes. Ce sont les diverses règles coutumières du droit international public qui déterminent les modalités de réparation des dommages causés par les gouvernants ou les ressortissants d'un État à un autre État.

La souveraineté

Du xve au xxe siècle, la souveraineté absolue et intangible des États a constitué le principal fondement du droit international, malgré les critiques formulées à son encontre par l'école libérale. Celle-là, on le sait, s'est toujours opposée au nationalisme et au protectionnisme des États, prônant la libéralisation des échanges, l'extension de la démocratie et la suprématie des droits individuels sur ceux des États. La mondialisation et l'universalisation du modèle démocratique, au xxᵉ siècle, ont contribué à une érosion de la souveraineté des États et favorisé l'adhésion d'un nombre de plus en plus grand de penseurs et d'acteurs à la conception libérale du droit international. La crise des modèles nationalistes de développement, la troisième vague de transitions démocratiques et la fin de la guerre froide, au cours de la période postérieure à 1975, ont entraîné une remise en question de plus en plus importante du bien-fondé de la souveraineté inaliénable des États et des principes s'y rattachant, tel celui de la non-ingérence dans les affaires intérieures d'un État. En témoignent le recours de plus en plus fréquent à la conditionnalité économique et politique par les États et les organisations internationales et la multiplication des interventions unilatérales non sollicitées de l'onu ou de l'otan dans divers pays au nom des droits humanitaires.

Néanmoins, la souveraineté demeure jusqu'à ce jour la caractéristique juridique la plus importante de l'État aux yeux du droit international. D'un point de vue négatif, elle peut être définie comme l'absence de subordination à l'égard d'un autre État ou d'une entité internationale. De là découle le principe de l'égalité juridique des États (un État = une voix) qui est appliqué au sein de plusieurs organisations internationales. La souveraineté ainsi conçue implique qu'un État peut refuser d'appliquer telles règles ou normes adoptées par les autres États. Cependant, en agissant de la sorte, il s'expose à des pénalités de diverses sortes (discrédit, perte d'avantages, représailles) de la part des autres États et risque d'être contesté par son opinion publique. Par ailleurs, l'égalité juridique des États ne signifie nullement qu'ils deviennent égaux en fait, leur puissance notamment politique, militaire, économique et technologique demeurant inchangée.

D'un point de vue positif, la souveraineté implique l'exclusivité, l'autonomie et la plénitude de la compétence. L'exclusivité de la compétence signifie que, sauf accord international, seules les autorités qualifiées de l'État, à l'exclusion de toutes les autres, peuvent exercer des actes de contrainte dans le cadre de l'espace national. Ainsi, les corps policiers d'un État ne peuvent poursuivre un ressortissant sur le territoire d'un autre État. Toutefois, l'État de ce ressortissant peut obtenir son extradition s'il existe un accord en ce sens avec l'État concerné. Cependant, si d'autres lois de cet État, telle une loi relative aux réfugiés politiques, ont préséance sur cet accord d'extradition, celle-ci peut s'avérer impossible. L'autonomie de la compétence signifie que les autorités qualifiées de l'État ont la liberté pleine et entière de décision. Cela implique qu'elles ne peuvent être soumises aux injonctions, directives et ordres formulés par une autorité extérieure. C'est de ce principe que découle le principe fondamental du droit de non-ingérence dans les affaires intérieures d'un autre État, à moins que cette intervention n'ait été formellement sollicitée par l'État concerné. La situation se complique lorsqu'il existe deux gouvernements dans un État—un gouvernement en poste mais chancelant et un gouvernement dans l'opposition sur le point de prendre le pouvoir—et qu'une demande d'intervention est sollicitée par l'un ou l'autre. Le problème est alors de savoir s'il faut obtempérer à la demande d'intervention d'une faction ou au refus d'intervention de l'autre faction. La plénitude de la compétence signifie qu'aucun domaine n'échappe au pouvoir de juridiction de l'État, un principe qui légitime l'existence d'États théocratiques (Iran, Arabie saoudite, Pakistan, Afghanistan des talibans) ou communistes (Corée du Nord, Cuba). Cependant, tout État a la possibilité de laisser ou de transférer les secteurs d'activité qu'il désire aux acteurs de la société civile ou à une autorité extérieure (ex.: privatisation d'entreprises publiques, transfert de nombreuses compétences des États membres de l'UE aux institutions de l'Union).

La reconnaissance internationale

Lorsque les cinq éléments constitutifs mentionnés sont réunis, l'État existe comme réalité. Cependant, pour qu'il puisse véritablement participer juridiquement à la vie internationale, il doit être reconnu par les autres États. Cela étant dit, un État non reconnu peut néanmoins entretenir des relations *de facto* avec d'autres États (ce fut le cas de la Rhodésie du Sud après sa déclaration unilatérale d'indépendance en 1965). Cela démontre que l'existence de l'État est un phénomène distinct de sa reconnaissance. Il n'en demeure pas moins qu'un État privé de reconnaissance est condamné à l'isolement, à l'autarcie économique et à l'appauvrissement. C'est la raison pour laquelle les nouveaux États sont généralement prêts à se soumettre à plusieurs exigences de la communauté internationale—et des grandes puissances en particulier—pour être reconnus. Étant donné que la reconnaissance d'un État est un acte discrétionnaire de chaque État, il arrive qu'elle soit prématurée, et qu'elle intervienne avant que l'État concerné ne possède les cinq caractéristiques constitutives mentionnées (ex. : reconnaissance du Bangladesh par le Pakistan deux ans après sa création en 1971). Il existe néanmoins une limite à ce pouvoir discrétionnaire : l'interdiction de reconnaître un État en violation des règles du droit international.

Les organisations internationales

Une « organisation internationale » (OI) est une organisation dont les membres sont les représentants des gouvernements centraux des États. Une «organisation non gouvernementale» (ONG) est une organisation dont les membres sont des individus et/ou des personnes morales privées de divers États. Dans la section qui suit, nous nous intéresserons essentiellement aux OI car leur rôle et leur pouvoir au sein du système international demeurent plus importants que ceux des ONG, bien que le nombre et l'influence de ces dernières aient énormément augmenté depuis 1945.

En 1909, on comptait 176 ONG déployant une activité internationale. Elles étaient 832 en 1951, 1255 en 1960, 2173 en 1972. Au milieu des années 1990, leur nombre atteignait 5000. L'OCDE recense quelque 4000 ONG de développement dans les seuls pays européens. Plus de 600 ONG participent à la conférence annuelle des ONG convoquée par l'ONU. Elles étaient 1 400 lors du Sommet de la Terre à Rio de Janeiro en 1992. Le nombre de participants mobilisés par les ONG atteignait 40 000, lors de la 4e conférence mondiale de Beijing sur les femmes en 1997, et 100 000 lors du Forum social mondial de Mumbay en 2004.

La plupart des ONG occidentales agissent sur le plan politique afin d'orienter de manière progressive les normes et les structures sociales. Leurs engagements sont relayés par des dizaines de milliers d'autres associations dans les pays du Sud. Elles attirent l'attention des médias sur des violations des droits de la personne, sur des tragédies humanitaires, sur la dégradation de l'environnement, sur des conditions sociales lamentables et sur l'atteinte à la dignité des enfants. Elles s'emploient à mobiliser des réseaux d'experts pour rassembler des données et des analyses susceptibles d'éclairer des situations contraires aux conventions et aux idéaux dont se réclament les Nations Unies. Les grandes ONG ont la capacité de produire des données et des analyses allant à l'encontre des positions défendues par les États et les institutions intergouvernementales. Ainsi, en est-il, par exemple, des études produites par OXFAM, par Human Rights Watch ou par Médecins sans frontière (MSF). Les ONG s'efforcent ainsi d'infléchir les orientations des gouvernements, en particulier dans le cadre des négociations multilatérales. Elles ont souvent un poids indéniable dans la mise en œuvre des instruments juridiques adoptés par les États, dans l'articulation des valeurs et des normes. Ainsi, la Convention sur les mouvements transfrontaliers et la gestion des déchets dangereux, adoptée sous l'égide des Nations Unies, a été conçue par le secrétariat de Greenpeace. À partir de 1992, Handicap International a lancé une campagne de grande envergure pour interdire les mines antipersonnelles. Cette campagne a conduit à l'adoption d'une convention internationale que plusieurs États, dont le Canada, ont ratifiée. Elles forment des coalitions transnationales contre certaines des politiques des OI telles le FMI, la Banque mondiale, l'OMC et l'OCDE, et remportent parfois des succès. Ainsi la coalition initiée par Citizen Watch contre le projet d'Accord multilatéral sur l'investissement (AMI) de l'OCDE a obtenu l'appui du parlement européen et du gouvernement français, ce qui a largement contribué à l'abandon du projet. En 2003, l'OMC a accepté une dérogation aux droit intellectuels touchant au commerce afin de permettre aux PED d'accéder aux médicaments essentiels, notamment génériques, à la suite de pressions exercées en ce sens par MSF en collaboration avec d'autres ONG[11].

Si plusieurs auteurs néolibéraux, néomarxistes et postmodernistes accordent une grande importance à la multiplication et à l'extension de l'influence des réseaux transnationaux d'ONG, la majorité des spécialistes des relations internationales, toutes écoles de pensée confondues, reconnaissent que l'émergence d'une «société civile globale» n'a pas transformé fondamentalement le mode de gouvernance du système international[12]. Si les ONG sont de plus en plus consultées par les OI et que plusieurs participent à l'élaboration de leurs normes et réglementations, l'adoption de celles-ci demeurent l'apanage exclusif des représentants des États. Plusieurs études démontrent en outre que ce sont les grandes ONG occidentales qui sont à l'origine de cette augmentation du pouvoir d'influence des acteurs de la société civile auprès des OI. D'une part, les grandes ONG américaines et européennes disposent de ressources financières, scientifiques, technologiques et médiatiques très supérieures à celles de leurs homologues des pays du Sud. D'autre part, elles sont davantage en mesure d'influencer les législateurs et les gouvernants des États occidentaux qui jouent un rôle déterminant dans la prise de décision des OI. À cet égard, Robert O'Brien et ses collègues constatent que les victoires les plus significatives des ONG ont été remportées dans le domaine de la protection de l'environnement parce que les principales ONG écologiques, telles que Greenpeace, le World Wild Fund, les Amis de la Terre et le Sierra Club, ont pratiqué un lobbying systématique et efficace auprès du Congrès américain ou du parlement européen, ce qui a amené les gouvernements des États-Unis et de l'Union européenne à faire pression sur certaines OI, dont la Banque mondiale, pour qu'elles adoptent des politiques plus conformes aux revendications des groupes environnementalistes[13].

Éléments constitutifs[14]

Les OI sont similaires à certains égards et différentes à d'autres égards des États dont elles sont une émanation (voir tableau 2.1).

Processus de création et structures

Alors qu'un État est créé soit par la force, soit par la négociation d'une entente (constitution) entre diverses forces politiques, toute OI naît d'un accord (Charte, traité) entre deux ou plusieurs États, auquel chaque État adhère individuellement[15]. La constitution d'un État définit la nature des institutions politiques, leurs pouvoirs respectifs et leurs règles de fonctionnement. Elle comporte des règles d'amendement et des règles d'interprétation de ses dispositions. La Charte d'une OI est similaire à la constitution d'un État. Elle définit la nature, les pouvoirs et les règles de fonctionnement des organes de l'organisation ; elle contient des règles d'amendement et d'interprétation de ses dispositions. Lors de sa création, toute OI négocie avec un de ses États membres l'octroi d'une portion de territoire pour l'établissement de son siège social.

Au sein des États, la répartition du pouvoir emprunte différentes formes. Dans les États unitaires (ex.: France, Portugal, Grèce, Indonésie, Japon), le pouvoir est concentré entre les mains du gouvernement central ; dans les États fédéraux (ex.: Canada, Russie, Allemagne, États-Unis, Australie, Brésil), le gouvernement central conserve la majorité des pouvoirs mais une partie plus ou moins importante d'entre eux sont confiés aux gouvernements régionaux. L'ampleur de cette délégation de pouvoirs détermine le degré de décentralisation d'une fédération[16]. Dans les confédé-

TABLEAU 2.1

Organisations internationales en comparaison avec les États

	ORGANISATION INTERNATIONALE	ÉTAT
Création	Par un accord juridique entre États	Par la force ou un accord juridique entre forces politiques
Structure	Confédérale plus ou moins centralisée	Confédérale, fédérale ou unitaire
Adhésion	Selon les dispositions de la charte	Selon la loi d'attribution de la nationalité
Organes/pouvoirs Organe restreint Organe plénier Administration Tribunaux Police Armée	 Décide ou exécute Recommande ou décide Applique les décisions Jugent mais ne sanctionnent pas Inexistante Rare. Multinationale. Prévention des conflits – maintien de la paix – résolution des conflits – aide humanitaire	 Exécute ou décide Décide Applique les décisions Jugent et sanctionnent Applique les sanctions Rôle défensif, offensif et humanitaire
Pouvoirs propres	Conclusion traités et conventions Saisie d'une juridiction internationale Jouissance de privilèges et immunités Établissement de missions diplomatiques	Idem + Exclusivité, autonomie et plénitude de compétence sur leur territoire
Pouvoirs à l'égard de leurs membres	Évocation et discussion Délibération Gestion Contrôle juridictionnel et administratif Contrainte indirecte	Plénitude de compétence exercée selon la constitution et les lois nationales
Ressources financières	Contributions volontaires des États membres Emprunts Dons	Contributions obligatoires des citoyens (impôts et taxes) Emprunts Dons
Nomination des représentants	Choisis par les gouvernements des États	Imposés par la force ou l'hérédité, cooptés ou élus directement ou indirectement par les citoyens

rations, les gouvernements régionaux détiennent plus de pouvoirs que le gouvernement central. Aucun État ne possède à notre époque une véritable structure confédérale[17]. Par contre, toutes les OI sont des confédérations.

La confédération est une formule d'union entre États, formalisée par des procédés juridiques variés. Elle s'oppose à la fédération par une différence essentielle : la fédération est une unité politique et juridique constituée d'un seul État, internationalement souverain, regroupant des unités plus petites dont l'autonomie peut être forte mais qui, internationalement, ne sont pas des

États; la confédération est au contraire une pluralité d'États qui seuls ont l'existence internationale[18].

Les OI sont des confédérations d'États plus ou moins centralisées. On dit d'une OI qu'elle est centralisée lorsque ses décisions ont un caractère obligatoire pour les États membres. C'est le cas des résolutions du Conseil de sécurité de l'ONU et des directives du Conseil de l'UE. À l'inverse, une OI est décentralisée lorsque ses décisions n'ont pas de caractère obligatoire pour les États membres. La majorité des OI sont décentralisées.

Règles d'adhésion

C'est l'obtention de la nationalité qui permet à un individu ou à une personne morale d'adhérer à un État. C'est la signature de la Charte d'une OI qui permet à un État d'adhérer à cette dernière. Ni l'adhésion à un État, ni l'adhésion à une OI ne sont inconditionnelles ou automatiques. Seuls les étrangers qui répondent aux critères fixés par la loi de naturalisation d'un pays peuvent obtenir la nationalité de ce dernier. L'admission au sein d'une OI est conditionnelle au respect des dispositions de sa Charte par un pays candidat. En outre, l'admission d'un nouvel État membre doit être acceptée par l'organe restreint et/ou plénier d'une OI. Cela signifie que cette admission fait souvent l'objet de négociations entre les États membres. Ces derniers peuvent décider d'imposer au pays candidat des conditions d'adhésion qui ne sont pas inscrites dans la Charte de l'organisation. Ainsi, durant les années 1970, la Communauté européenne (CE) a conditionné l'adhésion de la Grèce, de l'Espagne et du Portugal à l'instauration préalable de la démocratie dans ces trois pays, bien que cette condition n'était pas inscrite dans le traité de Rome de 1957 à l'origine de la Communauté.

Nature et prérogatives des organes constitutifs

Tous les États disposent d'un organe restreint (exécutif), d'un organe plénier (parlement), d'un appareil administratif, d'un ensemble hiérarchisé de tribunaux, d'une police et d'une armée. En règle générale, chaque OI comprend un organe restreint (où siègent quelques États membres), un ou plusieurs organes pléniers (où tous les États membres sont représentés), un appareil administratif ou secrétariat. Cependant, seules quelques OI disposent d'un ou plusieurs tribunaux et aucune ne possède une police ou une armée propre.

Les OI à vocation stratégique (voir tableaux 2.2 et 2.3) disposent d'une force d'intervention militaire mais celle-ci est constituée par les contingents des armées des États membres. Il n'existe pas d'armée supranationale.

Les pouvoirs attribués à chacun de ces organes varient en fonction de la nature autoritaire ou démocratique, présidentielle ou parlementaire des régimes politiques des États et de la nature des OI. Il n'y a pas de règle absolue ou modèle universel à cet égard.

Dans les États démocratiques, le pouvoir de décision, soit l'adoption des lois, est dévolu au parlement (régimes parlementaires) ou partagé entre le parlement et le président (régimes présidentiels). Le pouvoir d'exécution, soit l'application des lois, est confié au gouvernement. Dans les États autoritaires, le véritable pouvoir décisionnel en matière législative est monopolisé par l'organe exécutif ; le parlement ne fait qu'entériner les lois édictées par le chef de l'État et son gouvernement. Dans certaines OI, telle que l'ONU, le pouvoir de décision est concentré entre les mains de l'organe restreint, l'assemblée générale n'ayant qu'un pouvoir de recommandation. Dans d'autres OI, telles l'OTAN, l'Organisation mondiale du commerce (OMC) et l'Organisation des États américains (OEA), l'organe restreint ne fait qu'appliquer les décisions adoptées par l'assemblée générale des États membres. Dans d'autres OI , tel le FMI, le pouvoir de décision est partagé entre l'organe restreint et l'organe plénier. Dans les États et les OI, le rôle de l'appareil administratif est d'appliquer les décisions adoptées par l'organe plénier et/ou restreint.

Il en va autrement pour les tribunaux et la police. Tous les États possèdent une structure hiérarchisée de tribunaux qui ont le pouvoir de juger et de punir les citoyens qui contreviennent aux lois nationales. L'exécution des sentences est garantie par l'existence de corps policiers qui ont le mandat de contraindre les citoyens à obéir aux ordres et verdicts des cours. En revanche, le pouvoir de sanction des instances juridictionnelles internationales est beaucoup plus limité, puisqu'en raison de la souveraineté inaliénable des États et de l'absence d'une police supranationale, l'application des jugements qu'ils prononcent contre des États fautifs dépend de la collaboration volontaire de ces derniers. Il est vrai que les OI ont des pouvoirs de contrainte (sanctions économiques, suspension de certains droits et privilèges, expulsion, etc.) mais ceux-ci sont difficiles à exercer puisqu'ils exigent l'accord des États membres. En réalité, la soumission ou la non-soumission d'un État au jugement d'une cour internationale dépend des bénéfices (support de son opinion publique, défense de ses intérêts, etc.) et des pertes (détérioration de ses relations avec certains partenaires, sanctions des autres États, etc.) liés à chaque attitude.

Les tribunaux pénaux internationaux—Tribunal pénal international du Rwanda (TPIR), Tribunal pénal international de l'ex-Yougoslavie (TPIY), Cour pénale internationale (CPI)[19]—possèdent des pouvoirs plus étendus puisqu'ils peuvent accuser, juger et condamner à l'emprisonnement tout individu (dirigeant, militaire, policier, fonctionnaire, etc.) responsable de génocide, de crime de guerre, de crime d'agression et de crime contre l'humanité. Cependant, la tenue des procès et l'application des sentences ne sont possibles que si l'État responsable de la personne accusée accepte de l'arrêter et de la traduire devant ces tribunaux. Or cette collaboration n'est pas assurée. Premièrement, si tous les États sont tenus de se soumettre aux décisions du TPIY et du TPIR, puisque ces derniers ont été créés par le Conseil de sécurité, tel n'est pas le cas pour la CPI qui émane d'un traité international (le Statut de Rome). Seuls les pays ayant ratifié ce Statut sont soumis à l'autorité de la CPI[20]. Deuxièmement, les États peuvent contester un ordre d'extradition ou de comparution du TPIY, du TPIR ou de la CPI en arguant qu'il contrevient à leur droit interne et constitue une ingérence dans leurs affaires intérieures. Dans un tel cas, seules les menaces de représailles des autres États peuvent éventuellement convaincre un pays récalcitrant à se soumettre aux ordres d'une juridiction pénale internationale[21]. Le tribunal international qui détient le pouvoir de sanction le plus effectif est la Cour de justice européenne (CJE) de l'UE. Instance juridique suprême de l'UE, celle-ci interprète et applique le droit communautaire ; elle se prononce sur tous les recours en cette matière qui lui sont soumis par les institutions et les États membres de l'UE. Ces derniers respectent beaucoup plus systématiquement les arrêts de la CPJ, non seulement parce qu'ils ont un caractère obligatoire et que la Cour peut imposer des amendes à ceux qui n'appliquent pas ses jugements, mais parce qu'ils ont tous intérêt à ce que le droit communautaire soit respecté, étant fortement interdépendants les uns des autres. Ceci tend à démontrer que plus l'interdépendance des États est approfondie, plus ces derniers sont prêts à se soumettre à l'autorité d'une instance judiciaire supranationale. On peut donc prévoir que si l'intégration continentale et internationale continue à progresser, la capacité des tribunaux internationaux d'imposer le respect du droit international augmentera.

Des raisons identiques expliquent l'inégalité de la puissance militaire des États et des OI. La quasi-totalité des États possèdent une armée dont la mission principale est de défendre l'intégrité et la sécurité du territoire national. Par contre, aucune OI ne possède sa propre armée. Les forces militaires dont disposent certaines d'entre elles — ONU, OTAN, OEA, Organisation de l'unité africaine (OUA)[22] — sont essentiellement constituées par les contingents de soldats fournis par les États membres. En outre, seule l'OTAN possède une structure de commandement militaire intégrée constituée des représentants des états-majors des États membres. La mission des armées multilatérales est de prévenir et de résoudre les conflits entre les États qui sont situés dans leur zone d'opération (planétaire dans le cas de l'ONU, régionale dans les autres cas). Du point de vue militaire, les OI n'ont donc aucune autonomie, étant entièrement dépendantes des décisions et contributions des États membres. Cette situation est due au fait que les États, en particulier les plus puissants, refusent de déléguer leur souveraineté en matière militaire à une autorité supranationale.

Pouvoirs, ressources et représentation

Les OI possèdent des pouvoirs moins étendus que ceux des États. Leur personnalité juridique internationale leur confère le droit de conclure des traités et conventions internationales, d'assurer une protection diplomatique à leurs agents, de saisir une juridiction internationale, de jouir de privilèges et d'immunités et d'établir des missions dans différents pays. À l'égard de leurs États membres, elles ont des pouvoirs d'évocation et de discussion, de délibération, de gestion, de contrôle juridictionnel et administratif et de contrainte indirecte.

Les OI ont une autonomie de financement plus restreinte que les États car si ces derniers peuvent contraindre, sous peine d'amendes ou d'emprisonnement, tous les citoyens à contribuer au budget de l'État sous la forme de taxes et d'impôts, il est beaucoup plus difficile pour une OI d'obliger un État membre à verser sa cotisation à l'organisation. Ainsi, malgré les demandes insistantes du secrétaire général de l'ONU et les critiques des États membres, le Congrès américain a suspendu le paiement de sa cotisation équivalant à 25 % du budget de l'ONU pendant plusieurs années, plaçant cette dernière dans une situation de crise financière. En outre, les États bénéficient d'un grand nombre de ressources propres (droits de douane, revenus des entreprises publiques, tarification de leurs services, etc.) que ne possèdent pas les OI. À l'exception de l'UE qui, depuis 1970, a progressivement remplacé les contributions nationales des États membres par des ressources propres qui ont garanti son indépendance financière (prélèvements agricoles, droits de douane du tarif extérieur commun, pourcentage des recettes de la taxe sur la valeur ajoutée perçue par les États membres), les revenus que procurent aux OI leurs activités propres représentent une fraction marginale de leur budget. Par ailleurs, alors que les États peuvent emprunter sur le marché financier national ou international sans autorisation des contribuables, les OI doivent obtenir l'aval des États membres pour effectuer de telles opérations. Enfin, s'il est vrai que les OI peuvent recevoir des dons, à l'instar des États, ces derniers constituent un élément négligeable de leurs revenus.

Un autre élément distingue les OI des États. Alors que le personnel des organes restreint et large des États démocratiques est élu indirectement ou directement par les citoyens, celui des organes restreint et large des OI est nommé par les gouvernements centraux des États membres.

Évolution historique

Les premières confédérations d'États ont été les Cités grecques de la Béotie, de Corinthe et du Péloponnèse au Vᵉ siècle avant Jésus-Christ. Par la suite et jusqu'au XXᵉ siècle, les confédérations d'États sont demeurées des phénomènes exceptionnels. On peut citer le cas des Ligues des villes marchandes de l'Italie et de l'Allemagne du Nord durant le Moyen Age, la Confédération suisse, établie en 1389, et la confédération des États-Unis d'Amérique, créée en 1781 à l'issue de la guerre d'indépendance, dont l'existence sera de courte durée puisqu'elle sera convertie en une fédération par la Constitution de 1787. Au XIXᵉ siècle, la formation de compagnies multinationales et l'expansion des échanges commerciaux impulsées par la révolution industrielle incitèrent les États à établir des OI à caractère technique et administratif dans le but d'améliorer les transports, les communications et le commerce. Afin de permettre une gestion commune des fleuves européens par les États riverains, le Congrès de Vienne de 1815 instaura la Commission centrale pour la navigation du Rhin ; en 1856, le Congrès de Paris institua la Commission européenne du Danube. Suivirent l'établissement de l'Union internationale des télécommunications (UIT) en 1865 et de l'Union postale universelle (UPU) en 1874. D'autres OI, telles que l'Organisation de l'industrie sucrière et l'Institut agricole international, furent également mises sur pied.

La première OI à vocation politique ayant pour mission de maintenir la paix et la stabilité de la société internationale sera la SDN, créée en 1920 à l'issue de la Première Guerre mondiale (1914-1918). La SDN établit un système de sécurité collective, selon lequel l'atteinte à la sécurité de l'un des membres serait « *ipso facto* [...] un acte de guerre contre tous les autres membres de la Société ». Parallèlement, est constituée l'Organisation internationale du travail (OIT), doublement novatrice, puisqu'elle vise à promouvoir une harmonisation des normes du travail afin d'empêcher une concurrence sauvage entre les travailleurs syndiqués ou bénéficiant d'avantages sociaux et ceux qui n'ont aucune protection, tout en instituant le principe des délégations tripartites pour les États (un représentant des syndicats, un représentant du patronat et deux représentants du gouvernement central par pays).

Le système des organisations internationales après 1945[23]

Il faut toutefois attendre la deuxième moitié du XXe siècle pour voir se constituer un véritable système d'OI, résultante de la crise économique des années 1930, du second conflit mondial, de la guerre froide et de la décolonisation des pays d'Afrique et d'Asie.

Durant la période 1920-1945, les États-Unis affirment leur suprématie économique, politique et militaire sur l'empire britannique et les autres puissances coloniales européennes. Le président américain de l'époque, Franklin Delano Roosevelt, et son équipe de fonctionnaires et conseillers sont des démocrates libéraux. Ils croient fermement qu'une autre dépression économique majeure et un troisième conflit mondial ne pourront être évités que par la mise sur pied d'OI centrées sur les objectifs suivants : (1) favoriser l'essor du commerce entre les pays capitalistes industrialisés par la stabilisation des monnaies et le maintien de l'équilibre des balances des paiements, la réduction des barrières tarifaires et non tarifaires aux échanges et le renforcement de l'intégration économique européenne ; (2) atténuer les disparités économiques entre pays riches et pays pauvres grâce au financement par les premiers de programmes d'assistance aux seconds ; (3) garantir la paix mondiale par la création d'un régime de sécurité collective universel capable d'imposer la paix par la force aux États en conflit. Ceci explique que les États-Unis aient assumé un rôle de leader lors des conférences qui donnèrent naissance aux organisations vouées à ces missions — FMI, GATT, Banque mondiale, ONU — entre 1941 et 1957. Pendant la guerre, tous leurs alliés, y compris l'URSS, se montrèrent favorables à ce programme, mais ce consensus ne résistera pas à la division du monde entre le camp communiste et le camp capitaliste au lendemain du conflit.

Les Américains et leurs alliés occidentaux n'acceptèrent pas que l'URSS favorise l'installation de régimes communistes dans les pays de l'Europe centrale et orientale situés dans la zone d'influence qui lui avait été concédée par les accords de Yalta (février 1945) et qu'elle appuie la lutte des partis communistes pour la conquête du pouvoir en Chine (1945-1949) et en Corée (1945-1948). Dès 1947, le président Harry Truman, qui avait succédé à Franklin Delano Roosevelt en 1945, adoptera une nouvelle politique étrangère fondée sur le principe de l'endiguement (*containment*) de l'expansion communiste. Cette décision sanctionnera la fin de l'alliance américano-soviétique et le début de la guerre froide. Celle-ci aura d'importantes répercussions sur le système des OI. Elle incitera l'URSS à boycotter le FMI et à opposer son veto aux résolutions du Conseil de sécurité proposées par les États-Unis et leurs alliés, empêchant ainsi l'ONU de remplir son mandat de maintien de la paix. En outre, la guerre froide introduira une dynamique conflictuelle au sein de l'assemblée générale et de plusieurs OI du système des Nations Unies, les États-Unis et l'URSS utilisant ces tribunes pour tenter de renforcer leurs appuis et leur influence au sein de la communauté internationale. La guerre froide incitera également les États-Unis et leurs alliés à créer une série d'OI régionales en vue de protéger leurs intérêts militaires, économiques et politiques contre la menace communiste, stratégie à laquelle l'URSS ripostera en créant son propre bloc d'OI régionales.

La décolonisation des pays d'Afrique et d'Asie, au cours de la période 1945-1965, processus favorisé par le déclin économique et militaire des puissances coloniales européennes (Grande-Bretagne, France, Belgique, Allemagne, Italie) et asiatique (Japon), contribuera également à modifier la configuration des OI en suscitant le regroupement des PED au sein de diverses OI relativement autonomes des blocs occidental et communiste. L'émergence d'un troisième bloc tiers-mondiste sera d'ailleurs encouragée ouvertement par la RPC ou indirectement par diverses moyennes puissances du camp occidental désireuses de limiter le poids de l'influence américaine et soviétique au sein du système international. Le Mouvement des pays non alignés constitua l'expression la plus éloquente de cette tentative d'autonomisation du tiers-monde. Il fut constitué en 1955 à l'initiative de la RPC, de l'Inde, de l'Indonésie et d'autres États asiatiques en vue de faire contrepoids à l'Organisation du traité de l'Asie du Sud-Est (OTASE), créée en 1954 par les États-Unis, la Grande-Bretagne et leurs alliés — Australie, Nouvelle-Zélande, Philippines, Thaïlande et Pakistan — en vue de lutter contre la subversion communiste dans la région.

Le Mouvement des pays non alignés jeta les bases du neutralisme, doctrine structurée autour de dix principes de la coexistence pacifique : respect des droits de l'homme, respect de la souveraineté et de l'intégrité territoriale de toutes les nations, non-intervention et non-ingérence dans les affaires intérieures des États, refus de recourir à des arrangements de défense collective destinés à servir les intérêts particuliers des grandes puissances, règlement de tous les conflits internationaux par des moyens pacifiques, etc.[24]

En outre, la décolonisation permit une forte augmentation du nombre et de l'influence des PED au sein de l'assemblée générale de l'ONU et des institutions du système des Nations Unies. Ce changement de rapport de force, dans un contexte marqué par la paralysie du Conseil de sécurité, responsable du maintien de la paix, permit aux PED d'imposer à l'ONU un agenda centré sur l'aide au développement plutôt que sur la résolution des conflits interétatiques.

La guerre froide connut son apogée durant les treize premières années de l'après-guerre (1947-1960) ; la mort de Staline en 1953, le XXe Congrès du PCUS de 1956 et ses retombées favorisèrent l'avènement d'une période de dégel ou de détente à partir de la seconde moitié des années 1960 qui se concrétisa notamment par la négociation des accords Salt I (1969-1972) et Salt II (1973-1979)[25] et le développement progressif des échanges économiques et technologiques Est-Ouest. C'est l'addition de ces expériences de dialogue et de coopération qui explique la création d'une première OI Est-Ouest, en 1975 à Helsinki : la Conférence sur la sécurité et la coopération en Europe (CSCE).

Dans l'ensemble, comme le montre le tableau 2.2, le système des OI de l'après-guerre fut donc caractérisé par l'existence de quatre blocs : les OI majoritairement universelles du système des Nations Unies ; les OI régionales ou interrégionales du bloc occidental dominées par les États-Unis ; les OI régionales ou interrégionales du bloc communiste dominées par l'URSS ; les OI interrégionales ou régionales des PED.

TABLEAU 2.2

Le système des organisations internationales après 1945[1]

ORGANISATIONS INTERNATIONALES DU BLOC OCCIDENTAL	ORGANISATIONS INTERNATIONALES EST-OUEST	ORGANISATIONS INTERNATIONALES DU BLOC COMMUNISTE
Alliances stratégiques	CSCE/OSCE (1975)	**Alliance stratégique**
OTAN (1949)		Pacte de Varsovie (1955)
ANZUS (1951-1987)		
OTASE (1954-1977)	**ORGANISATIONS INTERNATIONALES UNIVERSELLES**	**Économique**
UEO (1955-2000)		CAEM (1949)
OEA (1948)		
NORAD (1951)	Systèmes des	
Pacte de Bagdad (1955)	Nations Unies (1945...)	

ORGANISATIONS INTERNATIONALES des PED	
Politiques	**Économiques**
Ligue arabe (1945)	OPEP (1960)
MPNA (1955)	ANSEA (1966)
OUA (1963)	CEDEAO (1970)
OCI (1969)	CARICOM (1973)

Économiques

OECE/OCDE (1948)

CECA (1951)

CEE/EURATOM (1957)

AELE (1958)

GATT (1947)

Politiques

Conseil de l'Europe (1949)

1. Cette liste des OI de l'après-guerre n'est pas exhaustive. Pour une liste plus complète assortie du nom des États membres de ces OI, voir les dictionnaires des relations internationales cités dans les références à la fin du volume.

Le système des organisations internationales au tournant du XXIe siècle[26]

Durant le dernier quart du XXe siècle, trois séries de changements ont modifié en profondeur les relations internationales et le système des OI: la crise des modèles de développement économique nationalistes, tant à l'Est qu'à l'Ouest, qui conduira la très grande majorité des États à adopter un modèle de développement néolibéral; la crise des régimes politiques autoritaires—capitalistes et communistes—et leur remplacement par des régimes démocratiques; la fin de la guerre froide. La principale conséquence de ces bouleversements fut l'instauration d'un nouvel ordre unipolaire, caractérisé par l'hégémonie des États-Unis et l'expansion du modèle américano-occidental fondé sur le capitalisme et la démocratie. « La domina-

TABLEAU 2.3

Le système des organisations internationales au tournant du XXIe siècle[1]

ORGANISATIONS INTERNATIONALES MONDIALES (ÉTATS MEMBRES ORIGINAIRES DE TOUTES LES RÉGIONS)		
POLYVALENTES	**SPÉCIALISÉES**	
ONU	CNUCED	Coopération Nord-Sud
Commonwealth	UNESCO	Éducation et culture
	OACI	Aviation civile
	FAO	Agriculture et alimentation
	OIT	Normes du travail
	OMC	Libéralisation des échanges
	Francophonie	Éducation et culture
	FMI	Stabilisation et ajustement des économies
	Banque mondiale	Aide aux PED
ORGANISATIONS INTERNATIONALES INTERRÉGIONALES (ÉTATS MEMBRES ORIGINAIRES DE DEUX CONTINENTS OU PLUS)		
POLYVALENTES	**SPÉCIALISÉES**	
CEI	OTAN	Sécurité
	OSCE	Coopération politique
	MPNA	Coopération politique
	OPEP	Gestion du pétrole
	G-7	Coopération économique
	OCDE	Coopération économique
	BERD	Aide aux PECO
	APEC	Intégration économique
	GUUAM	Sécurité
	Ligue arabe	Coopération politique
ORGANISATIONS INTERNATIONALES RÉGIONALES (ÉTATS MEMBRES ORIGINAIRES D'UN SEUL CONTINENT)		
POLYVALENTES	**SPÉCIALISÉES**	
UE	ALENA	Intégration économique
ANSEA	MERCOSUR	Intégration économique
CEDEAO	BID	Aide aux PED
UA	CEEAC	Intégration économique
OEA	**Conseil nordique**	Coopération politique
	OCE	Coopération économique
	Conseil de l'Europe	Coopération politique
	AELE	Commerce

1. Ce tableau ne fournit pas une liste exhaustive des OI actuelles. Pour une liste plus complète de ces dernières, assortie d'informations sur leurs dates de création et leurs membres, voir notamment *L'État du monde*, rubriques « Les organisations internationales » et « Les organisations régionales ».

tion complète des États-Unis... la durabilité de l'hégémonie américaine et de l'ordre occidental est un aspect marquant de la politique mondiale au tournant du siècle » (traduction de l'auteure)[27].

À la suite de la Seconde Guerre mondiale, la quasi-totalité des États — capitalistes et communistes — ont opté pour des modèles de développement introvertis ou nationalistes dans le cadre desquels la croissance économique reposait sur l'expansion du marché interne, soutenue par l'intervention de l'État et des politiques commerciales protectionnistes. Cependant, les États capitalistes ont également soutenu la libéralisation progressive des échanges de marchandises et des flux de capitaux en vue de financer leur développement autocentré. Cette conciliation des logiques protectionniste et libérale était d'ailleurs conforme à l'approche social-démocrate du nouvel ordre économique mondial, défini par les Accords de Bretton Woods de 1944, le GATT (1947) et le traité de Rome instituant la CE (1957), qui faisait consensus au sein d'un grand nombre de pays. L'expérience a démontré que ces deux logiques ne pouvaient être indéfiniment compatibles, ce dont était fort conscient John Maynard Keynes, un des principaux artisans du consensus de Bretton Woods, qui considérait qu'à long terme le libéralisme l'emporterait nécessairement sur le protectionnisme. La contradiction entre ces deux dynamiques du développement fut largement responsable de la crise économique qui, à partir de 1975, se traduisit par un déclin de la croissance, une hausse de l'inflation, une augmentation de l'endettement et des déficits budgétaires des gouvernements, et un déséquilibre des balances des paiements. Cette crise força les États à adopter des modèles néolibéraux de développement dans le cadre desquels la croissance dépend de l'augmentation des exportations et de la productivité, objectifs impliquant une diminution de l'intervention de l'État au sein du marché et la libéralisation des échanges (chapitre 4). Une thèse largement répandue veut que ce changement de modèle économique ait été imposé aux États par les défenseurs du néolibéralisme, notamment les gouvernements conservateurs de Margaret Thatcher et de Ronald Reagan et le FMI, à partir du début des années 1980. Défendue par les nationalistes, les tiers-mondistes et les opposants aux États-Unis, cette explication n'est pas fausse, mais elle est partiale et réductionniste car elle ne tient pas compte du fait que le virage néolibéral a été, avant tout, le résultat d'une crise provoquée par les choix économiques antérieurs des pays occidentaux, des PED et des pays socialistes.

Si la crise économique n'a pas eu d'impacts politiques significatifs sur les démocraties, celles-ci offrant aux partis politiques et aux groupes d'intérêt la possibilité de négocier une répartition plus équitable de ses coûts, elle a aggravé la crise de légitimité de plusieurs dictatures, contribuant à la vague de transitions de l'autoritarisme à la démocratie qui a déferlé successivement sur l'Europe du Sud, l'Amérique latine, l'Asie de l'Est, l'Europe centrale et orientale, et l'Afrique entre 1973 et 1995[28].

Elle a également été l'un des principaux déterminants de l'enchaînement des évènements qui ont conduit à la disparition du bloc communiste et à la fin de la guerre froide. L'aggravation de la crise économique de l'URSS, au début des années 1980, en raison notamment de son engagement militaire en Afghanistan, a en effet hypothéqué sa capacité à concurrencer le développement de la puissance militaire américaine. Elle explique qu'en 1985, le nouveau secrétaire général du PCUS, Mikhaïl Gorbatchev, ait accepté la proposition du gouvernement Reagan d'abandonner son projet de bouclier spatial et de négocier une réduction des armements stratégiques américains et soviétiques en Europe, en contrepartie de la mise en œuvre par les autorités soviétiques de réformes axées sur la privatisation de l'économie et la démocratisation du système politique. Ces réformes—la perestroïka et la glasnost—ont créé des conditions favorables à la disparition de la tutelle du PCUS sur le système politique soviétique et à l'abandon par Moscou de sa politique d'intervention au sein des États membres du Pacte de Varsovie et des républiques de l'URSS. La crise économique et la disparition de toute menace d'intervention soviétique ont renforcé les mouvements de dissidence contre les régimes communistes dans les pays de l'Europe de l'Est, et contre la tutelle de Moscou dans les républiques de l'URSS, mouvements qui ont abouti à l'effondrement du communisme au sein du bloc de l'Est et à l'éclatement de l'URSS entre 1989 et 1991[29].

Ces bouleversements ont entraîné la disparition des OI du bloc communiste, le Pacte de Varsovie et le Conseil d'assistance économique mutuelle (CAEM) étant dissous dès 1991. Ils ont également eu un impact important sur l'ONU. Comme le souligne Marie-Claude Smouts, un désir de coopération sans précédent entre les Grands va replacer le Conseil de sécurité au cœur du dispositif onusien dès 1988. Ce nouveau climat d'entente va permettre à l'ONU de remporter plusieurs succès entre 1988 et 1992 : règlement de la guerre entre l'Iran et l'Irak, retrait des troupes soviétiques d'Afghanistan, désarmement des *contras* soutenus par les Américains au Nicaragua, envoi de missions de paix au Guatemala et au Salvador, indépendance de la Namibie, expulsion des troupes iraquiennes du Koweït. Il va également inciter l'ONU à augmenter le nombre et l'importance de ses opérations (20 entre 1988 et 1994 contre 13 entre 1946 et 1988) tout en changeant leur nature. Aux opérations traditionnelles de maintien de la paix, s'ajouteront des opérations de rétablissement de la paix (Koweït, Timor oriental, Sierra Leone), de reconstruction nationale (Cambodge, Bosnie-Herzégovine, Timor oriental, Afghanistan) et d'imposition de la paix pour des raisons humanitaires (Somalie, Kosovo)[30].

Plusieurs de ces nouvelles missions seront toutefois des échecs (ex.: Rwanda, Somalie) ou des demi-succès (ex.: Bosnie-Herzégovine, Cambodge), les opérations les plus réussies étant celles placées sous le commandement des États-Unis (guerre du Golfe) ou de l'OTAN (Kosovo). Ces résultats démontreront que les difficultés de l'ONU à remplir efficacement son rôle de gendarme de la paix ne peuvent être attribuées uniquement aux antagonismes de la guerre froide. Elle tiennent à la nature même de son système de sécurité collective, fondé sur l'idée optimiste de l'après-guerre que cinq grandes puissances aux intérêts divergents peuvent coopérer de manière permanente en vue de sauvegarder la paix mondiale. Elles renforceront le sentiment que, dans le contexte du nouvel ordre international post-guerre froide, ce sont les interventions multilatérales placées sous le leadership de Washington ou les organisations régionales dirigées par la superpuissance américaine qui sont les plus en mesure d'imposer la paix. L'intervention unilatérale des États-Unis en Irak, en mars 2003, érodera considérablement, cependant, cette confiance dans la capacité des forces américaines ou dirigées par Washington de rétablir la paix. Ce désabusement sera alimenté par l'inaptitude des autres puissances à constituer des régimes de sécurité collective régionaux efficaces. Ainsi, les États de l'Europe de l'Ouest ne parviendront pas à faire de l'Union de l'Europe occidentale (UEO—dissoute en 2000) et de la politique étrangère et de sécurité commune (PESC) de l'UE une alternative crédible à l'OTAN; la Russie ne réussira pas à transformer la Communauté des États indépendants (CEI) en un système de sécurité collective performant; l'Organisation de l'unité africaine (OUA) s'avérera, en dépit de sa reconversion en Union africaine (UA) en 2001, impuissante à résoudre les conflits entre États africains; les pays asiatiques seront incapables de se doter de systèmes de défense autonomes, à la suite de la dissolution de l'Organisation du traité de l'Asie du Sud-Est

(OTASE), en 1977, et de l'alliance entre l'Australie, la Nouvelle-Zélande et les États-Unis (ANZUS), en 1987 (chapitre 3).

La période des années 1990 sera également caractérisée par la transformation des OI à vocation économique. D'une part, plusieurs des ex-pays communistes et NPI du tiers-monde adhéreront aux organisations économiques du bloc occidental — en particulier l'Organisation de coopération et de développement économique (OCDE) — et du système des Nations Unies — GATT et FMI notamment. D'autre part, on assistera à un progrès sans précédent de la libéralisation globale des échanges dans le cadre des négociations de l'Uruguay Round du GATT (1986-1993) et au remplacement de ce dernier par l'OMC, une organisation dotée de pouvoirs accrus en matière de règlement des litiges commerciaux. Sur le plan régional, ce mouvement se traduira par l'approfondissement et l'élargissement du processus d'intégration européenne et la constitution de nouvelles zones de libre-échange, unions douanières, marchés communs et espaces de coopération économique en Europe, en Amérique du Nord et du Sud, en Afrique et en Asie (chapitre 4).

L'intégration des marchés deviendra la priorité essentielle de la plupart des OI, tant celles à vocation économique que celles à vocation politique ou stratégique, la mondialisation étant désormais considérée comme la dynamique la plus susceptible d'assurer l'enrichissement, la coopération et la bonne entente des nations. Plusieurs OI, dont le FMI, la Banque mondiale, l'UE, la Banque européenne de reconstruction et de développement (BERD), le Conseil de l'Europe, l'OTAN, décideront donc de conditionner désormais leurs programmes d'aide (militaire, financière ou autre) à l'adoption par les États receveurs de réformes destinées à libéraliser leur système économique et à démocratiser leur régime politique, deux conditions jugées indispensables au progrès de la libéralisation des échanges. Parallèlement, on assistera à une réduction importante de l'aide non conditionnelle aux PED et au déclin des OI spécialisées dans l'assistance aux pays du tiers-monde, telles que l'Organisation des Nations Unies pour le développement industriel (ONUDI), le Programme des Nations Unies pour le développement (PNUD) et la Conférence des Nations Unies sur le commerce et le développement (CNUCED).

La disparition du camp communiste, la confirmation de l'hégémonie des États-Unis et l'adhésion d'un plus grand nombre de pays aux valeurs du capitalisme libéral et de la démocratie modifieront la configuration des OI à plusieurs égards: celles-ci seront de moins en moins fondées sur des critères idéologiques et politiques; les OI du bloc occidental accueilleront dans leurs rangs plusieurs PED et ex-pays communistes; le nombre des OI interrégionales et régionales augmentera substantiellement, notamment dans le domaine économique. La classification des OI fera donc désormais appel à des critères neutres, tels l'origine géographique (mondiale, interrégionale, régionale) des États membres et le domaine de spécialisation de l'organisation plutôt qu'à des critères idéo-politiques (voir tableau 2.3).

L'Organisation des Nations Unies

Les étapes de la création de l'ONU

Le projet de créer une véritable organisation internationale universelle plus efficace que la SDN en matière de maintien de la paix a été conçu par les Alliés, durant la Seconde Guerre mondiale; mais ce sont en réalité trois hommes qui ont décidé de ses principales orientations: Franklin Delano Roosevelt, Winston Churchill et Joseph Staline, dans une moindre mesure. Le gouvernement nationaliste chinois de Chiang Kai-shek a été associé marginalement à ces décisions et les forces de la France libre du général de Gaulle ont été tenues à l'écart, comme le montrent les participants aux conférences de fondation de l'ONU (tableau 2.4).

En août 1941, le premier ministre britannique Winston Churchill et le président américain Franklin Delano Roosevelt, dont le pays n'est pas encore entré en guerre[31], se rencontrent dans le plus grand secret sur le *Augusta* et le *Prince of Whales* qui croisent dans l'Atlantique Nord afin d'établir les principes d'une future organisation universelle internationale. La Charte de l'Atlantique, adoptée le 14 août 1941, stipule: 1) qu'aucun agrandissement territorial ne devra être recherché par les États signataires; 2) qu'il ne pourra y avoir de modification territoriale sans l'accord des intéressés; 3) que chaque peuple pourra choisir librement la forme de son gouvernement; 4) que la paix future sera garantie par la sécurité internationale, la réduction générale des armements, la liberté des mers, le libre accès aux matières premières; 5) que les États signataires devront coopérer en matière de développement économique et social. Le 1er janvier 1942, les États-Unis, désormais impliqués dans le conflit mondial, et les 25 autres États en guerre contre les puissances de l'Axe (Allemagne, Italie, Japon) et leurs supporteurs signent la Déclaration des Nations Unies à Washington.

TABLEAU 2.4

Les étapes de la création de l'ONU

DATE	ÉVÈNEMENT	LIEU	PARTICIPANTS	DÉCISIONS
14 août 1941	Charte de l'Atlantique	Navires *Augusta* et *Prince of Whales* dans l'océan Atlantique	Winston Churchill, Franklin D. Roosevelt	Aucun agrandissement territorial ne devra être recherché par les États signataires. Aucune modification territoriale sans l'accord des intéressés. Chaque peuple pourra choisir librement son système de gouvernement. La paix sera garantie par la sécurité internationale, la réduction des armements, la liberté des mers, le libre accès aux matières premières. Les États signataires devront coopérer en matière de développement économique et social.
1er janvier 1942	Déclaration des Nations Unies	Washington (D.C.)	États-Unis et 25 pays alliés contre l'Axe	Ajoute le respect de la liberté religieuse aux principes de la Charte de l'Atlantique.
30 octobre 1943	Déclaration de Moscou	Moscou	Mêmes participants que ci-dessus	Proclame la nécessité d'établir le plus tôt possible une OI fondée sur le principe d'une égale souveraineté de tous les États pacifiques, grands et petits, afin d'assurer la paix et la sécurité internationale.

TABLEAU 2.4

Les étapes de la création de l'ONU (suite)

DATE	ÉVÈNEMENT	LIEU	PARTICIPANTS	DÉCISIONS
Juillet 1944	Conférence monétaire et financière des Nations Unies	Bretton Woods (New Hampshire, États-Unis)	États-Uris, Grande-Bretagne et 43 pays alliés contre l'Axe.	Définition des paramètres du futur ordre économique international. Création du FMI et de la Banque mondiale.
Août à octobre 1944	Conférence de Dumbarton Oaks	Washington (D.C.)	États-Unis, Grande-Bretagne, URSS, Chine.	Adoption des principales règles organisationnelles de l'ONU.
4 au 11 février 1945	Conférence de Yalta	Yalta (Ukraine)	Joseph Staline, Winstor Churchill, Franklin D. Roosevelt.	Décision d'accorder un droit de veto à cinq des membres permanents du Conseil de Sécurité : États-Unis, Grande-Bretagne, URSS, Chine, France.
25 avril au 26 juin 1945	Conférence de San Francisco	San Francisco	51 États alliés contre l'Axe.	Signature de la charte constitutive de l'ONU.
24 octobre 1945	Entrée en fonction de l'ONU	Londres		

Celle-ci reprend les principes de la Charte de l'Atlantique en y ajoutant celui de la liberté religieuse[32]. Le 30 octobre 1943, les mêmes États signent la Déclaration de Moscou qui proclame « la nécessité d'établir, aussitôt que possible, une organisation internationale fondée sur le principe d'une égale souveraineté de tous les États pacifiques, grands et petits, afin d'assurer le maintien de la paix et de la sécurité internationale ». En juillet 1944, se tient la Conférence monétaire et financière des Nations Unies à Bretton Woods dans l'État américain du New Hampshire. Fruit d'un compromis entre les propositions américaines et britanniques, elle définit les para-mètres du futur ordre économique international et crée le FMI et la Banque mondiale. Entre août et octobre 1944, les États-Unis, la Grande-Bretagne, l'URSS et la Chine, invitée à se joindre aux discussions uniquement en septembre 1944, définissent les règles de fonctionnement de la future ONU lors d'une conférence secrète qui se déroule au domaine de Dumbarton Oaks à Washington. Entre le 4 et le 11 février 1945, la Conférence de Yalta décide notamment qu'un droit de veto sera accordé à chacun des cinq membres permanents du futur Conseil de sécurité de l'ONU : États-Unis, URSS, Chine, France, Grande-Bretagne. La France, qui ne participe pas à cette conférence malgré la reconnaissance du gouvernement provisoire du général de Gaulle en octobre 1944, obtient un statut de membre permanent avec droit de veto grâce au premier ministre britannique, Winston Chur-chill, qui parvient à contrer l'opposition du président américain Franklin Delano Roosevelt[33]. L'ONU est officiellement créée lors de la Conférence de San Francisco qui se réunit entre le 25 avril et le 26 juin 1945. Cinquante et un États en guerre contre l'Axe signent sa Charte. L'ONU entre officielle-ment en fonction le 24 octobre 1945 après avoir été ratifiée par les cinq membres permanents du Conseil de sécurité et la majorité des 51 États si-gnataires initiaux. Elle siégera à Londres jusqu'à ce que la construction de son siège social à New York soit complétée au début des années 1950. La dissolution de la SDN devint effective le 31 juillet 1947[34].

Les différences entre l'ONU et la SDN

La SDN, entrée en fonction en 1920, est issue du traité de Versailles (28 avril 1919)[35] qui mettait fin à la Première Guerre mondiale entre l'Allemagne et les États de l'Entente (France, Grande-Bretagne, Italie, États-Unis)[36]. Bien que le président libéral américain Woodrow Wilson fut le principal inspirateur et instigateur de la SDN, le Sénat américain refusa de ratifier le traité de Versailles, de telle sorte que les États-Unis ne furent jamais membres de l'organisation. Celle-ci suscita néanmoins un véritable engouement en Europe en renforçant la conviction que la guerre était écartée à tout jamais. Dans les faits, toutefois, la SDN ne réussit qu'à régler des conflits mineurs et elle fut incapable de s'opposer à la politique de réarmement et à l'esprit revanchard de l'Allemagne fasciste qui menèrent au déclenchement de la Seconde Guerre mondiale en 1939. Cet échec incita les fondateurs de l'ONU à doter la nouvelle organisation d'une Charte différente de celle de la SDN, afin d'accroître son efficacité en matière de maintien de la paix. Huit éléments en particulier distinguent les deux organisations (voir tableau 2.5).

1. La SDN était fondée sur le principe du respect du traité de Versailles qui imposait de lourdes réparations à l'Allemagne et un nouvel ordre politique favorable aux puissances victorieuses de la Première Guerre mondiale. Cette situation fut largement responsable des conflits ultérieurs entre l'Allemagne d'une part, la France, la Grande-Bretagne et leurs alliés d'autre part. Afin d'éviter de tels conflits, la Charte de l'ONU a été élaborée sur une base indépendante des traités mettant fin à la Seconde Guerre mondiale.

2. La SDN ne parvint jamais à avoir un caractère universel. Cinquante-huit pays y participèrent réellement bien que soixante-trois, dont les États-Unis, envisagèrent d'y adhérer. Cette situation favorisa la persistance de conflits entre vainqueurs et vaincus tout en empêchant l'organisation de résoudre les différends entre États membres et États non membres. L'ONU, par comparaison, est universelle, étant ouverte à tous les États qui acceptent et appliquent les principes de sa Charte.

3. La Charte de la SDN lui interdisait de s'impliquer dans des conflits entre États non membres et dans des traités mettant fin à des conflits. L'ONU peut s'impliquer dans des conflits entre États non membres et dans des traités mettant fin à des conflits.

4. Les pouvoirs du Conseil de la SDN en matière de maintien de la paix étaient très limités puisque ses membres ne pouvaient adopter que des recommandations à l'unanimité. Le Conseil de sécurité de l'ONU détient des pouvoirs beaucoup plus importants puisqu'il peut adopter des résolutions qui ont un caractère obligatoire pour tous les États membres de l'ONU si celles-ci sont entérinées par la majorité des quinze États membres du Conseil (11 avant 1963), incluant l'assentiment ou l'abstention des cinq membres permanents.

5. La Charte de la SDN n'interdisait pas le recours à la force. Le Pacte Brian-Kellogg de 1928 condamnera la guerre, mais l'absence de définition du terme « guerre » permettra aux États de qualifier leurs agressions militaires contre

TABLEAU 2.5

Société des Nations en comparaison avec l'Organisation des Nations Unies

SDN	ONU
1. La charte de la SDN est constituée par 26 articles du traité de Versailles mettant fin à la Première Guerre mondiale.	La charte de l'ONU est indépendante des traités mettant fin à la Seconde Guerre mondiale.
2. La SDN n'était pas une organisation universelle.	L'ONU est une organisation universelle.
3. La charte de la SDN lui interdit de s'impliquer dans des conflits entre États non membres et dans des traités mettant fin à des conflits.	La charte de l'ONU lui permet de s'impliquer dans des conflits entre États non membres et dans des traités mettant fin à des conflits.
4. En matière de maintien de la paix, le Conseil de la SDN ne peut adopter que des recommandations à l'unanimité.	En matière de maintien de la paix, le Conseil de sécurité de l'ONU peut adopter des décisions obligatoires pour tous les États membres de l'organisation s'il rallie la majorité des 15 États membres du Conseil incluant l'assentiment ou l'abstention des cinq membres permanents : URSS/Russie, Chine, France, Royaume-Uni, États-Unis.
5. La charte de la SDN n'interdit pas aux États de recourir à la force armée contre d'autres États.	La charte de l'ONU interdit à tous les États de recourir à la force armée contre un autre État sauf en cas d'agression.
6. La SDN ne dispose d'aucune force armée.	L'article 47 du chapitre 7 prévoit la création d'une force multinationale permanente sous le contrôle du CS et d'un état-major supranational capable d'imposer par la force la cessation des hostilités entre États. L'article 47 ne sera jamais appliqué. L'alternative sera la création des casques bleus, armées *ad hoc* formées par les contingents de soldats fournis par les États membres et placés sous le contrôle du CS.
7. La SDN n'a aucun pouvoir d'intervention en matière de relations économiques internationales.	L'ONU supervise ou contrôle plusieurs organisations qui visent à assurer la stabilité économique des nations, à promouvoir les échanges entre elles ou à soutenir le développement des pays pauvres.
8. Les recommandations de l'Assemblée générale de la SDN sont adoptées à l'unanimité.	Les recommandations de l'Assemblée générale de l'ONU sont adoptées à la majorité simple ou des deux tiers.

d'autres États de simples « incidents ». La Charte de l'ONU, par contre, interdit explicitement le recours à la force armée d'un État contre un autre État.

6. La SDN ne disposait d'aucune force armée. L'article 47 du chapitre 7 de la Charte de l'ONU prévoit la création d'une force multinationale permanente sous le contrôle du CS et d'un état-major supranational capable d'imposer par la force

la cessation des hostilités entre États. L'article 47 ne sera jamais appliqué mais l'ONU créera les casques bleus, armées *ad hoc* constituées de soldats fournies par les États membres et placés sous l'autorité du CS.

7. La SDN n'avait aucun pouvoir d'intervention en matière économique contrairement à l'ONU.

8. Les recommandations de l'Assemblée générale de la SDN étaient adoptées à l'unanimité alors que celles de l'ONU sont entérinées par une majorité simple ou des deux tiers.

Comme le souligne Gerbet, c'est la philosophie de la SDN qui constitua la principale cause de la faiblesse de sa structure et de ses mécanismes. La France voulait « une SDN forte, capable de surveiller l'Allemagne, de faire respecter les traités de paix, disposant à cet effet d'une force militaire, véritable instrument de force collective ». L'Angleterre et les États-Unis étaient hostiles à ce « militarisme international »; ils estimaient qu'une force armée risquait de limiter la souveraineté des États; n'ayant pas de souci de sécurité vis-à-vis de l'Allemagne, ils ne voulaient pas d'une « société coercitive » mais d'une « société par bonne volonté », avec le simple engagement de recourir à la médiation internationale en cas de litige. Craignant de voir le droit corrompu par l'usage de la force mise à son service, ils considéraient que la SDN, reflet de l'opinion publique internationale, devrait agir en exerçant une pression morale sur les États en vue du maintien de la paix[37]. En apparence, ce débat semble opposer deux conceptions différentes: la conception réaliste de la France et la conception libérale des pays anglo-saxons. En réalité, chaque puissance défendait, au-delà de ces discours philosophiques, sa position géopolitique et ses intérêts particuliers.

L'ONU est l'incarnation d'un compromis entre les visions réaliste et libérale des relations internationales, les dispositions de la Charte en matière de maintien de la paix s'inspirant davantage de la première théorie et les pouvoirs dévolus aux organisations à vocation économique du système des Nations Unies relevant davantage de la seconde approche. Le fait que la Seconde Guerre mondiale ait été déclenchée à la suite de la plus grave dépression économique de l'Histoire a contribué à sensibiliser les réalistes à l'argument des libéraux selon lequel les guerres sont largement causées par les inégalités économiques. Désormais, cette dimension sera de plus en plus prise en compte, tant par les décideurs que par les théoriciens des relations internationales.

Les principaux organes de l'ONU

Comme l'indique le tableau 2.6, le dispositif institutionnel central de l'ONU comprend l'Assemblée générale des États membres (190 en 2002)[38], le Conseil de sécurité (15 États membres depuis 1963), la Cour internationale de justice, le Conseil économique et social, le Conseil de tutelle et le Secrétariat.

L'Assemblée générale. L'Assemblée générale est le principal organe de délibération. Chaque État membre, quelle que soit son importance, dispose d'une voix. Elle tient une session régulière annuelle (de septembre à février) et des sessions extraordinaires, sur demande du Conseil de sécurité. Elle fonctionne en séance plénière ou en commissions. Les questions traitées par les six commissions sont : le désarmement et la sécurité nationale ; l'économie et les finances ; les questions humanitaires, sociales et culturelles ; les questions politiques spéciales (non abordées par la première commission) et la décolonisation ; l'administration et le budget ; le droit international. Lorsque nécessaire, l'Assemblée crée des groupes de travail *ad hoc*[39]. Au fil des années se sont constitués au sein de l'assemblée générale cinq réseaux officiels qui regroupent les États des régions suivantes : Asie, Afrique, Amérique latine et Caraïbes, Europe orientale, Europe occidentale et autres. Bien que ces coalitions soient fluctuantes, elles servent, dans divers débats, à défendre les intérêts économiques, politiques, stratégiques, idéologiques communs des États d'une même région.

L'Assemblée générale est essentiellement un forum de discussion et un organe délibérant, qui peut discuter toutes questions ou affaires rentrant dans le cadre de la Charte de San Francisco. Elle peut notamment attirer l'attention du Conseil de sécurité sur des situations dangereuses pour le maintien de la paix et, le cas échéant, faire des recommandations, étant cependant entendu que c'est le Conseil de sécurité qui au premier chef est compétent en la matière[40].

Elle dispose des pouvoirs suivants : a) discuter et adopter des résolutions, déclarations et conventions, non contraignantes, sur toute question ou affaire découlant de la Charte ; b) admettre ou rejeter la candidature d'un nouvel État membre proposée par le Conseil de sécurité ; c) désigner les membres non permanents du Conseil de sécurité et les membres des autres organes de l'ONU ; d) voter le budget et décider de toute question relative à l'administration de l'organisation ; f) recevoir les rapports du Conseil de sécurité et des autres organes de l'organisation ; g) désigner le secrétaire-général. Les décisions sont prises à la majorité simple lorsqu'il s'agit de

TABLEAU 2.6

Le système des Nations Unies

COUR INTERNATIONALE DE JUSTICE

- Principaux et autres comités de session
- Comités permanents et organes *ad hoc*
- Autres organes subsidiaires et apparentés

▲ UNRWA : Office des secours et des travaux des Nations Unies pour les réfugiés de Palestine au Proche-Orient

▲ AIEA : Agence internationale de l'énergie atomique

ASSEMBLÉE GÉNÉRALE

▲ INSTRAW : Institut international de recherche et de formation pour la protection de la femme
▲ PNUCID : Programme des Nations Unies pour le contrôle international des drogues
▲ PNUEH : Programme des Nations Unies pour les établissements humains
▲ CNUCED : Conférence des Nations Unies sur la coopération et le développement
▲ PNUD : Programme des Nations Unies pour le développement
▲ UNIFEM : Fonds de développement des Nations Unies pour la femme
▲ VNU : Volontaires des Nations Unies
▲ PNUE : Programme des Nations Unies pour l'environnement
▲ FNUAP : Programme des Nations Unies pour la population
▲ HCR : Haut Commissariat des Nations Unies pour les réfugiés
▲ UNICEF : Fonds des Nations Unies pour l'Enfance
▲ UNICRI : Institut international de recherche des Nations Unies sur la criminalité et la justice
▲ UNIDIR : Institut international de recherche des Nations Unies pour le désarmement
▲ UNITAR : Institut des Nations Unies pour la Formation et la recherche
▲ UNOPS : Bureau des Nations Unies pour les services d'appui aux projets
▲ UNU : Université des Nations Unies

CONSEIL ÉCONOMIQUE ET SOCIAL

◄ FAO : Organisation des Nations Unies pour l'alimentation et l'agriculture
◄ CIC : Centre international du commerce (CNUCED, OMC)

• **COMMISSIONS TECHNIQUES**
Commission du développement social
Commission des droits de l'homme
Commission des stupéfiants
Commission pour la prévention du crime et la justice sociale (ajout à l'organigramme)
Commission de la science et de la technologie au service du développement
Commission du développement durable
Commission de la condition de la femme
Commission de la population et du développement
Commission de statistiques

COMMISSIONS RÉGIONALES
Commission économique pour l'Afrique (CEA)
Commission économique pour l'Europe (CEE)
Commission économique pour l'Amérique latine (CEPAL)
Commission économique et sociale pour l'Asie et le Pacifique (CESAP)
Commission économique et sociale pour l'Asie occidentale (CESAO)

COMITÉS DE SESSION ET COMITÉS PERMANENTS

ORGANES D'EXPERTS AD HOC ET APPARENTÉS

CONSEIL DE SÉCURITÉ

• Commission spéciale des Nations Unies (Irak)
• Tribunal pénal international pour l'ex-Yougoslavie
• Tribunal pénal international pour le Rwanda
• Comités permanents et organes *ad hoc*
• Comité d'état-major

■ OIT : Organisation internationale du travail
■ FAO : Organisation des Nations Unies pour l'alimentation et l'agriculture
■ UNESCO : Organisation des Nations Unies pour l'éducation, la science et a culture
■ OMS : Organisation mondiale de la santé

GROUPE DE LA BANQUE MONDIALE
■ BIRD : Banque internationale de reconstruction et de développement
■ AID : Association internationale de développement
■ SFI : Société financière internationale
■ AMGA : Agence multilatérale de garantie des investissements
■ FMI : Fonds monétaire international
■ OACI : Organisation de l'aviation civile internationale
■ UPU : Union postale universelle
■ UIT : Union internationale des télécommunications
■ OMM : Organisation météorologique mondiale
■ OMI : Organisation maritime internationale
■ OMPI : Organisation mondiale de la propriété intellectuelle
■ FIDA : Fonds international de développement agricole
■ ONUDI : Organisation des Nations Unies pour le développement industriel
■ OMC : Organisation mondiale du commerce

CONSEIL DE TUTELLE

■ **MISSIONS ET OPÉRATIONS DE MAINTIEN DE LA PAIX (EN COURS)**
FINUL (Liban)
MANUTO (Timor oriental)
MINUEE (Éthiopie et Erythrée)
MINUK (Kosovo)
MINURSO (Sahara occidental)
MINUSIL (Sierra Leone)
MONUC (République démocratique du Congo)
MONUG (Géorgie)
MONUIK (Irak, Koweït)
ONUST (Moyen-Orient)
UNAMA (Afghanistan)
UNFICYP (Chypre)
UNMOGIP (Inde et Pakistan)

SECRÉTARIAT

Cabinet du secrétaire général
Bureau des services de contrôle interne
Bureau des affaires juridiques
Département des affaires politiques
Département des affaires de désarmement
Département des opérations de maintien de la paix
Bureau de coordination des affaires humanitaires
Département des affaires économiques et sociales
Département des affaires de l'Assemblée générale et des services de conférence
Département de l'information
Département de la gestion
Bureau du coordonnateur des Nations Unies pour les questions de sécurité
Bureau des Nations Unies à Genève
Bureau des Nations Unies à Vienne

Signification des symboles
▲ Programmes et organes des Nations Unies
◄ Agences spécialisées et autres organisations autonomes
■ Autres commissions et comités *ad hoc* ou organes apparentés

questions de procédure et à la majorité des deux tiers lorsqu'il s'agit de questions de fond (paix et sécurité, admission des États membres, budget).

Le Conseil de sécurité. Le Conseil de sécurité comprend cinq membres permanents—la RPC (qui a remplacé Taiwan en 1971), la France, le Royaume-Uni, les États-Unis et la Russie (qui occupe le siège de l'URSS depuis 1991) et dix membres non permanents (six avant 1963) élus pour deux ans. Les membres non permanents ne peuvent assumer deux mandats consécutifs. La représentation des diverses régions géographiques est l'un des principaux critères sur lesquels se fonde l'assemblée générale pour choisir les membres non permanents du Conseil de sécurité[41].

Le Conseil de sécurité est le seul organe de l'ONU qui détient un pouvoir de décision en matière de maintien de la paix. C'est également la seule instance dont les décisions ont un caractère obligatoire pour tous les États membres de l'organisation. L'autre prérogative importante du Conseil est la recommandation de la candidature d'un nouvel État membre et du secrétaire général à l'assemblée générale. Toutes les décisions portant sur le maintien de la paix exigent la majorité qualifiée, soit neuf voix sur quinze incluant l'approbation, l'abstention ou la non-participation au vote des cinq membres permanents. En d'autres termes, pour qu'une décision soit adoptée, il faut qu'elle recueille la majorité des voix et qu'aucun des cinq membres permanents n'oppose son veto. Un seul de ces derniers peut donc bloquer une décision du Conseil relativement au maintien de la paix, ce qui confère à la France, aux États-Unis, à la Russie, au Royaume-Uni et à la Chine un pouvoir énorme.

Dans les domaines où les décisions du Conseil doivent être soumises à l'Assemblée générale, telles que l'admission de nouveaux États membres ou l'élection du secrétaire général, le veto des cinq membres permanents est sans effet. Ainsi, en 1971, bien que les États-Unis aient opposé leur veto à la candidature de la RPC, cette candidature a été acceptée parce qu'elle a recueilli la majorité des deux tiers à l'Assemblée générale.

Tout État membre de l'ONU qui n'est pas membre du Conseil de sécurité peut participer aux délibérations de ce dernier s'il juge que ses intérêts sont affectés par ces dernières ou s'il est impliqué dans un différend examiné par le Conseil.

Les pouvoirs spécifiques du Conseil de sécurité sont définis dans les chapitres VI, VII, VIII et XII de la Charte de l'ONU. En résumé, ses pouvoirs consistent (1) à rechercher un règlement pacifique de tout différend inter-étatique susceptible de menacer la sécurité internationale (chapitre VI); (2) à agir, par la force armée si nécessaire, en vue de résoudre toute situation qui menace la paix internationale (chapitre VII).

Le Conseil économique et social. Placé sous l'autorité de l'Assemblée générale, le Conseil économique et social est formé de 54 États membres élus pour trois ans. Organe strictement consultatif, il dirige les commissions écono-miques régionales — de l'Afrique, de l'Amérique latine, de l'Europe, de l'Asie occidentale, de l'Asie-Pacifique — qui ont pour principale tâche de proposer des stratégies de développement et de coordonner leur mise en œuvre. Il supervise le travail des commissions techniques — statistiques, po-pulation, développement social, droits de l'homme, condition de la femme, stupéfiants — et reçoit les rapports du FMI et de la Banque mondiale.

Le Conseil de tutelle. Cet organe était chargé de superviser l'administration des territoires placés sous tutelle à la fin de la Seconde Guerre mondiale. Ce ré-gime concernait des territoires encore placés sous mandat de la SDN et par-fois transférés à une autre puissance administrante, comme les États-Unis qui avaient pris le relais du Japon dans les îles Mariannes, Carolines et Marshall du Pacifique. L'importance du Conseil de tutelle a été en diminuant au fur et à mesure que les onze territoires sous tutelle, lors de la création de l'ONU, accédaient progressivement à l'indépendance. Avec l'accession, en novembre 1993, des îles Palaos (Micronésie) au statut d'État souverain lié aux États-Unis par un accord de libre-association, la mission du Conseil de tutelle s'est achevée. Sa reconversion est à l'ordre du jour. Certains États ont suggéré qu'il soit chargé des espaces du patrimoine commun de l'humanité[42].

La Cour internationale de justice. La Cour internationale de justice est le seul exemple de juridiction internationale universelle à compétence générale[43]. Elle siège à La Haye (Pays-Bas) et regroupe tous les États membres de l'ONU et les États non membres recommandés par le Conseil de sécurité. Elle possède une double compétence: d'une part, elle donne des avis consultatifs sur des questions juridiques qui lui sont transmises par les or-ganes et agences de l'ONU responsables devant l'Assemblée générale; d'autre part, elle se prononce sur les différends entre États membres lors-qu'elle est saisie par ces derniers. La Cour est formée de quinze juges. Ces

derniers, renommés pour leur très haute compétence en droit international, sont élus par l'Assemblée générale et le Conseil de sécurité pour un
mandat de neuf ans, renouvelable au tiers tous les trois ans. Ils peuvent être
réélus pour plus d'un mandat consécutif,

Le Secrétariat. Le secrétaire général dirige la lourde bureaucratie administrative de l'ONU. Il bénéficie d'une autonomie politique qui lui permet
d'attirer l'attention du Conseil de sécurité sur tel problème et de jouer un
rôle de médiateur dans les conflits internationaux. Sa fonction la plus importante demeure toutefois l'arbitrage des conflits internes à l'organisation. Par conséquent, le choix du secrétaire général est un processus
complexe et difficile qui consiste à trouver un candidat acceptable, tant
pour les cinq membres permanents du Conseil que pour les deux tiers des
membres de l'Assemblée générale. Ceci explique que tous les candidats qui
ont occupé ce poste depuis 1945 provenaient de petites et moyennes puissances relativement neutres ou indépendantes des grandes puissances :
Trygve Lie, norvégien (1946-1953), Dag Hammarskjöld, suédois (1953-1961),
Sithu U Thant, birman (1961-1971), Kurt Waldheim, autrichien (1972-1981),
Javier Perez de Cuellar, péruvien (1982-1991), Boutros Boutros-Ghâli, égyptien (1991-1995), Kofi Annan, ganéen (depuis 1996). Le secrétaire général est
élu pour cinq ans et rééligible. Boutros Boutros-Ghâli est le seul dont le
mandat n'a pas été reconduit.

L'évolution de l'ONU

Pendant la guerre froide. Bien que sa Charte lui confère des pouvoirs beaucoup
plus étendus que ceux de la SDN en matière de maintien de la paix, l'ONU ne
sera pas en mesure de les exercer pleinement pendant la guerre froide (1947-
1990) en raison des conflits entre les cinq membres permanents du Conseil
de sécurité[44]. Entre autres, ces conflits empêcheront le fonctionnement du
Comité d'état-major onusien, constitué des chefs des états-majors des Cinq
Grands, prévu à l'article 47 ; ils priveront l'ONU des forces aériennes qu'en
vertu de l'article 45 les États membres devaient tenir à sa disposition en permanence ; ils confineront la plupart des interventions de l'ONU à des opérations de maintien de la paix. L'envoi de troupes onusiennes en Corée, en
1950, exception à cette règle, ne fut possible que parce que le représentant de
l'URSS ne participa pas à la décision, son pays boycottant alors le Conseil

de sécurité pour protester contre l'attribution du siège de la Chine à Taïwan. La paralysie du Conseil incitera le secrétaire d'État des États-Unis, Dean Acheson, à présenter à l'Assemblée générale de l'onu, le 3 novembre 1950, la proposition de « l'Union pour le maintien de la paix ». Celle-ci stipulait qu'en cas de blocage au Conseil de sécurité, ce dernier pouvait, sur la base d'un vote à la majorité simple (qui n'exigeait pas l'accord des Cinq Grands), autoriser l'Assemblée générale à se prononcer sur des questions relatives au maintien de la paix. L'adoption de cette proposition par l'Assemblée générale permit à cette dernière de donner son avis sur certains conflits internationaux (ex. : condamnation de l'intervention chinoise en Corée du Nord, à la suite du veto soviétique, le 4 novembre 1956 ; demande d'arrêt de l'expédition de Suez, à la suite du veto de la France et de l'Angleterre, le 4 novembre 1956 ; condamnation de l'intervention soviétique à Budapest, à la suite du veto de l'URSS, en 1956). Ces prises de position demeurèrent toutefois sans effet puisqu'elles n'avaient aucun caractère obligatoire pour les États membres.

La paralysie du Conseil de sécurité et la modification de la composition de l'Assemblée générale en faveur des PED, à la suite de l'adhésion des nouveaux États indépendants d'Afrique et d'Asie, contribuèrent à faire de l'onu une organisation davantage vouée à l'aide au développement qu'au maintien de la paix. Les PED imposèrent leur agenda pour le développement à l'Assemblée générale et influencèrent l'expansion du système des Nations Unies, la majorité des nouvelles institutions créées durant les années 1960 et 1970 ayant pour mission de les assister dans divers domaines : CNUCED (1964), Institut des Nations Unies pour la formation et la recherche (UNITAR — 1965), ONUDI (1967), Fonds des Nations Unies pour les activités en matière de population (FNUAP — 1967), Fonds international de développement agricole (FIDA — 1977), Université des Nations Unies (UNU — 1976), etc. En dépit du caractère strictement consultatif de la majorité de ces instances, les PED obtiendront des avantages significatifs de la part des pays riches, notamment une augmentation de l'aide au développement et des concessions commerciales, mais le « nouvel ordre économique international » réclamé par le groupe des 77, durant les années 1970, ne verra jamais le jour. Cependant, les États-Unis perdront l'influence prépondérante qu'ils exerçaient sur l'Assemblée générale et le système des Nations Unies durant la période 1945-1970, ce qui alimentera leur critique de plus en plus ouverte de « l'inefficacité » et du « déficit démocratique » de l'onu.

Après la guerre froide. La restauration d'une économie de marché et de la démocratie dans les pays de l'ex-bloc communiste soviétique, la disparition de l'URSS et l'engagement de la RPC sur la voie du capitalisme et d'une relative libéralisation politique ont mis fin à la guerre froide et atténué les antagonismes au Conseil de sécurité, entre la Russie et la RPC d'une part, les États-Unis, la France et la Grande-Bretagne d'autre part. Entre 1988 et 1994, ce nouveau climat d'entente a permis au Conseil de s'engager dans un nombre sans précédent d'interventions dont plusieurs iront au-delà du maintien de la paix pratiqué durant la guerre froide. Les opérations de la « 2e génération », fondées sur les articles 45 à 47 de la Charte, auxquelles les Cinq Grands accepteront désormais de recourir, seront centrées sur le rétablissement de la paix (ex. : Namibie, 1989-1990) ou la reconstruction nationale (ex. : Angola, 1988 ; Salvador, 1991 ; Mozambique, 1992 ; Cambodge, 1991-1992 ; Afghanistan, 2001). Les opérations de la « 3e génération » (ex. : Somalie et Bosnie-Herzégovine, 1992 ; Sierra Leone et Timor oriental, 2001) seront encore plus innovatrices, allant au-delà des dispositions prévues par la Charte.

> Ces opérations « de la 3e génération » ne relèvent plus du « maintien de la paix » dont les principes ont été progressivement élaborés depuis 1957. Elles ne sont pas non plus des opérations de sécurité collective telles que le prévoit la Charte. Ce sont des opérations « d'imposition de la paix » sans qu'il ait ni les conditions de la paix, ni l'intention de l'imposer. Dans le langage inimitable de l'ONU, cela s'appelle « maintien de la paix en temps de guerre[45] ».

Comme nous l'avons mentionné précédemment, plusieurs des missions des 2e et 3e générations seront toutefois des échecs ou des demi-réussites. Le principal facteur qui explique ces résultats décevants est qu'en dépit d'un meilleur climat d'entente au sein du Conseil de sécurité, les cinq membres permanents demeurent souvent divisés en raison de leurs intérêts nationaux spécifiques. Lorsqu'ils ne parviennent pas à s'entendre, le Conseil de sécurité s'avère incapable de donner un mandat clair aux casques bleus et de leur fournir les ressources militaires et logistiques essentielles au succès de leur mission. D'autres facteurs sont également responsables, quoique dans une moindre mesure, des problèmes éprouvés lors de plusieurs interventions de maintien de la paix, de reconstruction nationale et d'imposition de la paix, notamment les problèmes inhérents à la machine onusienne (lenteurs bureaucratiques, improvisation, lourdeur de la chaîne de commandement, etc.) et le manque d'expérience de l'ONU en matière de guerres civiles et de reconstruction nationale post-conflit qui constituent la majorité des missions depuis 1990. Ce manque d'expérience explique que l'ONU agisse désormais en collaboration avec les OI régionales (telles l'OTAN et l'UA), les ONG (telles Amnistie internationale, Médecins sans frontières et la Croix-Rouge internationale) et plusieurs programmes et institutions spécialisées des Nations Unies (tels que le Programme alimentaire mondiale, le Fonds des Nations Unies pour l'enfance et la Banque mondiale). La multiplication des intervenants a toutefois pour effet de complexifier la coordination des opérations et de retarder la résolution des problèmes sur le terrain. Enfin, le bilan des opérations des 2e et 3e générations tend à démontrer que même lorsqu'une intervention de l'ONU dispose du soutien de l'ensemble des membres du Conseil de sécurité et d'importantes ressources financières, logistiques, militaires et civiles, il demeure très difficile, sinon impossible d'imposer la paix ou la reconstruction nationale à un pays au sein duquel les forces domestiques demeurent en conflit ouvert ou larvé. Le succès d'une mission dépend au premier chef de la volonté de tous les acteurs nationaux de conclure la paix et de travailler collectivement au rétablissement des règles et des institutions garantes de la sécurité, de la stabilité politique et du développement économique et social. Lorsque cette volonté existe, comme au Timor oriental et au Sierra Leone, l'intervention de l'ONU est fructueuse. Lorsqu'elle n'existe pas, l'intervention de l'ONU est un échec (ex.: Haïti) ou un demi-succès (ex.: Bosnie-Herzégovine, Kosovo, Afghanistan).

Parallèlement à la multiplication et à la transformation des opérations de maintien de la paix, on a assisté à une remise en question des fondements traditionnels du droit international qui affirment le caractère absolu et intangible de la souveraineté des États. À l'Assemblée générale comme au Conseil de sécurité et dans d'autres instances de l'ONU, une nouvelle vision plus libérale du droit international, selon laquelle les droits des individus, des minorités nationales et des peuples priment sur ceux des États, a acquis de plus en plus d'influence. Bien que cette nouvelle conception soit rejetée par de nombreux États, il est possible qu'elle s'affirme de plus en plus en raison des progrès de la démocratie, de l'implication de plus en plus prononcée des ONG au sein de l'ONU et de la limitation en fait de la souveraineté des États, dans le contexte de l'approfondissement des processus de libéralisation et d'intégration internationale et régionale.

La période post-guerre froide a également été marquée par une détérioration de la situation financière de l'ONU. En raison d'une augmentation de ses dépenses, dans le domaine du maintien de la paix notamment, et du refus de plusieurs États membres, dont les États-Unis, de payer leurs cotisations en retard[46] et de l'autoriser à emprunter, l'ONU s'est retrouvée aux prises avec un très lourd déficit budgétaire, qui atteignait 2,2 milliards de dollars en 1995. Plusieurs organisations du système des Nations Unies sont dans la même situation de crise financière: l'Organisation des Nations Unies pour l'éducation, la science et la culture (UNESCO), l'Organisation des Nations Unies pour l'agriculture et l'alimentation (FAO), l'OIT, l'Organisation mondiale de la santé (OMS). L'insatisfaction de plusieurs États envers la gestion et l'efficacité du système des Nations Unies est considérée par plusieurs observateurs comme le principal motif de leur réticence à payer ou à augmenter leurs cotisations, ce qui expliquerait que ce sont les programmes financés sur une base volontaire par les États membres— PNUD, Haut Commissariat pour les réfugiés (HCR), l'Office des secours et des travaux des Nations Unies pour les réfugiés de Palestine au Proche-Orient (UNRWA) etc.—qui sont dans la meilleure situation financière[47].

Selon Pierre Weiss, les dysfonctionnements de l'administration onusienne, décriés pendant plusieurs décennies, ont été mis en évidence par le rapport du « Groupe des dix-huit », en 1986: trop grand morcellement des Nations Unies, imperfections des mécanismes de coordination, doubles emplois et chevauchement des activités mises en œuvre par les divers programmes, agences et organisations, priorité donnée aux débats plutôt qu'à l'action, absence de mécanisme d'évaluation et de contrôle des programmes et projets, autonomie excessive des institutions spécialisées, prolifération des structures administratives et multiplication des postes de rang élevé. Le secrétaire général Boutros Boutros-Ghâli a aboli ou fusionné plusieurs départements et postes de cadres supérieurs au Secrétariat de l'ONU après son entrée en fonction en 1991. Mais il n'est pas allé plus loin, annulant même les effets de sa restructuration par l'embauche de plusieurs nouveaux hauts fonctionnaires. Cet échec de la réforme administrative a été l'un des principaux motifs du refus des États-Unis de voter en faveur du renouvellement de son mandat en 1995. Cependant, en 1994, les États membres de l'Assemblée générale ont créé cinq groupes de travail sur la réforme administrative de l'ONU. À la fin de la décennie 1990, la majorité des rapports de ces groupes avaient été adoptés par l'Assemblée générale mais restaient à mettre en œuvre[48].

L'aide au développement qui s'était imposée comme principale préoccupation de l'ONU durant la guerre froide a perdu de son importance depuis 1990. Le recentrage de l'ONU sur le maintien de la paix n'est pas le seul facteur qui explique cette évolution. La crise économique et l'adhésion aux vertus du libéralisme ont incité les principaux États donateurs à diminuer le volume de leur aide et à remettre en question l'efficacité des programmes d'assistance des décennies antérieures. Une nouvelle approche de l'aide, plus directive et plus conforme aux valeurs du capitalisme libéral et de la démocratie, a été adoptée par les institutions et les partenaires de la Banque mondiale en 1992. L'aide est désormais octroyée aux entreprises privées plutôt qu'aux gouvernements; elle est conditionnelle à la mise en œuvre de réformes favorables à la libéralisation de l'économie, à l'amélioration de la bonne gouvernance et au respect des droits de la personne; elle est de plus en plus liée à la création de nouveaux marchés et opportunités d'investissement pour les firmes des pays donateurs. De leur côté, les PED ne sont plus ni en mesure ni désireux de poursuivre une stratégie de confrontation avec les pays riches. L'échec de leur lutte en faveur d'un nouvel ordre économique international et les nombreuses autres mutations auxquelles ils ont été confrontés durant les années 1970 et 1980 (émergence des NPI, crise économique et financière, libéralisation et intégration des marchés, transitions démocratiques) ont fait éclater la coalition du tiers-monde et sérieusement érodé les idéologies nationaliste et anti-impérialiste qui lui donnaient sa cohésion et sa légitimité. On assiste donc, depuis 1990, à un affaiblissement de l'influence du bloc des PED et au déclin des organisations des Nations Unies nées grâce à cette influence. Pour reprendre les termes de Marie-Claire Smouts, l'après-guerre froide c'est aussi « la fin des institutions du Sud et la montée en puissance des institutions de Bretton Woods au sein des Nations Unies[49] ».

Il faut souligner, en conclusion, que la décennie 1990 a aussi été marquée par l'implication grandissante des forces de la société civile ou des ONG au sein du système des Nations Unies. En 1992, la Conférence des Nations Unies sur le développement a invité les ONG impliquées dans le développement durable à participer à la Conférence de Rio sur l'avenir de la planète dans le cadre d'un forum parallèle à celui des gouvernements des États. Depuis cette date, les ONG ont participé en très grand nombre à la plupart des conférences des Nations Unies, dans le cadre de forums parallèles, notamment la Conférence sur les femmes de Beijing, la Conférence sur les droits de l'homme de Vienne, la Conférence sur la population du Caire, la Conférence sur les changements climatiques de Kyoto (1997), la Conférence de

Rome sur l'établissement d'une Cour pénale internationale (1998) et la Conférence sur le racisme de Johannesburg (2002). Bien que les États demeurent les seuls décideurs des ententes adoptées lors de ces assises multilatérales, ces ententes sont de plus en plus indirectement influencées par les résolutions des forums des ONG et les nombreux contacts qu'établissent les représentants des États et ceux des ONG lors de ces rencontres. Le Conseil de sécurité a accepté de consulter plus régulièrement les ONG et de les associer à ses diverses missions de maintien de la paix, de rétablissement de la paix et de reconstruction nationale. En outre, plusieurs institutions de l'ONU, notamment le Conseil économique et social, l'UNESCO et la Banque mondiale, intègrent les ONG au processus d'élaboration de leurs propositions et programmes.

Plusieurs raisons expliquent l'accroissement de l'influence et de l'action des ONG au sein du système des Nations Unies. Les transitions démocratiques survenues au cours de la période postérieure à 1975 ont créé des conditions favorables à l'émergence d'ONG dans plusieurs NPI, PED et pays ex-communistes. La naissance de ces nouvelles organisations a été largement soutenue par les grandes ONG des pays occidentaux désireuses de constituer des réseaux transnationaux afin d'amener les OI, et l'ONU en particulier, à tenir compte davantage de leurs points de vue, avis et revendications. Il serait erroné de croire, cependant, que la structuration des ONG en réseaux globaux a suffi à leur ouvrir l'accès au système des Nations Unies. Comme le souligne David Malone[50], l'ouverture de l'ONU aux ONG s'est concrétisée grâce à l'appui des États membres qui souhaitaient ainsi augmenter leur propre emprise sur les décisions largement contrôlées par les cinq grands du Conseil de sécurité. Les États qui contribuent systématiquement au budget et aux opérations de l'organisation tout en ayant une influence politique marginale, tels le Canada, l'Allemagne, les Pays-Bas, la Suède et le Japon, ont joué à cet égard un rôle important. La nomination de personnes favorables à une plus large consultation des ONG à la tête de diverses structures et organisations a également facilité l'accès des acteurs de la société civile aux délibérations de l'ONU[51].

Bilan et perspectives de l'action de l'ONU. La plupart des auteurs réalistes et libéraux reconnaissent l'échec du système de sécurité collective de l'ONU — qui n'a fonctionné que deux fois en cinquante ans, lors des guerres de Corée (1951-1953) et du Golfe (1991) — et admettent l'existence de graves problèmes administratifs et financiers au sein du système des Nations Unies. Cependant, alors que pour les réalistes et néoréalistes le bilan de l'action de l'ONU est essentiellement négatif, confirmant les limites de la coopération internationale lorsque celle-ci n'est pas dirigée par un pôle hégémonique, les libéraux et néolibéraux font une évaluation plus nuancée et positive des réalisations de l'ONU.

Selon Stanley Hoffman, les cinquante premières années de l'ONU ont été remarquables en raison de la multiplicité des fonctions assumées par l'organisation. L'ONU a contribué au développement de la coopération entre les États, notamment dans les domaines économique, social et écologique. Elle a participé à la définition des normes de la légitimité internationale au moyen de traités, de déclarations et de politiques, telles celles adoptées en faveur de la décolonisation et de l'abolition de l'apartheid. L'action juridique de l'ONU a amené les États à reconnaître l'importance de la souveraineté des États, en matière de droit international, et l'importance du respect des droits de la personne, en matière de droit interne. En outre, s'il est vrai qu'elle n'est pas parvenue à résoudre les conflits internationaux, conformément aux dispositions du chapitre VII de sa Charte, l'ONU s'est montrée très innovatrice en matière de maintien de la paix. Les limites de l'action de l'ONU en ce qui a trait au maintien de la paix ne peuvent, selon Hoffman, être uniquement attribuées aux conflits d'intérêt entre les puissances permanentes du Conseil de sécurité. Elles tiennent au fait que la majorité des conflits qui déchirent la planète depuis 50 ans sont des conflits internes à caractère ethnique et religieux. S'il est difficile pour l'ONU de résoudre ces conflits par le maintien de la paix ou l'imposition de la paix, préconisés par le chapitre VII de sa Charte, elle peut cependant contribuer à la limitation de ces conflits en faisant de la prévention, de la médiation et de l'aide humanitaire, conformément aux dispositions prévues par le chapitre VI de sa Charte[52]. Au sein des élites internationales, plusieurs partagent cette vision tout en souhaitant que l'ONU affirme sa prééminence dans le domaine du maintien de la paix, au détriment de l'OTAN, des États-Unis ou des alliances de sécurité régionales. Le poids de ce courant d'opinion a été souligné par l'attribution du prix Nobel de la paix à Kofi Annan et à l'ONU, à l'automne 2001.

* * *

Les progrès rapides de la libéralisation des échanges, l'essor prodigieux des transports et des communications, la multiplication et l'extension de la puissance des firmes multinationales, la prolifération et la mondialisation des ONG ont contribué à l'effacement des frontières et à l'expansion des relations transnationales entre acteurs non gouvernementaux[53]. Néanmoins, à l'aube du XXIe siècle, les États et les organisations internationales gouvernementales demeurent les acteurs majeurs ou les principaux décideurs des relations internationales, puisqu'ils ont conservé le pouvoir de réglementer les activités de tous les autres acteurs dans les différentes sphères de l'activité humaine[54]. La légitimité du pouvoir des États est même plus grande qu'auparavant à cause des progrès de la démocratie qui font qu'un grand nombre de gouvernements sont désormais élus au suffrage universel. Les ONG ont une légitimité beaucoup plus faible puisque leurs dirigeants ne sont pas élus mais nommés par un groupe restreint d'organismes et/ou d'individus. La très grande majorité des ONG reconnaissent d'ailleurs l'autorité des États. C'est la raison pour laquelle leurs actions (pétitions, manifestations, forums, etc.) visent moins à contester qu'à influencer le pouvoir de décision des États et des OI.

La multiplication des OI est l'indice que les États coopèrent davantage entre eux que dans le passé, en raison de leur interdépendance de plus en plus prononcée. Toutefois, cette coopération demeure volontaire, les États étant libres de signer et de ratifier les accords conclus dans le cadre des OI. Les limites imposées à la souveraineté ou à la plénitude, à l'exclusivité et à l'autonomie de la compétence des États par la coopération internationale sont donc relatives. Contrairement à ce que souhaitaient les libéraux, les OI n'ont pas acquis un caractère supranational qui leur permettrait d'imposer leur volonté aux États souverains. L'UE, qui est à ce jour l'OI la plus centralisée, demeure une organisation intergouvernementale ou une confédération dans le cadre de laquelle le pouvoir de décision repose sur le consentement de la majorité ou de la totalité des États membres.

Si tous les États souverains sont égaux en droit, ils demeurent inégaux dans les faits, leur pouvoir au sein du système international étant proportionnel à leur puissance, économique et militaire notamment, et à leur capacité de conclure des alliances avec d'autres États. Les progrès de la démocratie font cependant en sorte que l'équilibre des forces entre les États est davantage qu'hier déterminé par les tendances de l'opinion publique et le lobbying des ONG. En définitive, la nouvelle dynamique des relations internationales reflète les vues des réalistes et des libéraux : les États demeurent les acteurs majeurs du système international, mais ils doivent désormais coopérer davantage entre eux en tenant compte des demandes exprimées par les citoyens et les groupes d'intérêt.

Notes

1. La matière de cette section est largement inspirée de Pierre-François Gonidec et Robert Charvin, *Relations internationales* (Paris : Montchrestien, 1981), 13-52.

2. Pour le texte de ce jugement, voir Jacques-Yvan Morin, Francis Rigaldies, Daniel Turp, *Droit international public. Tome II—Document d'intérêt canadien et québécois* (Montréal : Éditions Thémis, 1997), 599-625.

3. Des extraits de cette convention sont reproduits dans Jacques-Yvan Morin, Francis Rigaldies, Daniel Turp, *Droit international public. Tome I—Documents d'intérêt général* (Montréal : Éditions Thémis, 1997), 355-415.

4. Accord relatif à l'essai et à l'évaluation réciproque de systèmes d'armes du 10 février 1993. Voir Morin, Rigaldies et Turp. *Droit international public. Tome I*, 121-125.

5. *Id., ibid.*, 289-294.

6. Gonidec et Charvin, *Les relations internationales*, 25. La première définition, que privilégient les deux auteurs, a été formulée par Staline en 1913 dans son ouvrage *Le marxisme et la question nationale*. Selon Olivier Roy, *L'Asie centrale contemporaine* (Paris : Presses universitaires de France, 2001), 27-28, elle a servi de fondement à la création des républiques soviétiques d'Asie centrale (Turkménistan, Ouzbékistan, Kazakhstan, Tadjikistan, Kirghizistan) entre 1924 et 1936.

7. Convention relative au statut de réfugié (1951) complétée par le Protocole relatif au statut des réfugiés (1967). Voir Morin, Rigaldies et Turp, *Droit international public. Tome I*, 177-189.

8. Sur ce sujet, voir Diane Éthier, « Is Democracy Promotion Effective ? Comparing Conditionality and Incentives », *Democratization*, 3, 1 (2003), 99-121.

9. Gonidec et Charvin, *Relations internationales*, 30.

10. Charte des droits et des devoirs des États, adoptée par l'ONU en 1974.

11. De Senarclens, *La mondialisation*, p. 41-43.

12. Thomas Risse, « Transnational Actors and World Politics », *Handbook of International Relations*, p. 255-275.

13. Robert O'Brien, Anne Marie Goetz *et al.*, *Contesting Global Governance* (Cambridge : Cambridge University Press, 2000).

14. Sur ce point, voir notamment Gonidec et Charvin, *Relations internationales*, 92-150 ; Weiss, *Les organisations internationales*, 12-27.

15. Cette affirmation doit être nuancée. Certaines OI, telle l'OSCE, se sont dotées d'une Charte ou d'un traité constitutif quelques années après leur fondation.

16. Après la Russie, le Canada est la fédération la plus décentralisée au monde.

17. La Suisse a déjà été une confédération de même que les États-Unis d'Amérique, entre 1781 et 1787.

18. Paul Reuter et Jean Combacau, *Institutions et relations internationales* (Paris: Presses universitaires de France, 1982), 287.

19. La Commission du droit international de l'Assemblée générale de l'ONU a tenté sans succès de faire adopter par les États le projet d'une cour criminelle internationale en 1953. Un nouveau projet, présenté en 1996, a conduit à l'adoption du Statut de Rome créant la Cour pénale internationale (CPI), en 1998. La CPI a commencé à siéger à La Haye (Pays-Bas) en juin 2002. Compte tenu que la CPI n'existait pas au moment de la guerre dans l'ex-Yougoslavie et du génocide au Rwanda, le Conseil de sécurité a décidé de créer le TPIY, en 1993, et le TPIR, en 1994, en se fondant sur le chapitre VII de la Charte de l'ONU. Le siège social du TPIY est à La Haye; celui du TPIR à Arusha (Tanzanie). Voir Morin, Rigaldies et Turp, *Droit international public. Tome I*, 467-486.

20. Le Statut de Rome a été adopté le 17 juillet 1998 par la Conférence des Nations Unies pour l'établissement d'une Cour pénale internationale (CPI); il est entré en vigueur le 1er juillet 2002. En juillet 2003, 139 États avaient signé le Statut de Rome et 92 l'avaient ratifié. Parmi ces derniers, 4 pays (Afghanistan, Dominique, Saint-Vincent et la Grenade, Timor oriental) n'avaient pas signé le Statut de Rome au préalable. Le Canada a signé et ratifié le traité. La République populaire de Chine n'avait ni signé, ni ratifié le Statut de Rome. Les États-Unis, Israël et la Russie l'avaient signé mais non ratifié. Les 25 États membres de l'UE avaient signé et ratifié le traité, à l'exception de la République tchèque qui l'avait signé mais non ratifié.

21. En juin 2001, c'est la menace des États-Unis et de l'UE de ne pas verser l'aide promise de 1,3 milliard $ US à la République fédérale de Yougoslavie qui a convaincu le gouvernement yougoslave de livrer au TPIY l'ex-président Slobodan Milosevic, accusé de crimes de guerre en raison du massacre des Albanais du Kosovo par l'armée serbe.

22. L'Union africaine, entrée en vigueur le 26 mai 2001, doit se substituer à l'OUA.

23. Sur les organisations internationales de la période 1945-1990, voir notamment Weiss, *Les organisations internationales*; Charles Zorgbibe, *Les organisations internationales* (Paris: Presses universitaires de France, 4e éd., 1997), 3-6; Marie-Claude Smouts, *Les organisations internationales* (Paris: Armand Colin, 1995); Philippe Moreau Desfarges, *Les organisations internationales contemporaines* (Paris: Le Seuil, 1996).

24. Weiss, *Les organisations internationales*, 119.

25. Voir chap. 1, note 27.

26. Sur cette question, voir entre autres Zorgbibe, *Les organisations internationales*.

27. John Ikenberry, « Liberal hegemony and the future of American postwar order », T.V. Paul et John Hall eds., *International Order and the Future of World Politics* (Cambridge: Cambridge University Press, 1999), 123.

28. Sur la relation entre la crise économique et les transitions de l'autoritarisme à la démocratie, voir Stephen Haggard et Robert Kaufman, *The Political Economy of*

Democratic Transitions (Princeton: Princeton University Press, 1995); Diane Éthier, « Des relations entre libéralisation économique, transition démocratique et consolidation démocratique », *Revue internationale de politique comparée*, 8, 3 (2001).

29. Les mouvements de dissidence étaient soutenus par les États-Unis et par plusieurs autres acteurs occidentaux. Le scénario des évènements qui ont conduit à la fin de la guerre froide est fort bien expliqué par Magaret Thatcher dans ses mémoires, *Dix Downing Street* (Paris : Albin Michel, 1993).

30. Smouts, *Les organisations internationales*, 139-143. Sur l'évolution des missions des casques bleus dans l'après-guerre froide, voir entre autres Jocelyn Coulon, *Soldiers of Diplomacy : the United Nations, Peacekeeping and the New World Order* (Toronto : University of Toronto, 1998).

31. C'est la destruction par les Japonais de leur flotte du Pacifique, à Pearl Harbor, le 7 décembre 1941, qui provoqua l'entrée en guerre des États-Unis.

32. « Les Nations Unies » était le nom donné aux alliés de la Seconde Guerre mondiale. Franklin D. Roosevelt proposera de donner ce nom à l'organisation universelle imaginée par les alliés.

33. Le président Roosevelt n'a jamais considéré les forces françaises libres dirigées par le général de Gaulle, depuis Londres, comme un allié important dans la guerre contre les puissances de l'Axe. Cette attitude n'est pas étrangère aux tensions qui marqueront les relations franco-américaines durant la période où le général de Gaulle sera au pouvoir (1958-1969) en France. Winston Churchill était beaucoup plus méfiant à l'égard de l'URSS communiste que Roosevelt. Sa volonté de voir la France participer au club des Cinq du Conseil de sécurité était motivée par le désir de marginaliser le plus possible l'influence de l'URSS au sein du Conseil. Voir André Kaspi, Franklin Roosevelt (Paris : Fayard, 1988).

34. Pour des informations plus complètes sur les conférences qui ont conduit à la création de l'ONU et sur les évènements de la Seconde Guerre mondiale, voir le site internet du *Avalon Project of the Yale Law School* (www.yale.edu/lawweb/avalon).

35. La Charte de la SDN est constituée par les 26 articles du traité de Versailles qui lui sont consacrés.

36. La Russie, alliée de l'Entente durant la guerre, signa une paix séparée avec l'Allemagne (traité de Brest-Litovsk de 1917) après la victoire de la révolution bolchevique.

37. Pierre Gerbet, *Les organisations internationales* (Paris : Presses universitaires de France, 1972), 18.

38. La Suisse étant devenu membre officiel de l'ONU en mars 2002, tous les États reconnus comme tels par la communauté internationale sont désormais membres de l'organisation à l'exception du Vatican et de quelques micro-États du Pacifique.

39. En 2002, deux groupes de travail *ad hoc* poursuivaient leur mandat : le groupe sur la réforme du Conseil de sécurité et le groupe sur les causes des conflits et la promotion de la paix en Afrique.

40. Weiss, *Les organisations internationales*, 30.

41. L'élection au Conseil de sécurité ne va pas de soi. La moitié des États membres de l'ONU n'ont jamais siégé au Conseil et le quart n'y ont siégé qu'une seule fois.

En 1998, les pays ayant cumulé le plus grand nombre de mandats étaient le Japon (8), le Brésil (7), l'Argentine et l'Inde (6). En 2003, les membres non permanents étaient : le Chili, le Mexique, l'Angola, le Pakistan, la Bulgarie, le Cameroun, la Guinée, la Syrie, l'Allemagne et l'Espagne.

42. Weiss, *Les organisations internationales*, 40.

43. Elle a remplacé la Cour internationale de justice créée comme organe indépendant de la SDN en 1919.

44. Les États-Unis n'ont utilisé leur veto qu'à partir de 1971. Entre 1946 et 1971, c'est l'URSS qui a eu recours le plus souvent à cette procédure (une douzaine de fois). La France et le Royaume-Uni ne s'en sont servi qu'occasionnellement, au sujet de conflits impliquant leurs colonies ou ex-colonies. Voir Michael G. Roskin et Nicholas O. Berry, *The New World of International Relations* (Upper Saddle River, NJ : Prentice Hall, 3ᵉ éd., 1997), 356.

45. Smouts, *Les organisations internationales*, 140-141.

46. Le 31 août 1995, les arriérés des États-Unis atteignaient 1,7 milliard de dollars, une somme équivalente à la moitié du déficit d'alors de l'ONU. La Russie et l'Ukraine sont les deuxième et troisième plus mauvais payeurs. À l'automne 2001, toutefois, les États-Unis ont payé leurs arriérés à l'ONU afin de s'assurer de l'appui de l'organisation à leur lutte contre le terrorisme international, à la suite des attentats du 11 septembre 2001 contre le World Trade Center et le Pentagone.

47. *Le Monde*, 28 septembre 1995.

48. Weiss, *Les organisations internationales*, 44-49.

49. Smouts, *Les organisations internationales*, 124. Pour une étude de l'évolution de l'ONU au cours des dernières années, voir Peter R. Baehr, *The United Nations at the end of the 1990s* (New York : St. Martin's Press, 1999).

50. David Malone, « The New Diplomacy at the United Nations : How Substantive » in : Andrew F. Cooper, John English et Ramesh Thaky (dir.), *Enhancing Global Governance* (Tokyo : The United Nations University, 2002), p. 38-55.

51. Voir à ce sujet les chapitres 2 et 3 de O'Brien, Goetz *et al., Contesting Global Governance*.

52. Stanley Hoffman, « Thoughts on the UN at Fifty » S. Hoffman, *World Disorders. Troubled Peace in the Post-Cold War Era* (Boulder/New York/Oxford : Rowman & Littlefield Publishers, 1998), 177-189.

53. Sur ce phénomène, voir notamment Rosenau, *Turbulence in World Politics*.

54. Dans *Global Political Economy*, p. 3, Robert Gilpin affirme qu'en dépit de la mondialisation, l'économie internationale est toujours principalement déterminée par les politiques et les systèmes économiques nationaux. Il cite Vincent Cable, du Royal Institute of International Affairs qui, dans un article de 1995, soulignait que le principal accomplissement économique de la seconde moitié du xxᵉ siècle a été de restaurer le degré de libéralisation des échanges qui existait... avant la Première Guerre mondiale !

CHAPITRE 3

LA POLITIQUE ÉTRANGÈRE DES ÉTATS

3

LA POLITIQUE ÉTRANGÈRE DES ÉTATS

Qu'entend-on par politique étrangère? Qui sont les décideurs de la politique étrangère? Quels facteurs influencent leurs décisions? Quelle est l'importance respective de la diplomatie et de la stratégie dans l'action internationale des États? Ce chapitre tente de résumer les réponses diverses apportées à ces questions complexes par les spécialistes du domaine.

Qu'est-ce que la politique étrangère?

Les études de politique étrangère laissent apparaître une grande diversité dans les conceptions des auteurs. Ainsi, pour Janice Stein, c'est un ensemble de comportements qui traduisent les préoccupations d'un État[1]. Pour James Rosenau, c'est « la ligne d'action que les responsables officiels d'une société nationale suivent pour présenter ou modifier une situation dans le système international afin qu'elle soit compatible avec les objectifs définis par eux-mêmes ou leurs prédécesseurs[2] ». Pour K.J. Holsti, ce sont « les orientations, les engagements et les actions qui caractérisent le rôle national d'un État[3] ». Pour d'autres, elle correspond soit « aux principes qui orientent l'action des gouvernements dans certaines circonstances, tels que les doctrines Stimson, Monroe ou Hallstein », soit « aux engagements pris et garantis par des traités », soit encore « à l'ensemble des actions et des décisions exécutées chaque jour par une organisation bureaucratique »[4].

Si on résume ces définitions, on peut conclure que la politique étrangère est l'ensemble des principes, orientations, programmes, ententes, institutions et actions qui caractérisent les relations d'un État avec les autres

États. Il est important d'ajouter que, pour les réalistes, la politique étrangère est circonscrite aux relations diplomatiques et stratégiques et vise essentiellement à préserver ou à maximiser la puissance militaire et politique de l'État national. Pour les néoréalistes, la politique étrangère concerne également la puissance économique et technologique des États. Pour les autres théories des relations internationales, elle couvre l'ensemble des relations extérieures d'un État et vise à défendre, non pas l'intérêt national, concept jugé artificiel et vide de sens, mais les intérêts particuliers de certains acteurs de la société : les citoyens, selon les libéraux ; la classe qui contrôle les moyens de production et le pouvoir politique, selon les marxistes ; les diverses factions des élites économiques qui se partagent le pouvoir politique, selon les néomarxistes ; les groupes d'intérêt, du secteur public et de la société civile, selon les néolibéraux (voir chapitre 1).

La décision de la politique étrangère

Qui décide ?

Les détenteurs du pouvoir exécutif central

Selon le droit constitutionnel interne et le droit international public, les principaux décideurs de la politique étrangère sont les détenteurs du pouvoir exécutif central d'un État. Cette règle ne souffre pas d'exception. Même dans les États de type confédéral, où les gouvernements régionaux détenaient davantage de compétences que le gouvernement central, ce sont les dirigeants de ce dernier qui contrôlaient la politique étrangère. Cette centralisation du pouvoir de décision répond à trois impératifs principalement : préserver la confidentialité ou le secret de la politique étrangère, essentielle à la sécurité de l'État, sauvegarder la cohésion interne de l'État national face aux autres puissances, assurer une prise de décision rapide dans les situations d'urgence ou de crise. Cela étant dit, les modalités d'application de cette règle fluctuent selon la nature du régime politique.

Dans les régimes autoritaires, la politique étrangère est décidée par le chef de l'État et les membres de l'instance (clan, famille, junte militaire, parti unique, etc.) qui détient le pouvoir exécutif. Dans les régimes démocratiques, le pouvoir de décision est réparti inégalement entre les membres de l'organe exécutif central. Au sein des monarchies constitutionnelles et républiques parlementaires, c'est le premier ministre (ou son équivalent : chancelier, président du conseil) et son cabinet qui décident, puisqu'ils sont les véritables détenteurs du pouvoir exécutif. Le chef de l'État—monarque ou président—est exclu du processus de décision car il n'a que des pouvoirs formels ou honorifiques. L'autorité qu'exerce le premier ministre sur les membres de son cabinet varie au surplus selon la composition majoritaire ou minoritaire de ce dernier. Dans les régimes présidentiels, les décisions de politique étrangère sont prises par le président, qui est le seul chef de l'É-tat, à la suite de la consultation des principaux dirigeants des organes impliqués dans la politique étrangère (armée, services de renseignements et de sécurité, ministères des Affaires étrangères et du Commerce extérieur, etc.). Enfin, dans les régimes semi-présidentiels, le pouvoir de décision, en matière de politique étrangère, est réparti entre les deux organes de l'exécutif : le président, qui est le chef de l'État, et le gouvernement. Les modalités du partage des pouvoirs—et de la collaboration—entre ces deux organes varient cependant d'un régime semi-présidentiel à l'autre.

Le parlement national

Dans les États démocratiques, le parlement national joue également un rôle important dans la décision de la politique étrangère puisque la constitution oblige les détenteurs du pouvoir exécutif central à soumettre un certain nombre de décisions (ex. : déclarations de guerre, traités et accords internationaux) au vote des chambres. Ainsi, en 1918, le Sénat américain a refusé d'entériner le Traité de Versailles qui créait la SDN, malgré le soutien du président Wilson à ce dernier. Tous les traités relatifs à l'élargissement ou à la modification de l'UE doivent être ratifiés par les parlements—ou les citoyens—des États membres. Le parlement peut également, par le biais de certaines de ses prérogatives, appuyer, modifier ou imposer l'abandon d'une décision de politique étrangère. En rejetant l'augmentation des dépenses militaires que réclamait le président Nixon, le Congrès américain a contribué au désengagement des États-Unis du Vietnam en 1972-1973. En 1991, les parlementaires américains ont refusé de renouveler la procédure du *fast-track,* en vertu de laquelle le président peut négocier un accord commercial et le soumettre ensuite au Congrès pour approbation ou rejet sans possibilité d'amendement. Cette décision a incité les États impliqués dans les négociations commerciales du GATT, notamment l'Union européenne, à se montrer plus conciliants vis-à-vis des demandes de l'administration Bush, ce qui a permis de conclure l'Uruguay Round en décembre 1993. La même année, la Chambre des Communes britannique a approuvé le traité de Maastricht, malgré l'opposition de plusieurs membres du gouvernement conservateur de John Major.

Les citoyens

Dans plusieurs États démocratiques, les citoyens ont un pouvoir de décision en matière de politique étrangère puisque la constitution oblige ou donne le choix à l'exécutif de soumettre certaines décisions—conscription, adhésion à une organisation internationale, conclusion de conventions et traités internationaux—à un référendum populaire. Lorsque ce référendum est consultatif, le pouvoir des citoyens demeure important puisqu'il est politiquement très difficile pour un gouvernement de ne pas tenir compte de l'opinion exprimée par la majorité des électeurs. Bien qu'il n'y était pas tenu, le président français François Mitterrand a décidé de soumettre le traité de Maastricht à un référendum plutôt qu'au parlement en 1993, référendum qui a été gagné avec une très faible majorité de 0,5%. Au Danemark et en Norvège, lors des référendums tenus en 1993, les citoyens ont rejeté le traité de Maastricht approuvé par leurs gouvernements. En 1986, le gouvernement socialiste espagnol a soumis à un référendum sa décision d'adhérer à l'OTAN pour respecter une promesse électorale de 1982. Il a gagné cette consultation de justesse—52,5% pour le oui—grâce au libellé de la question qui promettait la dénucléarisation du territoire, le démantèlement des bases militaires américaines et la non-participation de l'Espagne à la structure militaire intégrée de l'Alliance.

Les gouvernements régionaux et les organisations non gouvernementales

Il est possible pour les gouvernements régionaux de conclure divers types d'ententes internationales dans les domaines de juridiction que leur concède la constitution, à la condition que ces ententes s'inscrivent dans le cadre des lois nationales et qu'elles soient agréées par le gouvernement central. Les limites de l'action internationale des gouvernements régionaux découlent non seulement du droit constitutionnel interne, mais aussi du droit international. Selon la Convention de Vienne sur le droit des traités de 1969 : « Tout État a la capacité de conclure des traités. Les membres d'une union fédérale peuvent avoir la capacité de conclure des traités si cette capacité est admise par la constitution fédérale et dans les limites indiquées dans la dite constitution[5]». Notons à cet égard que les ententes internationales signées par le Québec depuis 1965 sont considérées comme des arrangements administratifs sans caractère obligatoire ou contraignant par le gouvernement fédéral canadien.

Bien que ni les constitutions ni les textes juridiques internationaux n'accordent de droits aux ONG en matière de décision de la politique étrangère, celles-ci demandent de plus en plus instamment à participer à la négociation et à l'adoption des ententes internationales. Jusqu'à maintenant, ces requêtes sont demeurées lettre morte. Toutefois, les ONG sont de plus en plus fréquemment associées à l'adoption de politiques ou de résolutions internationales qui n'ont pas de caractère contraignant ou obligatoire pour les États. Ainsi, les recommandations de l'OIT sont adoptées par les délégations des États membres qui comprennent des représentants du gouvernement central, des syndicats et des entreprises. En outre, tant les gouvernements que les OI, notamment celles du système des Nations Unies, consultent les ONG et tiennent compte dans une certaine mesure de leurs demandes dans l'élaboration de leurs politiques. Il est désormais impossible pour les gouvernements et les OI d'ignorer les ONG en raison de leur multiplication et de l'étendue de leurs actions de lobbying[6].

Quels facteurs influencent la décision ?

Selon les théories classiques et néoclassiques des relations internationales, nous l'avons vu, les décisions que prennent les gouvernants en matière de politique étrangère sont motivées soit par l'intérêt national, soit par les intérêts particuliers de certains acteurs de la société nationale. Au cours de la période postérieure à 1950, de nombreux chercheurs ont approfondi l'analyse empirique des facteurs qui influencent les décisions des dirigeants politiques en s'inspirant de l'une ou l'autre de ces théories et des modèles fournis par d'autres disciplines : psychologie, économie, administration, sociologie, politique comparée. Leurs travaux ont donné naissance aux « théories partielles de la politique étrangère[7] ». Chacune d'entre elles insiste sur une catégorie de facteurs jugés plus déterminants que les autres : les perceptions et la personnalité des dirigeants selon la théorie psycho-politique ; les calculs coûts/bénéfices des dirigeants selon la théorie des choix rationnels; les marchandages entre les bureaucraties de l'appareil gouvernemental selon la théorie bureaucratique; les rapport de force économiques selon les théories d'inspiration marxiste; les rapports de force politiques selon la théorie structuraliste néoréaliste; le système national de décision selon la théorie néolibérale des communications. Bien que cette liste ne soit pas exhaustive[8], elle rend compte des théories partielles qui ont le plus influencé l'étude de la politique étrangère au cours des cinquante dernières années, notamment aux États-Unis.

Les perceptions et la personnalité des dirigeants

Selon la théorie psycho-politique, développée entre autres par Kenneth Boulding[9] et T.B. Millar, les décisions des leaders politiques, en politique étrangère comme dans d'autres domaines, sont principalement influencées par leurs perceptions de la réalité qui sont faites des valeurs qu'ils ont intériorisées au fil des années, de l'appréciation qu'ils portent sur leur État comme sur celui des pays tiers, de leurs informations, de l'attirance ou de la répulsion qu'ils éprouvent face à tel interlocuteur ou fait international, de leur prédisposition à agir ou temporiser. Étudier la politique étrangère c'est « sonder la pensée de ceux qui ont pris les décisions, découvrir leur image du monde et de leur propre système politique, déceler les faits qui ont constitué pour eux des facteurs et comprendre la façon dont ils en ont tenu compte[10]». Or, quels sont les principaux facteurs qui influencent les perceptions ou l'image du monde des décideurs? Selon l'approche la plus ancienne, c'est la personnalité de ces derniers, soit leurs structures affectives et les valeurs auxquelles ils adhèrent en raison de leur histoire familiale notamment[11]. Divers auteurs ont tenté d'expliquer la politique étrangère de certains hommes d'État tels Hitler, Staline et Woodrow Wilson par les caractéristiques de leur personnalité psychique, caractéristiques induites de l'étude de leur biographie et de leurs comportements vis-à-vis de leurs proches, de leurs collègues et de leur environnement social et interprétées à l'aide des modèles fournis par la psychologie ou la psychanalyse.

Les calculs coûts/bénéfices des dirigeants

Selon la théorie des choix rationnels, dérivée de la théorie réaliste de Hans Morgenthau et de la pensée économique néoclassique, ce ne sont pas les perceptions et la personnalité des leaders politiques qui orientent leurs choix de politique étrangère mais leur raison. Cela signifie qu'ils cherchent en tout temps à parvenir à une solution optimale, à choisir parmi les options qui s'offrent à eux celle qui impliquera des coûts minimum et des bénéfices maximum en regard de l'intérêt national. La possibilité pour les décideurs de choisir l'option qui offre le meilleur rapport coûts/bénéfices dépend toutefois de la quantité, de la qualité et de la fiabilité des informations dont ils disposent sur les enjeux, les causes et les conséquences prévisibles des différentes options disponibles. La théorie mathématique des jeux, très proche de la théorie de l'acteur rationnel, compare la prise de décision à un jeu stratégique dont les principales règles sont les suivantes : 1) chaque joueur est rationnel et fonde son appréciation sur un calcul coûts/bénéfices ; 2) chaque joueur dispose de plusieurs options qui permettent de préserver ou de maximiser les gains tout en limitant les coûts ou les risques ; 3) l'issue du jeu est incertaine car elle dépend de l'ordre de préférence dans lequel chaque joueur classe les options disponibles ; néanmoins elle se traduit toujours par la coopération ou un conflit entre les participants. Il existe trois types de jeux ou de processus de décision : jeux à deux joueurs à somme nulle (l'un assumant toutes les pertes et l'autre bénéficiant de tous les gains) ; jeux à deux joueurs à somme variable (répartition inégale des gains et des pertes) ; jeux à plusieurs joueurs à somme variable (répartition inégale des bénéfices et des coûts). Anatol Rapoport a montré que les jeux à somme variable tendaient à réduire les antagonismes et à favoriser la coopération internationale. Toutefois, le danger d'une trahison de l'adversaire fait contrepoids à cette possibilité de coopération, plaçant le décideur de la politique étrangère face à un dilemme[12].

Les marchandages bureaucratiques

Selon l'approche bureaucratique, préconisée notamment par Graham AL-LISON et Morton HALPERIN[13], il est erroné de croire que le choix des décideurs est basé sur un calcul coûts/bénéfices prenant en compte l'intérêt national. Ce dernier est une vue de l'esprit car l'État n'est qu'un regroupement d'organisations plus ou moins reliées entre elles, au sommet desquelles siègent les dirigeants politiques. Dans sa forme extrême, la décision en politique étrangère résulte d'un marchandage entre groupes ou personnes au sein de l'appareil gouvernemental ; la décision reflète la logique des buts et des moyens recherchés par chacune des organisations (ministères, services, départements, agences) dans la lutte institutionnelle. De plus, parce que les ressources varient considérablement entre les bureaucraties, certaines sont plus efficaces quand vient le temps des pressions et du marchandage. Des coalitions se créent parfois afin de promouvoir une option plutôt qu'une autre. De plus, les organisations ont une tendance naturelle à résister aux tentatives de changement de leurs orientations et missions, et choisiront plutôt de poursuivre les opérations routinières bien connues et moins risquées. Pour faire contrepoids à l'influence des organisations, le pouvoir central dispose d'agences inter-organisationnelles dont la mission est de « policer » et de coordonner le travail bureaucratique, en vue d'atteindre le seuil optimal désiré dans l'élaboration des politiques. La théorie « cybernétique » de John Steinbruner[14] compare en ce sens le processus de décision à un mécanisme de thermostat, celui-ci n'étant pas activé avant que la température n'excède les limites tolérables du système[15].

Les rapports de force économiques

Selon les néomarxistes et plusieurs auteurs néoréalistes et néolibéraux, toutes les politiques publiques d'un État, y compris la politique étrangère, visent principalement ou largement à satisfaire, dans des proportions variables, les demandes des groupes d'intérêt qui occupent une position prédominante ou importante au sein du système économique national : entreprises multinationales étrangères et nationales, petites et moyennes entreprises nationales, professions libérales, syndicats ouvriers, producteurs agricoles, etc. Plusieurs de ces auteurs, ainsi que les courants de l'école dépendantiste, soutiennent que la politique extérieure des États est en outre largement tributaire de la position qu'ils occupent au sein du système économique international, position qui correspond à leur niveau de développement et de dépendance commerciale, financière et technologique vis-à-vis des autres États. En définitive, pour les tenants de ces approches, ce sont les rapports de force économiques, au sein des États et entre ceux-ci qui déterminent au premier chef les orientations de leur action internationale, non seulement dans le domaine des échanges commerciaux et financiers, mais aussi dans tous les autres domaines tels la sécurité et la défense, l'immigration, l'aide au développement, l'environnement, la science et la culture[16].

Les rapports de force politiques

Selon la théorie structuraliste néoréaliste, ce sont les rapports de force politiques — et non économiques — internationaux qui constituent le principal facteur de décision de la politique étrangère. En d'autres termes, c'est la position qu'occupe un État au sein du système mondial d'équilibre de la puissance politique et militaire qui détermine en premier lieu la politique internationale de ses dirigeants. Kenneth Waltz, Morton Kaplan, Michael Brecher, David Singer, Paul Kennedy et Kim Nossal[17], parmi d'autres, ont montré que l'histoire moderne avait été caractérisée par divers systèmes d'équilibre — le système multipolaire des XVIIIe et XIXe siècles, le système bipolaire de la période 1945-1990, le système unipolaire post-guerre froide — qui ont successivement modifié en profondeur la position politique et militaire de chaque État et la nature des alliances et conflits entre eux. Kaplan et K.J. Holsti[18] ont analysé les impacts des systèmes politiques internationaux sur la conception que se font les dirigeants de leur rôle — en tant que chefs ou membres d'un bloc, d'une coalition ou sous-système d'alliés. Selon eux, c'est cette conception beaucoup plus que leurs perceptions, personnalité ou idéologie qui modèle leur image de la réalité et les choix qui en découlent.

Les pressions des élites nationales

Selon la théorie des communications de Karl Deutsch, inspirée de l'approche néolibérale, elle-même conçue en fonction du modèle américain, la politique étrangère est déterminée par les messages (informations, pressions, demandes, etc.) souvent contradictoires que reçoivent les responsables de la part du « système national de décision ». Celui-ci est composé de cinq paliers : (a) l'élite socioéconomique, la petite minorité de personnes qui contrôlent les leviers économiques ; (b) l'élite politique, les membres du pouvoir exécutif, du parlement, de la haute fonction publique et des appareils de partis ; (c) les médias d'information : presse écrite, radio et télévision ; (d) les notables, le petit pourcentage de la population qui suit de près les débats politiques et sert de relais sociologique ; (e) l'ensemble des citoyens qui participent aux élections. Chaque palier transmet des messages et exerce une influence sur les autres paliers. Le flux principal est descendant, à partir de l'élite économique ou politique. Mais parfois des communications directes s'établissent entre les paliers inférieurs (électeurs, notables, médias) et influencent les paliers supérieurs. Les dirigeants tentent de réduire les conflits ou tensions entre les messages transmis par ces différentes catégories d'acteurs, i.e. de faire des choix de politique étrangère qui équilibreront les demandes en provenance du système national de décision[19]. Toutefois, l'application de ces choix provoque des impacts qui obligent les dirigeants à modifier ou ajuster leurs orientations de politique étrangère. Celle-ci est donc déterminée par l'autorégulation des flux d'informations et la rétroaction. En raison de ces deux mécanismes, le résultat d'une politique est souvent différent sinon contraire à l'intention initiale des leaders politiques.

À titre d'exemple, Deutsch rappelle que, lorsque le gouvernement américain décida d'installer des bases militaires à l'étranger, au début de la guerre froide, il fut soumis à une double pression interne : celle du département de la Défense qui souhaitait établir de nombreuses bases aériennes et navales afin d'assurer la sécurité de l'Alliance atlantique, et celle des départements des Affaires étrangères et des Finances qui étaient préoccupés par les risques politiques et financiers de l'opération. La volonté d'équilibrer ces pressions contradictoires conduisit la Maison Blanche à implanter des bases militaires dans les pays sous-développés, à régime autoritaire souvent corrompu. Après autorégulation, l'intention initiale—la défense de la démocratie libérale—fut convertie en alliance avec des dictatures rétrogrades. Jean-Pierre Cot fournit un autre exemple. En 1967, le gouvernement égyptien, confronté à l'aggravation de la tension régionale au Proche-Orient, aux rumeurs de complot en Syrie et aux informations fausses fournies par les services secrets soviétiques, décréta le blocus du détroit de Tiran, demanda le retrait des casques bleus de l'ONU... et précipita le conflit avec Israël, contrairement à ce qui était son intention initiale[20].

* * *

Les théories ci-dessus ne rendent pas compte de tous les facteurs susceptibles d'influencer les décisions de politique étrangère. Plusieurs études font état d'autres déterminants importants, notamment la position géostratégique du pays, la nature démocratique ou totalitaire du système politique, l'idéologie (nationaliste, libérale, colonialiste, conservatrice, etc.) des gouvernants, le style de diplomatie hérité de l'histoire, des traditions et de la culture nationales[21].

En fin de compte, le bilan des théories de la politique étrangère démontre que tout en reconnaissant qu'un large éventail d'éléments peuvent orienter le choix des décideurs, chacune tend à accorder un rôle plus important à telle catégorie de variables. Or, les multiples études empiriques effectuées par les tenants de chaque approche ne comparent pas l'incidence des diverses catégories de facteurs susceptibles d'influencer la politique étrangère. Elles se contentent généralement de tester l'impact des facteurs qu'elles jugent plus décisifs, compte tenu de leurs postulats normatifs ou de leurs perceptions de la réalité, en se référant à un échantillon restreint de décisions de politique étrangère. Par conséquent, si toutes les théories de la politique étrangère sont utiles, dans la mesure où elles permettent de montrer que tels facteurs ont effectivement déterminé telle décision, aucune ne fournit la preuve que son modèle d'explication est supérieur aux autres et généralisable à l'ensemble des décisions de politique étrangère. Malgré cinquante ans de recherches, il demeure impossible de savoir si dans tous les pays, à toutes les époques, et dans toutes les circonstances, certains facteurs influencent plus que d'autres les choix des responsables de la politique étrangère. Cette situation explique la persistance des controverses théoriques au sein de ce sous-domaine des relations internationales. Il faut souhaiter que dans l'avenir, les chercheurs multiplient les études empiriques de cas tout en s'efforçant, dans le cadre de ces dernières, de vérifier l'impact de plusieurs catégories de variables. Seul le cumul des connaissances fournies par ce genre d'analyses micro et multifactorielles pourra permettre de se prononcer sur l'incidence respective des multiples déterminants de la politique étrangère.

Dans l'état actuel des choses, l'attitude la plus prudente consiste à admettre que toute décision est probablement déterminée par plusieurs facteurs subjectifs et objectifs dont il est impossible de mesurer l'incidence respective. Les modèles de décision de la politique étrangère, en effet, ne sont pas incompatibles. Il est tout à fait plausible de croire que les dirigeants politiques sont influencés à la fois par leurs perceptions personnelles de la réalité, leur volonté de privilégier l'option qui présente le moins de risques et le plus d'avantages du point de vue de l'intérêt national, l'obligation de tenir compte des pressions exercées par les responsables des diverses bureaucraties et les principaux acteurs économiques, politiques et sociaux, et les contraintes que leur imposent le système politique et la position économique et géopolitique de leur pays au sein du système international. En dernier lieu, il faut souligner la pénurie d'études sur les décisions de politique étrangère prises par les parlements, les citoyens et les ONG. Compte tenu que l'extension de la démocratie favorisera probablement une plus grande implication de ces acteurs dans l'orientation de l'action internationale des États, il faut espérer que les chercheurs s'intéresseront davantage à ces questions dans l'avenir[22].

L'application de la politique étrangère

L'application de la politique étrangère est caractérisée par deux approches ou comportements fondamentaux : la stratégie et la diplomatie. Machiavel associe la première à la force du lion et la seconde à la ruse du renard. Raymond Aron est plus prosaïque. Selon lui, la stratégie est « la conduite d'ensemble des opérations militaires » ou « l'action qui n'exclut pas le recours à la force armée » alors que la diplomatie est « la conduite du commerce avec les autres unités politiques, l'art de convaincre sans employer la force[23]». En fait ces concepts ont donné lieu à plusieurs définitions plus ou moins larges. Avant de compléter ces formulations liminaires, notons que, dans la réalité, ces deux dimensions sont étroitement imbriquées. Les conflits militaires ne sont pas uniquement basés sur l'emploi des armes ; ils font appel à plusieurs comportements non violents inhérents à la ruse diplomatique tels l'espionnage, la manipulation de l'information et la négociation. Les relations diplomatiques, de leur côté, sont souvent influencées par la puissance militaire des États et les menaces ou risques d'interventions armées.

La diplomatie

L'essence de la diplomatie

Aucun État ne peut défendre ses intérêts sans tenir compte des intérêts des autres États, chaque pays étant une composante de la communauté des nations. L'indépendance des États n'est pas synonyme d'isolement ou de repli sur soi. Le fait d'entretenir des relations avec les autres États est une dimension essentielle de l'autorité ou de la légitimité d'un État ; cette indépendance ne repose pas uniquement sur la capacité à résoudre ou à gérer les problèmes nationaux, mais sur l'habileté à obtenir la reconnaissance, l'appui et des avantages des autres États. Comme l'affirmait Jean-Jacques Rousseau, un État ne peut bien se connaître lui-même et progresser qu'au contact des autres États. Tous les États y compris les plus puissants sont dépendants, à des degrés divers, des autres États. L'interdépendance des États s'est constamment accrue au cours de l'histoire, au fur et à mesure que se développaient les relations de diverses natures entre les sociétés nationales, de telle sorte qu'aujourd'hui les politiques nationales de chaque État sont largement déterminées par l'environnement international. Selon Watson:

> Les États qui sont conscients que leurs politiques nationales sont affectées par tout ce qui se produit à l'extérieur ne se contentent pas d'observer l'autre à distance. Ils ressentent le besoin d'entrer en dialogue avec lui. Le dialogue entre États indépendants—les rouages par lesquels leurs gouvernements conduisent ce dialogue, et les réseaux de promesses, de contrats, d'institutions et de codes de conduite qui en résultent—constituent la substance de la diplomatie (traduction de l'auteure)[24].

Quoique pertinente, cette définition est problématique à deux égards. D'une part, elle ne met pas suffisamment l'accent sur l'aspect conflictuel des relations diplomatiques. En réalité, celles-ci visent fréquemment à résoudre un conflit par la négociation. Toutefois, une négociation implique souvent le recours à des comportements inamicaux qui contreviennent à l'esprit du dialogue, par exemple l'utilisation de pressions assorties de menaces de représailles (sanctions commerciales, embargo économique, suppression de l'aide déjà consentie, etc.) ou d'un recours limité à la force[25]. D'autre part, cette définition n'insiste pas assez sur la dimension illégale de la diplomatie. S'il est juste de dire que celle-ci est largement basée sur le droit international, il est également vrai qu'elle fait souvent appel à des pratiques qui violent la lettre ou l'esprit du droit international: tentatives de corruption des interlocuteurs, guerres psychologiques, propagande[26], bluff, méthodes d'espionnage contraires aux lois nationales et internationales.

Dans cette section, nous approfondirons la définition de Watson en examinant successivement les fondements de la négociation, la portée du droit international, le rôle et le personnel des missions diplomatiques, l'évolution de la diplomatie.

Les fondements de la négociation

Selon P.A. Toma et R.F. Gorman, « la négociation et le marchandage sont la raison d'être et le principal instrument de la diplomatie. Toute entente entre

États est le résultat d'une négociation et d'un échange[27] ». Une négociation est une forme d'interaction par laquelle des individus, des groupes ou des États cherchent explicitement à parvenir à une sorte d'entente. Elle est le premier stade du processus de solution d'un problème ou d'un conflit, le second stade étant le marchandage[28].

Les prérequis d'une négociation. Pour qu'une négociation sérieuse s'amorce, il faut que les parties aient, soit des intérêts communs à trouver un arrangement ou une solution à un différend, soit un intérêt complémentaire à échanger des concessions qu'ils ne pourraient obtenir unilatéralement. Cependant, les États peuvent parfois s'engager dans une fausse négociation (bluff, jeu) pour diverses raisons: plaire à leur opinion publique, sauvegarder leur image internationale, obtenir de l'information, tromper l'adversaire afin de préparer une attaque militaire, maintenir le contact avec l'ennemi durant un conflit, etc. Donc le but d'une négociation n'est pas toujours de trouver un arrangement. Cependant, toute négociation sérieuse exige l'existence d'intérêts communs ou complémentaires et la bonne foi des parties.

La phase préliminaire d'une négociation. Au cours de cette phase, les parties tentent d'identifier leurs intérêts communs afin d'évaluer les chances d'aboutir à un règlement. Chaque État cherche à obtenir de l'autre un exposé clair et explicite de ses demandes. Normalement, à ce stade, chaque partie ne dévoile que ses attentes maximales. D'une manière plus générale, cet échange exploratoire sert à établir un climat de confiance et les règles d'un accommodement.

La délimitation de la négociation. Lorsque la phase préliminaire a été franchie avec succès, chaque partie tente de connaître les demandes minimales de ses interlocuteurs et les concessions que chacun est prêt à faire. L'énoncé des demandes maximales et minimales permet en effet de cerner le contenu de ce qui est négociable et d'évaluer les stratégies d'alliance possibles, lorsque la négociation implique plus de deux parties. Évidemment, l'intérêt de chacun est de camoufler ses véritables intentions, quant à ses demandes minimales, tout en parvenant à découvrir celles des autres partenaires. Si l'écart entre les demandes minimales des opposants est jugé trop grand, ou la négociation achoppe ou les parties doivent réviser à la baisse le seuil maximal de leurs concessions éventuelles.

La négociation proprement dite est une discussion, parfois très longue et complexe, entre les parties afin d'en arriver à un compromis entre les demandes maximales et minimales de chacun. Tout compromis implique des concessions plus ou moins importantes de la part de chaque participant. Une négociation est donc un jeu à somme variable. Si la négociation échoue parce qu'un ou plusieurs acteurs considèrent que leurs pertes sont trop grandes par rapport à leurs bénéfices ou que certains gagnent tout alors que d'autres perdent tout (jeu à somme nulle), le processus peut conduire au marchandage.

Le marchandage « peut être vu comme un moyen de résoudre les différends entre les parties quant aux termes de l'entente proposée par diverses sortes de tractations[29] ». Le but de chaque acteur est d'inciter l'autre à réduire ses demandes minimales tout en haussant ses propres demandes maximales. L'issue du marchandage dépend de l'habileté des négociateurs à deviner les faiblesses et les points forts de leurs opposants et à les influencer ; mais elle dépend surtout de la position de force ou de faiblesse réelle de chaque partie. Les principaux instruments du *bargaining* international sont les menaces de sanctions (mesures commerciales protectionnistes, réduction ou suppression de l'aide militaire ou économique, condamnation par une organisation internationale, etc.) et les promesses de récompense (augmentation des investissements, libéralisation des échanges commerciaux, adhésion à une organisation internationale, etc.). Les possibilités de marchandage de chaque État sont donc proportionnelles à ses ressources économiques, militaires et politiques. La finalité du marchandage est d'en arriver à une entente qui offre des avantages relatifs à chaque partenaire. Il s'agit en somme de transformer un jeu à somme nulle en un jeu à somme variable.

La dynamique des négociations internationales décrite par Toma et Gorman s'inspire du réalisme et de la théorie des jeux. Le cours et l'issue d'une négociation sont essentiellement déterminées par les calculs d'intérêts et les évaluations coûts/bénéfices des États. Bien que cette thèse soit admise par la grande majorité des auteurs, plusieurs considèrent que d'autres facteurs influencent significativement ou décisivement une négociation internationale : l'histoire et le régime institutionnel des États, la psychologie et la culture des négociateurs, les variables contextuelles (objet du litige, nature des relations antérieures des parties, intervention ou non d'un ou plusieurs médiateurs, stratégies et tactiques des médiateurs, caractère bilatéral ou multilatéral des discussions)[30]. L'idée selon laquelle une négociation internationale est subdivisée en différentes phases fait par contre l'unanimité. Tous les spécialistes reconnaissent qu'une négociation est précédée d'une phase préliminaire durant laquelle les parties tentent de s'entendre sur la nature du

TABLEAU 3.1

Processus d'une négociation internationale

PRÉREQUIS

Intérêts communs ou complémentaires des États à négocier.

PHASE PRÉLIMINAIRE

Identification des intérêts communs et des chances d'aboutir à un règlement.

Chaque partie essaie de connaître les demandes des autres parties.

Chaque partie expose ses demandes maximales.

Tentative d'établir un climat d'entente.

DÉLIMITATION DE LA NÉGOCIATION

Chaque partie tente de connaître les demandes minimales
des autres parties sans dévoiler les siennes.

Évaluation de l'écart entre les demandes minimales
et maximales de chaque partenaire.

Évaluation des concessions que chaque partie est prête à faire.

Si les demandes minimales de certains États sont jugées excessives,
effort en vue de les convaincre de les réviser à la baisse.

NÉGOCIATION

Discussion afin d'en arriver à un compromis entre
les demandes minimales et maximales de chaque partie.

En cas d'échec, abandon de la négociation ou tentative de marchandage.

MARCHANDAGE

Chaque partie essaie d'obtenir le maximum et de convaincre les autres
d'accepter le minimum par l'utilisation de jeux, débats, persuasion,
promesses de récompenses et menaces de sanctions.

TYPES D'ENTENTES POSSIBLES

Négociation multilatérale

Entente à somme variable : gains et pertes inégales pour chaque partie.

Négociation bilatérale

Entente à somme variable ou
entente à somme nulle : gains pour une partie et pertes pour l'autre.

problème à résoudre et la façon de parvenir à un règlement. Tous admettent que la conclusion d'une entente requiert des concessions préalables de la part des parties et le recours au marchandage dans plusieurs cas. Les accords d'Oslo de 1992 et les accords de Dayton de 1995 sont souvent cités comme exemples d'ententes inachevées qui ont marqué le début d'un processus de marchandage entre les États impliqués[31].

La portée du droit international

Le droit international public est à la fois le fondement et le résultat des négociations internationales. Ses principaux éléments constitutifs sont les coutumes, soit les comportements des États durables dans le temps qui ont acquis une portée juridique, et les ententes juridiques (conventions, traités, Chartes, protocoles, etc.) conclues par les États dans un cadre bilatéral ou multilatéral. Les sources auxiliaires du droit international sont la doctrine, soit les interprétations que font les spécialistes de ses règles, et la jurisprudence, soit l'ensemble des décisions et arbitrages édictés par les tribunaux internationaux[32].

Si, comme le soutiennent plusieurs spécialistes, tous les actes juridiques du droit international sont le résultat d'une négociation visant à solutionner un différend entre États[33], et si une négociation sérieuse n'est possible que lorsque les parties ont des intérêts communs à trouver un arrangement ou un intérêt complémentaire à échanger des concessions, il faut conclure que l'extension de la portée du droit international dans les relations diplomatiques dépend de l'approfondissement de la convergence des intérêts des États, processus lui-même lié à la nature des transformations de la société internationale. Selon les réalistes et les néoréalistes, les transformations qu'a connues la société internationale au cours du xxᵉ siècle n'ont pas atténué les contradictions entre les intérêts nationaux des États souverains, de telle sorte que la diplomatie demeure fondée sur la puissance[34] ou sur la persuasion, le compromis et la menace d'user de la force armée[35]. Selon les néolibéraux, par contre, les changements qui ont marqué l'évolution du système international depuis 1945 ont considérablement renforcé l'interdépendance et les intérêts communs des États, favorisant une plus grande coopération des gouvernements et la multiplication des ententes juridiques bilatérales et multilatérales. Selon eux, la diplomatie est donc beaucoup plus aujourd'hui qu'hier déterminée par le droit international.

Si ces controverses doctrinales tiennent aux *a priori* normatifs des différentes écoles de pensée, elles sont également alimentées par l'interprétation que font les auteurs des problèmes posés par l'application du droit international. Pour les réalistes, ces derniers témoignent de l'inefficacité du droit international ; pour les néolibéraux, il s'agit de difficultés qui peuvent être solutionnées avec le temps et qui ne remettent pas en question les progrès du droit dans les relations diplomatiques. Parmi les nombreux problèmes qui limitent la portée du droit international, sept sont particulièrement importants.

Premièrement, les seules ententes juridiques internationales que les États doivent obligatoirement appliquer sont celles qu'ils ont librement ratifiées. Les États peuvent négocier et signer une entente sans la ratifier. Lorsque le nombre des États qui a ratifié une entente est insuffisant, celle-ci ne peut entrer officiellement en vigueur. Cependant, les États qui ont ratifié cette entente peuvent l'appliquer, ce qui incite souvent d'autres États à la ratifier. Ainsi, bien que le protocole de Kyoto ne soit toujours pas en vigueur, en 2004, il est appliqué depuis 2002 par les pays qui l'ont ratifié, notamment les pays de l'UE et le Canada. À l'exception des résolutions du Conseil de sécurité de l'ONU, les actes juridiques adoptés par les OI universelles n'ont pas de caractère obligatoire pour les États. Il en est de même pour les actes des OI régionales, sauf s'ils ont été entérinés à l'unanimité par les États membres, comme c'est le cas pour plusieurs décisions du Conseil de l'UE.

Deuxièmement, les possibilités de sanctions dont dispose la communauté internationale à l'égard d'un État qui viole une entente juridique obligatoire sont restreintes. Comme nous l'avons vu dans le chapitre deux, à l'exception de la CJE (dont la compétence s'étend uniquement aux États membres de l'UE), les cours internationales et les tribunaux d'arbitrage des OI n'ont pas la capacité d'imposer une sanction à un État. Ils portent un jugement sur les litiges qui leur sont soumis, se prononcent sur le degré de culpabilité des parties au litige, mais n'imposent pas de sentence comme les tribunaux nationaux. En revanche, les OI et les États peuvent adopter des représailles à l'égard d'un État qui contrevient à une entente obligatoire: suspension ou expulsion de l'organisation, décret d'un embargo économique, sanctions commerciales, suppression de l'aide, etc. À ces représailles s'ajoutent généralement des coûts non quantifiables pour l'État en faute: opposition éventuelle de son opinion publique, perte de légitimité, de prestige, et d'influence sur le plan international, etc. Toutefois, l'efficacité de ces pénalités est relative. D'une part, plus un État est puissant, moins il est susceptible d'être réprimandé par la communauté internationale. D'autre part, en raison de leurs intérêts divergents, les États s'avèrent souvent incapables d'adopter des sanctions et de les appliquer de manière conséquente. Enfin, les États visés peuvent refuser de se soumettre à une entente obligatoire malgré les représailles encourues. C'est le cas de l'Irak qui, au cours des années 1990, a refusé d'obtempérer pleinement aux résolutions 688 et 715 du Conseil de sécurité, malgré les mesures d'embargo que ce dernier lui a imposées en guise de représailles[36].

Troisièmement, il existe une disparité entre le droit interne des États et le droit international. D'une part, les règles du droit international ne sont pas hiérarchisées ou soumises à l'autorité d'une constitution comme les lois nationales d'un pays, ce qui implique que les contradictions et incohérences entre ces règles sont plus difficiles et plus longues à résoudre. Il faut ou adopter un nouvel acte juridique ou attendre que le comportement répété des États—la coutume—solutionne ce problème en pratique. D'autre part, si en principe tout État est tenu d'adapter ses lois internes aux dispositions des actes obligatoires du droit international qu'il a ratifiés, il peut en pratique refuser de le faire, malgré le risque d'être critiqué, poursuivi et sanctionné par les autres États.

Quatrièmement, la légitimité du droit international est limitée car un grand nombre d'actes juridiques et de coutumes reflètent les intérêts des grandes puissances plutôt que ceux de tous les États.

Cinquièmement, le droit international est incomplet car de nombreuses questions et problèmes n'ont jamais fait l'objet de législations.

Les principales limitations à l'application du droit international sont néanmoins l'absence d'une police supranationale et la souveraineté des États. Le chapitre VII de la Charte de l'ONU interdit à tout État membre et non membre et à toute OI de recourir unilatéralement à la force armée contre un ou plusieurs États, sauf en cas de légitime défense, c'est-à-dire la riposte à une agression ou la prévention d'une agression dont l'imminence est corroborée par des preuves solides. Dans un ou l'autre cas cependant, l'État ou l'OI concerné doit aviser immédiatement le Conseil de sécurité de ses intentions et obtenir de ce dernier une résolution d'appui à son intervention le plus tôt possible. Les mesures de légitime défense prises par tel État ou OI n'affectent en rien le pouvoir et le devoir du Conseil de sécurité d'intervenir pour préserver la paix. Cependant si ces règles sont violées, il n'est pas assuré que le ou les États en faute soient sanctionnés par l'ONU car il faut que les États membres du Conseil de sécurité s'entendent sur l'application de cette sanction, ce qui n'est pas aisé compte tenu de leurs intérêts divergents. Lorsqu'en 1999, l'OTAN a décidé de bombarder la Serbie, non pas au nom du principe de la légitime défense, mais afin de faire cesser les exactions de l'armée serbe contre les Albanais au Kosovo, le Conseil de sécurité n'a pu ni appuyer cette intervention, en raison de la menace de veto de la Chine et de la Russie, ni la condamner, en raison de l'appui dont elle bénéficiait de la part de la France, du Royaume-Uni et des États-Unis. Lorsque les États-Unis ont attaqué l'Irak en mars 2003, sans avoir prouvé aux yeux de la majorité des membres du Conseil de sécurité l'imminence d'une agression du régime de Saddam Hussein contre leur territoire, le Conseil de sécurité n'a pas été en mesure de sanctionner cette action initiée par deux de ses membres permanents : les États-Unis et le Royaume-Uni. Les incertitudes et difficultés du maintien de la paix par les OI favorisent la persistance du recours unilatéral à la force armée par les États. De toutes les régions du globe, l'Europe est celle où un tel comportement a été le moins fréquent car, parmi toutes les OI stratégiques, l'OTAN est celle qui dispose de la capacité d'intervention la plus efficace en raison de l'hégémonie américaine et de la force des intérêts communs et des liens qui unissent les États-Unis aux autres États membres de l'alliance (Canada et pays de l'Europe occidentale et centrale).

Il faut enfin rappeler que, depuis 1945, la plupart des conflits armés sont de nature interne plutôt qu'internationale. Or le droit international n'autorise pas les OI à intervenir dans les affaires intérieures d'un État souverain, sauf si ce dernier en fait la demande. Cette situation a favorisé l'internationalisation officieuse *de facto* — ainsi que l'aggravation et la prolongation — de nombreux conflits internes, en incitant les États tiers, dont les intérêts étaient concernés, à s'impliquer dans ces conflits par le biais d'un appui (financier, militaire et logistique) à tel ou tel groupe de belligérants local.

Depuis la fin de la guerre froide, toutefois, la souveraineté des États n'est plus aussi intangible qu'auparavant. La communauté internationale reconnaît désormais qu'il est légitime pour une OI de maintien de la paix d'intervenir militairement dans un pays pour des motifs humanitaires, même si ce dernier s'y oppose. C'est au nom de ce principe qu'ont été réalisées les opérations de l'ONU en Somalie (1992) et en Bosnie-Herzegovine (1992) et au Timor oriental (2000). Il ne faut pas, cependant, surestimer l'importance du droit d'ingérence dans les affaires intérieures d'un État au nom de motifs humanitaires. Il est vrai que cette nouvelle vision du droit international, inspirée des idées libérales pour lesquelles les intérêts des individus priment sur ceux des États, a acquis une audience sans précédent au sein des OI et des ONG durant les années 1990, dans un contexte marqué par la défaite du communisme et les progrès de la libéralisation économique et de la démocratisation politique. Mais il est aussi vrai que cette nouvelle vision du droit a été utilisée par les États les plus puissants pour défendre leurs orientations de politique étrangère et leurs intérêts. Ainsi, les interventions de l'OTAN au Kosovo et de l'ONU en Somalie n'auraient pu avoir lieu sans l'aval des États-Unis. Lorsque les intérêts des grandes puissances sont menacés ou non concernés par un conflit interne, le droit d'ingérence pour des raisons humanitaires perd de son importance. Le refus des membres permanents du Conseil de sécurité d'intervenir pour empêcher le génocide au Rwanda, en 1994, en est sans doute la preuve la plus éloquente et dramatique[37].

En conclusion, on retiendra que si la diplomatie consiste à résoudre les conflits entre États par la négociation plutôt que par la force des armes, les négociations interétatiques ne sont pas uniquement fondées sur le droit international. Elles impliquent parfois le recours à des procédés illégaux et violents. Au cours de la période postérieure à 1945, les relations diplomatiques ont connu un développement sans précédent en raison de la multiplication des négociations et ententes juridiques interétatiques dans tous les domaines. Ces ententes ont considérablement élargi l'étendue du droit international. Cependant, la portée et l'efficacité de ce dernier demeurent limitées en raison de la souveraineté des États. Si celle-ci s'est érodée, elle n'en reste pas moins le principe charnière des relations internationales, ce qui explique la persistance du recours à la force.

Le rôle et le personnel des missions diplomatiques

La politique étrangère est mise en œuvre par les autorités centrales de l'État et leurs représentants. L'éventail de ces représentants est très large. Il comprend les fonctionnaires du ministère des Affaires étrangères qui travaillent dans les ambassades, les consulats, les délégations auprès des OI et autres missions diplomatiques de l'État. Il inclut également les membres de toutes les institutions de l'appareil gouvernemental (armée, services de renseignement et de sécurité, agences d'aide au développement, ministères) qui sont impliqués dans l'action internationale que mène l'État en dehors du circuit des missions diplomatiques. Enfin, il comprend toutes les personnes extérieures à l'appareil gouvernemental auxquelles les dirigeants politiques peuvent confier des missions internationales officielles ou officieuses, publiques ou secrètes, *ad hoc* ou prolongées : par exemple, des universitaires et des chercheurs qui sont embauchés à titre d'experts dans des négociations commerciales, des gens d'affaires et des responsables d'ONG qui sont impliqués dans des projets de développement et de coopération économique. Dans cette section, nous nous intéresserons uniquement au rôle et au personnel des missions diplomatiques.

Bien que le rôle des missions diplomatiques au sein des OI soit devenu de plus en plus important au fil du temps, nous focaliserons notre attention sur les ambassades et les consulats qui demeurent des instruments essentiels d'application de la politique étrangère des États. Ces entités sont « des délégations permanentes formées principalement d'agents diplomatiques, mais comprenant également du personnel administratif et technique et du personnel de service[38] ». Leurs modalités d'établissement, le régime des relations qu'elles entretiennent avec l'État hôte, le rôle de leurs agents diplomatiques et le statut de leur personnel sont réglementés par la Convention de Vienne sur les relations diplomatiques et la Convention de Vienne sur les relations consulaires, entrées en vigueur respectivement en 1964 et 1967[39].

Les ambassades. Les fonctions d'une ambassade consistent principalement à : (1) représenter l'État accréditant auprès de l'État accréditaire ; (2) protéger les intérêts de l'État accréditant et de ses ressortissants dans les limites du droit international ; (3) négocier des ententes avec l'État accréditaire ; (4) s'informer par tous les moyens licites de l'évolution de la situation dans l'État accréditaire et faire rapport à l'État accréditant ; (5) encourager des relations amicales et développer des relations économiques, culturelles et scientifiques entre l'État accréditant et l'État accréditaire. Au surplus, toute ambassade peut remplir les fonctions d'un consulat. C'est généralement le cas lorsqu'un État n'a pas de consulat dans un pays ou lorsque sa ou ses missions consulaires ne suffisent pas à la tâche. Toute ambassade est dirigée par un chef de mission (ambassadeur). Le nombre de diplomates et d'employés affectés à des tâches administratives et techniques varie selon l'importance accordée par l'État à chacune de ses ambassades.

L'établissement de relations diplomatiques entre deux États se fait par consentement mutuel. Un État peut poser des conditions à l'établissement de ces relations. Ainsi, la RPC a exigé que le Canada s'engage par écrit à ne pas reconnaître officiellement le gouvernement de Taiwan avant d'accepter de nouer des relations avec Ottawa, en 1970. En outre, tout État peut décider d'établir des relations diplomatiques *de jure* (sans ambassade) ou *de facto* (avec ambassade) avec un autre État. En fait, aucun pays ne possède des ambassades dans tous les pays. Ce sont évidemment les États les plus riches et les plus influents qui ont le réseau d'ambassades le plus étendu. La pratique veut que lorsqu'un État n'a pas d'ambassade dans un pays, il confie à un État ami le mandat de protéger ses intérêts et ceux de ses ressortissants. En cas de guerre, un tel mandat est souvent confié à un pays neutre ou à une OI humanitaire telle la Croix-Rouge. L'ambassadeur n'est désigné que lorsqu'il est agréé par l'État d'accueil. Chaque État peut décider du niveau ou de l'importance de son ambassade, mais le pays hôte peut fixer des règles minimales à cet égard.

En vertu du principe d'extraterritorialité, chaque État exerce une pleine souveraineté sur le territoire et l'édifice de son ambassade (située obligatoirement dans la capitale) et de son consulat (installé dans la capitale ou une autre ville). Ceci signifie qu'ils ne peuvent faire l'objet d'aucune perquisition, réquisition, saisie ou autre mesure d'intervention de la part du pays hôte. Lors de la révolution islamiste de 1979, en Iran, les partisans de l'ayatollah Khomeiny ont organisé un blocus autour du territoire de l'ambassade des États-Unis, accusés d'avoir soutenu le régime honni de Rizäh Chäh Pahlavi, mais ils n'ont pas pénétré dans l'ambassade américaine. Les États-Unis ont par la suite organisé une opération militaire pour délivrer leurs diplomates pris en otage mais celle-ci a échoué. Durant les années 1980, un incendie a ravagé l'immeuble du consulat soviétique à Montréal. En dépit du danger de propagation du feu aux immeubles voisins, les pompiers n'ont pu intervenir en raison de l'opposition des diplomates soviétiques qui craignaient que des documents confidentiels ne tombent entre des mains étrangères. À la suite de la guerre Iran-Irak (1980-1988), l'Irak a mis fin à ses activités consulaires à Montréal sans pour autant se départir de son immeuble. Malgré la dégradation de ce dernier et les risques qu'il présentait pour la sécurité publique, la ville de Montréal n'a pu intervenir en raison de la souveraineté de l'Irak sur cet édifice. L'interdiction pour un pays hôte d'intervenir sur le territoire d'une ambassade s'applique également aux sièges sociaux des OI. Au tournant des années 1990, l'Assemblée générale de l'ONU a invité Yasser Arafat à prononcer un discours devant ses membres. Le gouvernement américain, opposé à cette visite mais n'ayant pas juridiction sur l'édifice des Nations Unies à New York, a menacé d'arrêter Yasser Arafat lors de son atterrissage sur le sol américain, ce qui a conduit l'Assemblée générale à déplacer ses assises à Genève. En raison de leur immunité, les ambassades servent souvent d'asile pour les personnes persécutées par les autorités du pays hôte. Ainsi, en 1973, lors du coup d'État du général Pinochet au Chili, plusieurs citoyens chiliens ont trouvé refuge à l'ambassade canadienne à Santiago. L'ambassadeur canadien en Iran a également accueilli et fait sortir clandestinement d'Iran plusieurs Américains menacés par le régime khomeinyste.

Les mesures prévues par la Convention de Vienne de 1964 en cas de conflit entre l'État accréditaire et l'État accréditant sont limitées. L'État accréditaire peut à tout moment expulser les membres du personnel d'une ambassade—ou d'un consulat—jugés *personæ non gratæ*. L'État accréditant doit alors rappeler les personnes visées par cet ordre sous peine de voir l'État accréditaire cesser de reconnaître leur statut diplomatique. Généralement, l'État accréditant s'exécute tout en adoptant des mesures d'expulsion équivalentes à l'encontre des diplomates de l'État accréditaire. Le rappel des ambassadeurs est une procédure couramment utilisée par l'État accréditant pour signifier à l'État accréditaire son désaccord avec l'une ou l'autre de ses politiques. En cas de conflit très grave, l'État accréditant peut aussi fermer son ambassade.

Les consulats L'établissement de relations consulaires repose sur le consentement mutuel des États. Sauf indication contraire, un État peut ouvrir un ou plusieurs consulats dans un pays lorsqu'il dispose déjà d'une ambassade dans ce dernier. Toutefois, la présence d'une ambassade n'est pas une condition *sine qua non* à l'ouverture d'un consulat. Un État peut confier à un consulat la mission de le représenter dans plus d'un pays bien qu'il n'ait pas d'ambassade dans chacun d'entre eux. Il faut toutefois que les États concernés y consentent. Le nombre de consulats dont dispose un État dans un pays est fonction de divers critères : ses ressources financières, le nombre de ses ressortissants séjournant dans ce pays, l'importance des relations, notamment économiques, qu'il entretient avec ce dernier. À l'instar d'une ambassade, le consulat d'un État peut également représenter les intérêts d'un État tiers et ceux de ses nationaux si l'État d'accueil ne s'y oppose pas. La rupture des relations diplomatiques n'entraîne pas *ipso facto* la fermeture des consulats des États impliqués. Chaque consulat est dirigé par un chef de mission (consul).

Les fonctions consulaires, qui peuvent être exercées par des ambassades, consistent notamment à : (1) protéger les intérêts de l'État accréditant et de ses ressortissants dans les limites du droit international ; (2) favoriser le développement de relations commerciales, économiques, culturelles, scientifiques et amicales entre l'État d'envoi et l'État hôte ; (3) s'informer, par tous les moyens licites, de l'évolution de la situation économique, commerciale, culturelle et scientifique de l'État hôte et faire rapport à l'État d'accueil; (4) délivrer des passeports aux ressortissants de l'État d'envoi ainsi que des visas et autres documents de voyage aux ressortissants de l'État hôte; (5) agir en qualité de notaire ou d'agent de l'administration civile dans la mesure où les lois et règlements de l'État hôte l'autorisent; (6) représenter les ressortissants de l'État accréditant devant les tribunaux de l'État hôte; (7) contrôler et inspecter les bateaux et avions ayant la nationalité de l'État d'envoi lors de leur présence sur le territoire de l'État hôte. Lorsqu'un État ne dispose pas d'une ambassade dans un pays, il peut demander à son consulat ou au consulat d'un État tiers d'assumer les fonctions d'une ambassade.

Le personnel des missions diplomatiques. Le personnel des ambassades comprend les personnes qui ont le statut de diplomate, les administrateurs et techniciens, et les employés de service. Les diplomates, qui sont obligatoirement des citoyens de l'État accréditant alors que les autres employés sont souvent des ressortissants de l'État accréditaire, assument les fonctions de représentation propres aux ambassades décrites ci-dessus. Compte tenu que les délégations des États au sein des OI sont équivalentes à des ambassades, plusieurs de leurs membres ont également un statut de diplomate. Dans la hiérarchie des diplomates, le poste le plus élevé est celui d'ambassadeur, le poste de chargé d'affaires est le second en importance. Le personnel des consulats inclut les citoyens de l'État accréditant qui ont le statut de fonctionnaire consulaire et les administrateurs, techniciens et employés de soutien qui sont souvent des ressortissants de l'État accréditaire. Les fonctionnaires consulaires assument les fonctions de représentation dévolues aux consulats. Au sein de la hiérarchie des fonctionnaires consulaires, le poste le plus important est celui de consul. Bien que les fonctionnaires consulaires remplissent parfois les fonctions d'un diplomate d'ambassade, ils n'acquièrent pas le statut de diplomate, sauf s'ils exercent ces fonctions au sein d'une OI.

Les diplomates bénéficient des mêmes immunités et privilèges que ceux accordés aux missions avec statut d'ambassade. Leur personne, leur domicile privé, leurs biens, leur correspondance, leurs télécommunications, leurs bagages et les documents diplomatiques qu'ils transportent—la valise diplomatique—sont inviolables. Ils ne peuvent faire l'objet d'aucune fouille, inspection, confiscation ou rétention de la part des services de sécurité des États. Les diplomates jouissent également d'une complète immunité face à la justice pénale, civile et administrative de l'État accréditaire. En revanche, ils sont soumis à la justice de leur État. Lorsqu'un membre du personnel diplomatique d'une ambassade viole une loi de l'État accréditaire, il est généralement renvoyé dans son pays d'origine et jugé par ce dernier. On se souviendra qu'en 2000, un diplomate de l'ambassade russe à Ottawa a causé la mort d'une Canadienne alors qu'il conduisait en état d'ivresse. Le gouvernement canadien l'a renvoyé en Russie après avoir obtenu l'assurance qu'il serait jugé pour son acte, malgré l'opposition des proches de la victime qui craignaient qu'il ne soit gracié en raison du laxisme des lois russes à l'égard de l'alcool au volant. Cela étant dit, en vertu de l'article 37 de la Convention de Vienne sur les relations diplomatiques, un État accréditant peut renoncer à de telles immunités pour ses diplomates. Au chapitre des privilèges, les diplomates sont exemptés des impôts et taxes de l'État accréditaire. En cas de rupture des relations diplomatiques ou de conflit armé, l'État accréditaire doit assurer la protection des diplomates de l'État accréditant et de leurs familles, et faciliter leur départ de son territoire dans les plus brefs délais.

Les immunités et privilèges des fonctionnaires consulaires sont plus restreints que ceux des diplomates. Leur immunité face à la justice pénale de l'État d'accueil est limitée. Ils ne peuvent être ni arrêtés, ni détenus de manière préventive, ni incarcérés, ni jugés sauf en cas de crime grave ou d'une décision des autorités compétentes. Leur immunité face à la justice administrative de l'État d'accueil n'est pas complète. Ils peuvent faire l'objet de poursuites pour un contrat conclu en dehors de leurs fonctions consulaires et pour un accident ayant causé des dommages à un ressortissant de l'État de résidence. Ce dernier a le pouvoir de les obliger à comparaître comme témoins dans des procès. Ils sont exemptés des impôts, des taxes et des droits de douane de l'État d'accueil. Toutefois, contrairement aux diplomates, leurs bagages personnels et ceux de leur famille peuvent être inspectés si l'État d'accueil a de sérieux motifs de croire qu'ils contiennent des objets interdits par ses lois et règlements.

L'évolution de la diplomatie

Parmi les nombreuses fonctions que doivent accomplir les diplomates et agents consulaires (voir ci-dessus), les deux plus importantes sont la négociation d'ententes favorables aux intérêts de leur État et de leurs ressortissants et la transmission de renseignements aux autorités de leur pays[40]. L'accomplissement de ces missions a toutefois considérablement évolué au cours de la période contemporaine. Aujourd'hui, les dirigeants politiques s'informent entre eux et négocient directement des ententes grâce au développement des communications par téléphone, télécopieur et courrier électronique et à la rapidité des transports par avion qui leur permet de se rencontrer plusieurs fois par année lors des sommets de chefs d'État et des nombreux forums multilatéraux. En raison de l'importance qu'a prise cette diplomatie directe (*shuttle diplomacy*), les ambassadeurs, les consuls et leurs attachés sont des agents de renseignements et de négociation moins importants qu'auparavant en ce qui a trait aux relations d'État à État. Par contre, les diplomates des délégations au sein des OI sont devenus des informateurs et des négociateurs de premier plan puisque plusieurs négociations interétatiques cruciales se font désormais dans un cadre multilatéral. Tel est notamment le cas des négociations menées au sein de l'UE, de l'OMC, du FMI et de l'Accord de libre-échange nord-américain (ALENA).

La collecte, l'analyse et la transmission d'informations sur l'évolution de la situation politique, militaire, économique et sociale du pays hôte demeure néanmoins une tâche primordiale des ambassades et des consulats. En raison de leur mission de renseignements, les diplomates sont souvent perçus comme des espions. Ce n'est pas faux. L'interdiction par les conventions de Vienne de 1964 et 1967 d'utiliser des moyens illicites, contraires aux lois et à la morale, pour se procurer des informations jugées confidentielles par l'État d'accueil, est parfois violée par les diplomates, notamment lorsqu'ils sont en poste dans un pays ennemi ou en guerre avec leur État d'envoi ou lorsque la nature autoritaire de l'État d'accueil les empêche d'obtenir l'information désirée par des voies légales.

Par ailleurs, si les agents diplomatiques et consulaires sont moins impliqués qu'auparavant dans la négociation d'ententes interétatiques, ils consacrent beaucoup plus de temps que dans le passé à la négociation d'ententes transnationales entre ONG (entreprises industrielles, financières et commerciales, institutions d'enseignement et de recherche, organismes culturels, etc.). Ils identifient les opportunités d'investissement, d'échanges, de coopération, etc., en informent les ONG de leur pays et les aident à profiter de ces opportunités par l'organisation de rencontres avec les décideurs, la représentation de leurs intérêts auprès de ces derniers, l'apport d'expertise utile aux négociations. Le développement des relations transnationales a obligé les ambassades et les consulats à acquérir de nouvelles connaissances dans de multiples domaines, notamment le commerce des biens, des services et des capitaux, les mouvements migratoires, les échanges scientifiques et culturels et la coopération dans le domaine environnemental. En fait, les ambassades et les consulats sont devenus de véritables extensions des bureaucraties nationales, des antennes des divers ministères et agences du gouvernement à l'étranger. Le profil des diplomates est donc désormais similaire à celui de la haute fonction publique. Alors qu'auparavant les diplomates étaient surtout des généralistes qui provenaient de la politique, de la philosophie ou des arts et des lettres, ce sont aujourd'hui majoritairement des spécialistes de l'économie, du droit et de l'administration. Toutefois, la science politique et les langues étrangères demeurent des voies d'accès importantes à la carrière diplomatique.

Si les compétences professionnelles exigées des diplomates ont changé, les qualités psychologiques que requièrent leurs fonctions sont demeurées les mêmes. Aujourd'hui comme hier, « les pires diplomates sont fanatiques, missionnaires et avocats ; les meilleurs sont rationnels et sceptiques vis-à-vis de la nature humaine ». « Être un bon diplomate ne signifie pas qu'il faille dire tout ce que l'on sait. » « Le diplomate idéal est tout sauf un amateur qui manque d'habileté politique. Il est expérimenté, intègre et intelligent ; par-dessus tout il ne se laisse pas influencer par ses émotions ou ses préjugés, il fait preuve d'une grande modestie dans toutes ses transactions, il est uniquement guidé par son sens du devoir, il comprend les périls de la ruse et les vertus de la raison, il fait preuve de modération, de discrétion et de tact »[41].

Parmi tous les changements qui caractérisent la nouvelle diplomatie, le plus important est sans doute sa démocratisation. La diplomatie actuelle est plus démocratique que l'ancienne diplomatie parce que les citoyens sont mieux informés du contenu, des enjeux et de l'évolution des négociations internationales. Trois raisons principales expliquent ce changement : la multiplication des réunions au sommet et des rencontres multilatérales qui sont largement couvertes par la presse écrite et électronique ; le fait que des centaines d'ONG suivent désormais de près ces négociations et diffusent leurs points de vue sur ces dernières par le biais de sommets parallèles, de manifestations et de déclarations fortement médiatisées ; la diffusion d'informations sur l'évolution de diverses négociations internationales par plusieurs gouvernements, notamment par le biais de leurs sites Internet. La nouvelle diplomatie est également plus démocratique parce que les citoyens et les ONG utilisent l'information dont ils disposent pour faire pression sur leurs dirigeants politiques et les amener à modifier l'agenda des négociations dans un sens favorable à leurs intérêts et revendications. Il demeure toutefois difficile d'évaluer les impacts de cette diplomatie transparente et publique. Selon certains spécialistes, il s'agit essentiellement d'une diplomatie-spectacle. Les véritables négociations qui débouchent sur des décisions importantes et effectives se font toujours sous le sceau du secret, ce dernier étant indispensable à l'acceptation de concessions par les parties impliquées. Selon Toma et Gorman :

> la nouvelle diplomatie a une forme hybride. Elle combine les négociations se-crètes ou privées avec des déclarations publiques sur les résultats obtenus lors de ces négociations. Les rencontres au sommet sont un bon exemple de cette forme de diplomatie, à l'exception du fait que les négociations sont conduites par des politiciens plutôt que par des diplomates professionnels. Les conférences de presse tenues à l'issue de ces sommets sont des évènements médiatiques qui distillent une information plus adaptée à l'opinion publique que liée au véritable contenu secret des négociations. Selon Russett et Starr toutefois, cette forme hybride de diplomatie peut être efficace lorsque les politiciens recourent à des déclarations publiques pour annoncer les ententes conclues lors de négociations secrètes. Selon eux, Kissinger était un maître des conversations privées et du spectacle public. Il personnifiait le retour à la diplomatie traditionnelle du passé caractérisée par de durs marchandages en privé et des ententes secrètes, qui n'étaient révélées au public qu'une fois conclues, et un style de négociation qui utilisait les menaces pour amener toutes les parties à conclure une entente impliquant des concessions et des avantages pour chacune (traduction de l'auteure)[42].

La stratégie

Il n'existe aucune définition consensuelle de la stratégie et du domaine couvert par les études stratégiques[43]. Nous nous en tiendrons ici à deux formulations : celle de Karl von Clausewitz, « la guerre est la poursuite de la politique étrangère par d'autres moyens que la diplomatie »[44] et celle de Henri Pac, « la stratégie n'est pas seulement l'art d'utiliser la guerre à des fins politiques, mais l'ensemble des moyens de défense qu'utilise un État pour protéger son territoire et ses habitants de toute agression étrangère[45] ». Si la diplomatie vise à sauvegarder ou à restaurer la paix par le dialogue et la

TABLEAU 3.2

Part en pourcentage du budget du gouvernement central consacrée aux dépenses militaires

Pays où le pourcentage des dépenses militaires était le plus élevé durant la période considérée	1992	1999
Koweït	96,3	20,8
Birmanie	74,3	-
Arabie saoudite	72,5	43,2
Soudan	64,0	46,8
Émirats arabes unis	50,1	39,6
Oman	40,2	36,3
Syrie	39,0	25,1
Érythrée	34,6	51,1
Chine	32,7	22,2
Cambodge	30,6	16,0
Yémen	29,8	18,0
Corée du Nord	28,5	-
Jordanie	27,3	27,5
Angola	24,6	41,1
Pakistan	27,9	27,9
Éthiopie	29,1	20,0
Russie	28,0	22,4
Grandes puissances occidentales		
États-Unis	21,1	15,7
Royaume-Uni	9,1	6,9
France	7,6	5,9

Source : The World Bank, *World Development Indicators 2002*, 304-305.

négociation, la stratégie cherche à préserver ou à rétablir la paix par la préparation ou la conduite de la guerre. Aucun État ne souhaite être perpétuellement en conflit avec d'autres États, les avantages à long terme de la paix étant beaucoup plus importants que ceux de la guerre.

Défense nationale et puissance militaire

La politique de défense nationale peut être définie « comme le processus par lequel l'ensemble des moyens matériels, psychologiques et politiques dont dispose un pays sont coordonnés pour assurer en permanence et contre toutes les formes d'agression la sécurité et l'intégrité du territoire, ainsi que la vie des citoyens[46] ».

L'armée (terrestre, aérienne, navale) et le système d'armements constituent l'élément central du dispositif de défense des États. Cependant, plusieurs micro-États sont dépourvus d'armée de métier et d'arsenal militaire et un grand nombre de petites et moyennes puissances, comme le Canada, ont une force militaire réduite qui sert essentiellement à préserver la sécurité des citoyens, à assurer la défense du territoire en temps de paix et à collaborer à des interventions multilatérales de maintien de la paix, d'imposition de la paix et de reconstruction nationale. Pour garantir leur protection en cas d'agression, ces États misent sur la diplomatie, leur participation à des alliances de sécurité collective et/ou la présence sur leur territoire de bases militaires étrangères. Selon Paul Kennedy, la suprématie militaire des États dépend de leur supériorité économique et technologique[47]. Cela ne signifie pas pour autant que la répartition internationale de la force militaire est conforme au clivage Nord-Sud. La moitié des pays du G-8 (Canada, Italie, Japon, Allemagne) ont un potentiel militaire de nature strictement défensive sans réel pouvoir de dissuasion. Ou ils ont choisi volontairement de limiter leurs ressources militaires (Canada, Italie), ou ils se sont vu imposer une telle limitation (Japon, Allemagne) par les puissances victorieuses de la Seconde Guerre mondiale. Par ailleurs, plusieurs NPI possèdent la bombe atomique (Chine, Inde, Israël, Pakistan) ou un programme nucléaire civil qui pourrait être utilisé à des fins militaires (notamment Cuba, l'Afrique du Sud, le Brésil et l'Argentine)[48]. Plusieurs PED disposent d'une aviation militaire et de systèmes de lancement et d'interception de missiles à plus ou moins grande portée. Divers facteurs expliquent cette situation, notamment l'existence de nombreux régimes autoritaires, l'accès facile au crédit des institutions financières durant la période 1950-1975, le fait qu'en dépit d'une diminution généralisée des dépenses militaires depuis 1975, les États impliqués dans des conflits internes ou internationaux ont continué d'accorder à ces dernières une part très importante du budget de leur gouvernement central. Le tableau 3.2 montre qu'au cours des années

1990, les États qui investissaient le plus massivement dans les dépenses militaires étaient très majoritairement situés en Afrique, au Moyen-Orient et en Asie. Les grandes puissances (URSS/Russie, Chine, États-Unis, Royaume-Uni, France) sont toutefois les principales responsables de la militarisation du Sud, d'une part parce qu'elles ont toléré ou appuyé l'accès au pouvoir de nombreux régimes autoritaires, grands consommateurs d'armements, notamment pendant la guerre froide; d'autre part, parce qu'elles ont financé la modernisation des armées et des armements de leurs alliés du tiers-monde, pendant et après la guerre froide, dans le but de s'assurer leur soutien économique et politique et de créer des débouchés pour leurs industries d'armements.

Dans l'ensemble, il demeure que la puissance militaire, qui repose désormais davantage sur la supériorité technologique des armements que sur la grandeur des armées, est actuellement monopolisée par les États-Unis, principalement, et les autres puissances permanentes du Conseil de sécurité, secondairement. Vainqueurs de la Seconde Guerre mondiale, ces États continuent d'exercer une hégémonie — inégale — à cet égard, en raison de leurs ressources économiques et de leur capacité d'innovation d'une part, et du contrôle qu'ils exercent sur la diffusion des armements, par le biais de leur industrie et de leurs programmes d'aide militaire, d'autre part.

La répartition de la puissance économique — et militaire — a toujours été inégale et elle l'est davantage aujourd'hui qu'hier. La période 1815-1945 a été caractérisée par un système multipolaire, dans le cadre duquel la suprématie militaire était partagée relativement également entre cinq pays: l'Autriche-Hongrie, la Prusse/Allemagne, la Russie, la France et la Grande-Bretagne (entre 1815 et 1918); la Russie/URSS, l'Allemagne, la France, la Grande-Bretagne et les États-Unis (entre 1918 et 1945). À ce système multipolaire a succédé un ordre bipolaire, entre 1945 et 1990, dans le cadre duquel la suprématie militaire était monopolisée par deux superpuissances: l'URSS et les États-Unis. Enfin, depuis 1990, prévaut un système unipolaire caractérisé par la suprématie militaire d'une superpuissance, les États-Unis. Selon certains néoréalistes, tels Deutsch et Singer, il s'agit là d'une évolution positive puisque plus le système d'équilibre de la puissance militaire est centralisé ou hiérarchisé, moins les risques de guerre sont élevés. À leur avis, cette théorie est confirmée par l'existence de deux guerres mondiales et de plusieurs conflits entre les États européens entre 1815 et 1945, l'absence de guerres mondiales et la réduction du nombre des conflits internationaux depuis 1945. L'hégémonie militaire des États-Unis n'a cependant pas éliminé les autres menaces à la sécurité internationale. Comme nous le verrons ultérieurement, dans le cadre du nouvel ordre unipolaire post-guerre froide, les conflits internes ou guerres civiles se sont multipliés et aggravés; la prolifération des armes nucléaires, bactériologiques et chimiques de destruction massive s'est accentuée; le combat des organisations islamistes intégristes contre les forces progressistes et modernistes du monde musulman et non musulman s'est fortement intensifié.

Sécurité collective et conflits internationaux

L'inégale répartition de la puissance militaire est à l'origine des alliances de sécurité collective. Celles-ci sont des traités d'assistance mutuelle qui obligent chaque État signataire à mettre ses forces armées au service des autres États participants en cas de conflit. Les États adhèrent à ces traités afin de renforcer leurs capacités de dissuasion et leur potentiel de riposte à une agression extérieure. Parmi toutes les alliances de sécurité existantes, l'OTAN est la seule qui possède une véritable structure militaire intégrée[49]. Si la coalition des efforts de défense des entités politiques est une pratique très ancienne, elle a pris une ampleur sans précédent au cours de la période contemporaine. En 2002, 190 États étaient membres de l'ONU, seule alliance de sécurité collective universelle, et 129 appartenaient en outre à une ou plusieurs alliances de sécurité régionales.

Les alliances stratégiques créées depuis 1945 peuvent être subdivisées en quatre groupes[50]. Les «alliances hégémoniques régionales» sont les plus nombreuses. Initiées et dirigées par l'une ou l'autre des deux superpuissances, elles visaient à maintenir la paix et la suprématie des États-Unis ou de l'URSS dans leurs zones d'influence respectives: Europe occidentale (OTAN), Amérique latine (OEA[51]), Amérique du Nord (NORAD), Pacifique Sud (ANZUS[52]), Asie du Sud-Est (OTASE[53]), Europe de l'Est (pacte de Varsovie[54]). Les petites, moyennes et grandes puissances adhérèrent à ces traités parce qu'elles estimaient que leur sécurité était sérieusement menacée par la superpuissance ennemie et/ou calculaient qu'elles perdraient d'importants avantages si elles refusaient de collaborer avec l'État hégémonique dont elles étaient dépendantes sur le plan économique, commercial, financier, technologique et politique. Le Conseil de sécurité de l'ONU est le seul exemple «d'alliance plurihégémonique universelle». Dirigé par les cinq vainqueurs de la Seconde Guerre mondiale, il vise à prévenir et à solutionner les conflits internationaux dans toutes les régions du globe grâce à la coopération des Cinq Grands et à la participation des autres membres de l'onu.

Parallèlement à ces deux types d'alliances se sont constituées des organisations de coopération politico-militaire non hégémoniques : l'ueo en 1955[55], l'oua en 1963[56], la csce/osce [1975/1994], le traité entre la Georgie, l'Ukraine, l'Ouzbékistan, l'Azerbaïdjan et la Moldavie (guuam) en 1996[57], le Pacte de stabilité avec l'Europe du Sud-Est (psese) en 2000[58]. Le but de ces coalitions est de maintenir la paix entre des États qui ont été ou sont toujours en conflit, non seulement par le biais de la coopération militaire, mais par la promotion de leur intégration économique et politique. La Politique étrangère et de sécurité commune (pesc) de l'ue, qui a remplacé l'ueo en 2000, diffère de ces trois types d'alliances. Compte tenu que le processus d'intégration européenne a atteint un stade très avancé avec la création de l'Union économique et monétaire (uem) en 1999, que les États membres de l'ue entretiennent des relations pacifiques depuis plusieurs décennies et que la plupart ont adhéré à l'otan (voir tableau 3.3), la finalité de la pesc n'est ni de garantir la stabilité et l'harmonie au sein de l'ue, ni de concurrencer l'otan. Le Traité sur l'Union européenne (tue), duquel émane la pesc, est très explicite sur ce dernier point.

> La politique de l'Union... n'affecte pas le caractère spécifique de la politique de sécurité et de défense de certains États membres, elle respecte les obligations découlant du Traité de l'Atlantique Nord pour certains États membres qui considèrent que leur défense commune est réalisée dans le cadre de l'otan et elle est compatible avec la politique commune de sécurité et de défense arrêtée dans ce cadre (tue, article 17, paragraphe 1).

L'objectif de la pesc est de transformer l'uem en une union politique par l'unification des politiques étrangères et de défense des États membres, afin de renforcer la position et l'influence de l'Europe, au sein de l'otan et du système international[59].

L'après-guerre froide a été principalement caractérisé par une modification du réseau des alliances de sécurité en Europe. Le pacte de Varsovie et l'ueo ayant été dissous, et la création de la pesc et du psese n'ayant pas pour but de concurrencer l'otan, celle-ci est devenue la principale alliance de sécurité collective en Europe occidentale et centrale. À la suite de l'élargissement de l'ue en 2004, elle regroupe 19 États membres de l'ue, les

TABLEAU 3.3

Membres de l'Union européenne et de l'OTAN

2002			2004		
États membres de l'UE et de l'OTAN	États membres de l'UE non membres de l'OTAN	États membres de l'OTAN non membres de l'UE	États membres de l'UE et de l'OTAN	États membres de l'UE non membres de l'OTAN	États membres de l'OTAN non membres de l'UE
Italie	Autriche	États-Unis	Italie	Autriche	États-Unis
France	Suède	Canada	France	Suède	Canada
Allemagne	Finlande	Islande	Allemagne	Finlande	Islande
Belgique		Turquie	Belgique	Chypre	Turquie
Luxembourg		Norvège	Luxembourg	Malte	Norvège
Pays-Bas		République tchèque	Pays-Bas		Roumanie
Royaume-Uni		Hongrie	Royaume-Uni		Bulgarie
Danemark		Pologne	Danemark		
Grèce			Grèce		
Portugal			Portugal		
Espagne			Espagne		
			République tchèque		
			Hongrie		
			Pologne		
			Slovénie		
			Slovaquie		
			Lituanie		
			Estonie		
			Lettonie		

États-Unis, le Canada, l'Islande, la Turquie, la Norvège, la Roumanie et la Bulgarie (voir tableau 3.3). La Russie n'a réussi ni à faire de la CEI[60] une alliance stratégique efficace, ni à empêcher l'OTAN d'intégrer tous les pays de l'Europe centrale et trois républiques de l'ex-URSS : la Lituanie, l'Estonie et la Lettonie. Depuis 1994, les relations entre l'OTAN, la Russie et les anciennes républiques de l'Union soviétique se sont améliorées. En 1997, a été créé le Comité permanent conjoint OTAN-Russie, remplacé en 2002 par le Conseil OTAN-Russie[61]. Quant aux autres républiques de l'ex-URSS, elles ont signé des « partenariats pour la paix » avec l'OTAN. En outre, après plusieurs tentatives infructueuses de solution des conflits entre les États de l'ex-Yougoslavie, les États membres de l'UE et la Russie qui soutenaient la Serbie ont accepté de confier la pacification des Balkans à l'OTAN, pacification qui s'est avérée plutôt fructueuse dans le cas de la Bosnie-Herzégovine et du Kosovo[62]. Les rapports entre l'OTAN et l'Europe orientale demeurent néanmoins difficiles comme l'a démontré le sommet de l'OTAN à Prague, en novembre 2002. Les chefs d'État de l'Ukraine et de la Biélorussie n'ont pas été invités à ces assises, l'OTAN étant en profond désaccord avec les politiques intérieures autoritaires de ces deux républiques. Par ailleurs, l'absence du président Poutine a été interprétée comme le signe du désaccord de la Russie avec l'admission, en 2004, des trois républiques baltes.

Le sommet de Prague a confirmé la suprématie de l'OTAN en Europe et la pérennité du leadership américain au sein de l'organisation, malgré l'augmentation du poids des partenaires européens. Mais il a aussi démontré la persistance des tensions entre l'OTAN et les États membres de la CEI ainsi que l'existence de divergences au sein de l'OTAN, quant aux orientations futures de l'Alliance. Plusieurs États membres ont adhéré avec réticence aux propositions faites en ce sens par les États-Unis : augmentation des contributions des États membres afin de moderniser les armées de l'OTAN ; création d'une nouvelle force de 21 000 soldats, rapidement mobilisable pour des missions de combat potentielles partout dans le monde. L'objectif de ces changements est « de redonner corps à l'Alliance atlantique, créée en 1949 pour contrer la menace soviétique, en la dotant de nouveaux moyens et de nouvelles missions afin qu'elle puisse lutter plus efficacement contre le terrorisme et les armes de destruction massive[63] ».

En dehors de l'Europe, les incidences de la fin de la guerre froide sur les alliances de sécurité ont été moins significatives. La prépondérance stratégique des États-Unis en Asie de l'Est a connu un certain déclin, avec la dissolution de l'OTASE (en 1977) et de l'ANZUS (en 1987), le démantèlement des bases militaires américaines aux Philippines et la volonté de plus en plus clairement affirmée du Japon et de la Corée du Sud de contrôler seuls leur système de défense. Dans les deux Amériques, les États-Unis ont conservé leur hégémonie stratégique, grâce au NORAD et à l'OEA. Mais ils ne sont pas parvenus à contrôler le directoire des Cinq Grands du Conseil de sécurité de l'ONU et n'ont pas été en mesure non plus d'impulser la création de nouvelles organisations de sécurité favorables à leurs intérêts en Asie centrale et en Afrique.

Selon plusieurs néoréalistes, le bilan de la sécurité collective à l'époque contemporaine confirme la théorie de la stabilité hégémonique selon laquelle les alliances de sécurité hégémoniques sont des instruments de maintien de la paix plus efficaces que les alliances plurihégémoniques ou non hégémoniques. Depuis 1950, aucun conflit armé ne s'est produit entre les États membres du Pacte de Varsovie[64], de l'OTAN, de l'OEA, du NORAD, de l'OTASE et de l'ANZUS. En outre, les régions placées sous l'autorité de ces organisations n'ont pas connu de guerres interétatiques, à l'exception de l'Indochine[65] et des îles Falklands[66]. Par contre, en Afrique et dans la plus grande partie de l'Asie, où le maintien de la paix était la responsabilité de l'OUA et de l'ONU, le nombre des conflits militaires internationaux a été élevé[67]. Aucune alliance de sécurité hégémonique n'a pu être instituée dans ces deux régions qui, n'ayant fait l'objet d'aucun partage entre les puissances victorieuses de la Seconde Guerre mondiale, sont demeurées le théâtre des rivalités entre les États-Unis, l'URSS puis la Russie, les grandes puissances européennes et la RPC. Bien que les néolibéraux ne contestent pas le bien-fondé de cette explication, ils considèrent que la pacification de l'Europe et des Amériques, et la poursuite de la guerre en Afrique et en Asie, ne peuvent être attribuées uniquement à la présence ou à l'absence d'alliances de sécurité régionales hégémoniques. Selon eux, la coopération internationale, tant au plan stratégique que diplomatique, ne dépend pas uniquement du leadership d'un *hegemon*; elle est également déterminée par la convergence des intérêt des États, elle-même proportionnelle à leur niveau d'interdépendance, notamment économique. Les progrès du développement et la création d'un grand nombre d'OI vouées à la coopération et à l'intégration économique en Europe et dans les Amériques (voir tableaux 2.2 et 2.3) ont renforcé l'interdépendance, les intérêts communs et la volonté de vivre en paix des pays de ces deux continents. L'absence d'une telle dynamique en Afrique et en Asie centrale et orientale a favorisé la persistance des inégalités, des conflits d'intérêts et des guerres interétatiques dans ces régions du globe.

La complémentarité des théories néoréaliste et néolibérale (voir chapitre 1) est reconnue par un large éventail de spécialistes et d'acteurs politiques. La sécurité est désormais de plus en plus envisagée comme un phénomène indissociable de l'intégration économique. Le succès de la construction de l'UE qui, dès ses débuts, a eu pour objectif primordial de restaurer une paix permanente entre les États membres sert aujourd'hui d'exemple à de nombreuses alliances (OEA, GUUAM, PSESE) centrées non seulement sur la coopération militaire, mais aussi sur l'intégration économique des États membres.

Les guerres civiles

Depuis 1945, les alliances de sécurité hégémoniques régionales et les progrès du développement et de la coopération économique ont permis de réduire fortement le nombre des conflits interétatiques, soit les guerres entre les gouvernements des États souverains, dans toutes les régions sauf en Asie et en Afrique. Par contre, on a assisté à une augmentation très importante des conflits internes ou des guerres civiles dans toutes les régions du globe sauf en Amérique du Nord et en Europe occidentale. Considérées comme des phénomènes strictement nationaux, les guerres civiles ont longtemps été ignorées par les spécialistes des relations internationales. Ce n'est plus le cas aujourd'hui. Désormais, non seulement admet-on que les conflits internes ont des causes et une portée internationales, mais on les considère comme une des principales menaces à la sécurité globale. Ce changement de perception est lié à la fin de la guerre froide qui a entraîné une multiplication des guerres civiles et une remise en question de l'intangibilité de la souveraineté des États (voir chapitre 2). Si tous les auteurs admettent qu'il existe plusieurs types de guerres civiles, aucune classification de ces dernières ne fait cependant consensus. Néanmoins, plusieurs ouvrages différencient ces guerres en tenant compte de la nature des acteurs impliqués et des buts qu'ils poursuivent[68].

Les acteurs et les objectifs des guerres civiles. Les conflits interétatiques impliquent les gouvernements des États souverains et visent à défendre les intérêts économiques et/ou géopolitiques de ces derniers. Les objectifs des conflits internes, par contre, varient selon la nature des acteurs non gouvernementaux qui les initient et les dirigent. En se basant sur ce critère, on peut identifier quatre types principaux de conflits internes : les guerres révolutionnaires, les guerres de décolonisation, les guerres de sécession et les guerres identitaires.

Une guerre révolutionnaire est une insurrection armée menée par un parti ou une organisation, avec l'appui d'une proportion plus ou moins importante de la population, dont l'objectif est la prise du pouvoir et la transformation radicale du système politique et économique (ex. : la lutte du parti communiste chinois contre le parti nationaliste de Chiang Kai-shek [1945-1949] ; la révolution islamiste de 1978 en Iran). Une guerre de décolonisation est une lutte armée que mène un parti ou une organisation avec l'appui de la population contre une administration coloniale, un pouvoir néocolonial ou une force d'occupation étrangère, dans le but de réaliser l'indépendance du pays. Les mouvements de résistance contre les troupes d'occupation allemandes et japonaises durant la Seconde Guerre mondiale, les soulèvements contre les puissances coloniales française, britannique, belge, hollandaise et portugaise en Asie et en Afrique, au cours de la période 1950-1975, les luttes contre l'intervention ou la domination américaine en Indochine et en Amérique centrale, au cours de la même période, peuvent être associés à ce type de guerres civiles. La ligne de démarcation entre les guerres de décolonisation et les guerres révolutionnaires n'est pas toujours simple à tracer. Les partis communistes ou organisations sympathiques au communisme ont été, en effet, des acteurs importants ou dirigeants de plusieurs guerres de décolonisation, de telle sorte que dans plusieurs cas (ex. : Chine, Corée du Nord, Algérie, Vietnam, Cambodge, Laos, Cuba, Zimbabwe, Angola, Mozambique, Nicaragua), celles-ci ont conduit à l'instauration d'un système économique et politique de type socialiste, très différent de celui imposé par les forces coloniales, néocoloniales ou étrangères.

Une guerre de sécession diffère d'une guerre de décolonisation dans la mesure où elle est menée par un groupe ethnique minoritaire et vise à obtenir l'indépendance d'un territoire (province, république, région) qui est partie intégrante d'un État souverain. Plusieurs guerres de sécession sont également des guerres identitaires lorsqu'elles impliquent des affrontements entre l'ethnie qui veut se séparer et les autres groupes nationaux opposés à la partition du pays (ex. : la guerre de sécession des Tchétchènes en Russie [1994...] ; la guerre de sécession des Arméniens du Haut Karabagh en Azerbaïdjan [1988-1994]; le soulèvement sécessionniste de plusieurs provinces contre le gouvernement central du Congo [1960-1963]; les guerres de sécession de la Croatie et de la Bosnie-Herzégovine contre la Yougoslavie [1991-1995]). On qualifie de guerres identitaires les heurts violents entre deux ou plusieurs factions de la population d'un État qui sont motivés par des animosités raciales, ethniques, religieuses, linguistiques, socioéconomiques ou politiques. La ou les factions à l'origine de ces guerres, souvent liées au pouvoir politique, cherchent à réprimer, affaiblir, chasser ou éliminer physiquement (nettoyage ethnique, génocide) une ou d'autres factions dont les caractéristiques identitaires sont différentes des leurs, pour des motifs purement racistes et/ou pour des raisons économiques et politiques. Dans certains cas, ces agressions demeurent impunies; dans d'autres, elles suscitent une riposte de nature similaire de la part des victimes. Le génocide de 800 000 Tutsis et Hutus modérés par les Hutus radicaux, au Rwanda en 1994, et les affrontements entre Hutus et Tutsis au Burundi (1994-2001) sont parmi les rares cas de guerres civiles strictement identitaires. La majorité de ces dernières, en effet, sont associées à d'autres types de guerres. Ainsi la guerre du Liban (1975-1991), qui fut principalement un conflit international, a été envenimée par des combats à caractère ethnique, religieux et politique entre chrétiens maronites, musulmans chiites, musulmans sunnites et druzes. Les guerres de sécession en Croatie, en Bosnie-Herzégovine et au Kosovo ont été accompagnées de violents heurts à caractère ethnique, linguistique et religieux entre les Serbes et les Croates; les Serbes, les Croates et les Bosniaques; les Serbes et les Albanais.

Les stratégies des guerres interétatiques et civiles[69.] On ne peut différencier les types de guerres en tenant compte de leurs méthodes de combat puisque aucune n'est exclusive à un seul type de conflit. Il est vrai néanmoins que les conflits internationaux sont dans la plupart des cas des guerres conventionnelles, alors que les conflits internes sont principalement basés sur la guérilla, les guerres de milices et le terrorisme. Compte tenu qu'elle est plus coûteuse, la guerre conventionnelle est surtout utilisée par les entités qui sont les plus puissantes sur le plan économique, technologique et militaire, donc les gouvernements des États, alors que les acteurs non gouvernementaux, qui disposent de ressources plus réduites, ont recours à des tactiques de lutte qui ne requièrent pas d'équipements militaires sophistiqués. Cela étant dit, les États se servent assez fréquemment de la guérilla, des guerres de milices ou du terrorisme pour combattre leurs ennemis extérieurs et intérieurs. De leur côté, les mouvements révolutionnaires et de libération nationale, les forces sécessionnistes et les belligérants des guerres identitaires font parfois appel à des armées régulières et à des armements conventionnels pour défendre leurs causes.

La guerre conventionnelle implique des combats directs et prolongés entre les armées terrestres, aériennes et maritimes régulières des États, soutenues par des armements conventionnels ou non nucléaires (fusils, chars d'assaut, missiles, avions d'espionnage ou de chasse, bombardiers, porte-avions, sous-marins, etc.). La guerre nucléaire est demeurée un concept théorique plutôt qu'une réalité puisque, depuis le lancement des bombes atomiques sur les villes japonaises de Hiroshima et Nagasaki par les États-Unis en 1945, cette arme de destruction massive est demeurée fort heureusement un moyen de dissuasion. Si certains États ont eu recours à des armes chimiques extrêmement nocives, comme le gaz moutarde et le napalm, aucune guerre chimique et bactériologique d'envergure ne s'est produite. Le Traité sur la non-prolifération des armes nucléaires (1968), les Traités interdisant les essais d'armes nucléaires (1963 et 1996), les Conventions prohibant la production et le stockage d'armes chimiques (1997) et biologiques (1972) ont sans aucun doute contribué à empêcher de telles guerres non conventionnelles[70].

La guérilla, qui a été la stratégie de lutte privilégiée des guerres de décolonisation du xxᵉ siècle, « est une méthode de combat fondée sur la mobilité et le harcèlement qui permet à une armée (ou à des forces militaires non régulières) de porter des coups à une armée plus puissante sans donner à celle-ci l'occasion d'une victoire décisive ». Elle est « la stratégie qu'utilisent le plus souvent les populations qui ont des structures politiques rudimentaires, et celle qu'adoptent spontanément les armées qui s'organisent de manière plus ou moins improvisée dans beaucoup de situations de guerre civile ». « Très souvent, les guérilleros entreprennent et dirigent une lutte armée à partir des régions les plus reculées du pays en s'appuyant sur les moins évolués de ses habitants et en recrutant parmi eux un grand nombre de leurs combattants. » « Une armée de guérilla parvient à résister à des forces plus puissantes grâce à la mobilité et à la dispersion, qui lui permettent de refuser le combat chaque fois qu'elle risque l'anéantissement. Elle ne peut donc exercer un contrôle permanent sur un territoire délimité mais elle ne peut pas non plus se passer de bases territoriales. » « La guérilla permet d'atteindre la victoire dans les situations où pour gagner il suffit de ne pas perdre.[71] »

Les guerres de milices sont menées par des armées privées recrutées sur une base identitaire et/ou partisane et rattachées à un clan tribal, à un groupe religieux, à une famille, à la clientèle d'un homme politique. Alors que la guérilla vise à combattre une armée nationale plus puissante sur le plan militaire, les milices ne peuvent agir que si l'armée nationale est faible ou inexistante[72]. On pourrait ajouter que l'adhésion à un mouvement de guérilla est souvent motivée par le soutien à une idéologie ou à un programme politique alors que les milices sont généralement constituées de mercenaires qui se battent pour de l'argent. En raison de ces caractéristiques, les milices sont incapables de mener par elles-mêmes une lutte de libération nationale destinée à affranchir toute une population du joug de l'oppression étrangère et coloniale[73]. Par contre, elles peuvent être utilisées pour encourager la sécession d'une ethnie, mener des guerres identitaires ou défendre les intérêts d'un groupe ethnique, religieux et/ou politique dans un conflit international lorsque l'armée de l'État où se déroule la guerre est faible ou inexistante. Les exemples les plus typiques de ces différentes situations sont la Bosnie-Herzégovine (1992-1995), la Somalie (depuis 1991) et le Liban (1975-1991).

Le terrorisme est « toute action violente qui tente de vaincre son ennemi, non en visant ses moyens d'action pour les neutraliser ou les détruire, mais en tentant de produire un effet de terreur qui agit directement sur sa volonté de poursuivre la lutte ». Contrairement à la stratégie de guerre classique, définie notamment par Clausewitz et dans le cadre de laquelle un but politique ne peut être atteint qu'en surmontant l'opposition d'un adversaire, la stratégie terroriste cherche à éviter « l'action longue, fatigante et incertaine qui est nécessaire pour détruire ou neutraliser les forces armées de l'ennemi » en plaçant ce dernier dans une situation de démoralisation qui le contraindra à capituler[74]. Parce qu'elles visent à semer la terreur, les actions terroristes sont nécessairement d'une très grande violence : assassinats sélectifs ou collectifs, enlèvements et séquestration, tortures, viols, destruction de biens (cultures, immeubles, aéronefs, navires, etc.). Dans certains cas, elles ciblent uniquement les forces politiques d'un État ennemi (militaires, diplomates, élus, policiers) ; dans d'autres, elles prennent également ou uniquement pour cibles des civils. Le terrorisme, ainsi défini, est une caractéristique des divers types de guerres civiles et des conflits internationaux. Les belligérants des conflits identitaires violents sont essentiellement des terroristes. Les guerres de milices ne sont pas uniquement fondées sur le terrorisme, puisqu'elles comportent des affrontements avec les forces armées de l'ennemi, mais elles y ont souvent recours. Plusieurs guerres de sécession, par exemple celle des Tigres de l'Elam tamoul au Sri Lanka ou celle de l'ETA en Espagne, sont exclusivement fondées sur une stratégie terroriste. Dans les guerres de décolonisation, les mouvements de libération et les États qui étaient leurs adversaires ont commis des actes terroristes (ex. : les bombardements au napalm des populations civiles par l'aviation américaine au Vietnam ; les arrestations et tortures de civils algériens par le Front de libération national et l'armée française lors de la guerre d'Algérie). Dans une guerre interétatique, certaines actions ont un caractère terroriste.

> Ce fut presque certainement le cas d'une part importante des bombardements aériens effectués contre des populations civiles pendant la Seconde Guerre mondiale. Ils n'avaient que peu d'influence sur la puissance militaire de l'ennemi, mais ils étaient supposés le faire capituler en brisant son « moral », et sans avoir à détruire préalablement ses forces armées[75].

La définition du terrorisme que proposent divers spécialistes n'est pas reconnue par la communauté internationale. Depuis 1972, date où a eu lieu le premier débat sur cette question à l'Assemblée générale de l'ONU, les États membres ne sont jamais parvenus à définir le terrorisme — et à adopter par conséquent des mesures précises de lutte contre ce dernier. Bien que la très grande majorité des États aient condamné les attentats du 11 septembre 2001 contre le World Trade Center, à New York, et le Pentagone, à Washington (DC), et que plusieurs aient adhéré à la coalition internationale contre le terrorisme formée subséquemment par les États-Unis, les divergences sur cette question ont persisté au sein de l'ONU. Aucune formulation ne fait consensus, le principal obstacle demeurant la distinction entre un groupe terroriste et un mouvement de libération. Par exemple, le Hezbollah, considéré comme une organisation de libération nationale par les gouvernements iranien, syrien et libanais, est qualifié de groupe terroriste par Israël et les États-Unis. Le Hamas est accusé de terrorisme par Tel-Aviv et Washington mais perçu comme une organisation de libération nationale par plusieurs factions de l'Organisation de libération de la Palestine. Faute de consensus sur ce qu'est le terrorisme, ce dernier n'a pu être inclus dans les crimes jugés par la CPI.

La dimension internationale des guerres civiles. Presque toutes les guerres civiles postérieures à 1945 ont impliqué l'intervention directe ou indirecte d'une ou de plusieurs puissances étrangères. Maintes raisons expliquent cette internationalisation des conflits internes. Les guerres de décolonisation, qu'il ne faut pas confondre avec les scénarios pacifiques d'accession à l'indépendance[76], ont évidemment eu un caractère international puisqu'elles se sont traduites par des affrontements directs et ouverts entre un mouvement indigène de libération nationale et l'armée coloniale. Dans plusieurs pays, en outre, l'indépendance a été suivie d'une lutte révolutionnaire, d'une guerre de sécession ou d'une guerre identitaire provoquée ou attisée par les rivalités internes et externes entre communistes et non-communistes. Dans nombre de cas, l'une et/ou l'autre des parties en conflit a fait appel à l'onu, ou à une puissance occidentale (États-Unis, France et Grande-Bretagne principalement) ou communiste (URSS, Chine) pour l'aider à triompher de son opposant. La guerre froide a donc été responsable dans une large mesure du déclenchement et de l'internationalisation d'un grand nombre de guerres civiles en Asie et en Afrique, entre 1945 et 1990.

Cependant, la fin de la guerre froide n'a pas endigué le fléau des guerres civiles. La réconciliation entre l'URSS et les États-Unis a permis de mettre fin à certaines guerres de décolonisation (Mozambique, Namibie, Angola, Érythrée) ou guérillas révolutionnaires (Salvador, Nicaragua, Guatemala). Par contre, l'accession à l'indépendance des ex-républiques de l'URSS a suscité de nouveaux mouvements sécessionnistes (ex.: Tchétchènes en Russie, Ossètes et Abkhazes en Géorgie), encouragé la poursuite de ceux existants (Arméniens en Azerbaïdjan) ou provoqué des conflits identitaires (Tadjikistan [1992-1997]). L'affaiblissement du régime communiste yougoslave a favorisé le déclenchement de guerres de sécession doublées de conflits identitaires dans les Balkans. La diminution de l'aide octroyée aux guérillas maoïstes de l'Asie du Sud-Est par la Chine a aidé à mettre fin à la prétendue guerre révolutionnaire des Khmers rouges au Cambodge, mais elle n'a pas empêché la poursuite des guérillas maoïstes en Birmanie et au Boutan. Dans plusieurs pays de cette région (Philippines et Indonésie particulièrement), les guerres civiles « révolutionnaires » ont persisté, grâce à l'obtention de nouvelles ressources et appuis fournis notamment par le trafic de la drogue et les réseaux islamistes intégristes. En Afrique, on a assisté à la continuation (Tchad, Somalie, Soudan, Maroc) ou à l'éruption (Sierra Leone, Rwanda, Burundi, Zaïre, Algérie, Zimbabwe, Côte-d'Ivoire) de guerres « révolutionnaires » sécessionnistes ou identitaires d'une violence parfois inouïe. En Amérique latine, les guérillas révolutionnaires ont perduré dans les pays andins (Bolivie, Colombie, Pérou) et au Mexique (Chiapas).

L'ingérence des puissances étrangères dans les conflits internes a toujours été principalement motivée par leurs intérêts économiques et géopolitiques. Leur implication en faveur du camp communiste ou capitaliste durant la guerre froide visait à défendre un système indispensable à la promotion de leurs intérêts nationaux. Cette logique n'a pas changé dans l'après-guerre froide. Les États ont continué d'intervenir dans les guerres civiles pour appuyer les belligérants dont les revendications et les allégeances coïncident avec leurs intérêts. Dans plusieurs cas, les États engagent encore directement leurs armées ou leurs mercenaires dans ces conflits à la demande d'une partie[77]. Dans d'autres cas, ils fournissent un soutien logistique, financier ou « humanitaire » à leurs alliés (ex. : l'opération turquoise de la France organisée dans le but de protéger les responsables hutus du génocide au Rwanda de la vengeance de leurs victimes). Les interventions des OI dans les conflits internes ne sont pas étrangères à cette logique. Au-delà des causes nobles qui légitiment leur action—défense de la paix et de la sécurité, aide à des populations civiles en détresse—, les OI cherchent à défendre les intérêts des États qui exercent une influence prépondérante en leur sein. Ainsi l'OTAN, dirigée par les États-Unis et l'UE, est intervenue dans les guerres en Bosnie-Herzégovine et au Kosovo avant tout parce que ces dernières menaçaient la sécurité de l'UE. Les missions les plus efficaces de maintien de la paix, d'imposition de la paix et de reconstruction nationale de l'ONU sont celles qui étaient appuyées par les cinq membres permanents du Conseil de sécurité (voir chapitre 2)[78].

Autres menaces à la sécurité des États

La stratégie, comme nous l'avons mentionné dans l'introduction de cette section, n'est pas seulement l'art d'utiliser la guerre à des fins politiques, mais l'ensemble des moyens matériels, psychologiques et politiques dont dispose un pays pour assurer en permanence, et contre toutes les formes d'agression, la sécurité et l'intégrité de son territoire et de ses citoyens. Les guerres interétatiques et les guerres civiles ne sont pas les seuls types de menace à la sécurité et à l'intégrité du territoire et de la population d'un État. Plusieurs autres dangers peuvent mettent en péril, tant le fonctionnement normal ou la paix d'une société, que la vie de ses citoyens, notamment : les catastrophes naturelles (inondations, tremblements de terres, ouragans, etc.), l'immigration illégale, les cyberattaques contre les systèmes informatiques et de télécommunication, les actes terroristes commis par des organisations nationales, étrangères ou transnationales, les opérations de réseaux criminels et la prolifération des armes nucléaires, bactériologiques et chimiques de destruction massive. Pour prévenir et combattre ces dangers, les États ne peuvent se fier uniquement sur leur dispositif de défense traditionnel : armées, armements et alliances de sécurité collectives. Il doivent faire appel à d'autres ressources de leur arsenal stratégique (policiers, forces de défense civile, services de renseignement et de communication, etc.) et à la collaboration des autres États, des OI et des ONG. Au cours de la période post-guerre froide, ces autres menaces à la sécurité des États et des populations n'ont pas disparu. Il est cependant difficile de savoir si leur nombre, leur étendue et leur dangerosité ont augmenté ou diminué. D'une part, à notre connaissance, il n'existe pas d'étude ayant comparé l'état de ces menaces au cours des périodes antérieure et postérieure à la chute des régimes communistes. D'autre part, il est difficile de formuler un diagnostic global sur le sujet, car certains facteurs ont contribué à aggraver ces menaces, alors que d'autres ont permis de les contrôler ou de les atténuer.

Par exemple, la libéralisation des marchés, l'ouverture des frontières, les progrès de la démocratie et l'éclatement de l'empire soviétique ont encouragé la transnationalisation des organisations criminelles et l'expansion de leurs activités, telles que l'immigration illégale, la prostitution juvénile, le trafic des drogues et le marché noir des armes de destruction massive. Cependant, les États et les OI ont amélioré leurs dispositifs de contrôle de ces activités criminelles et accepté de coopérer plus étroitement que dans le passé afin de prévenir et d'enrayer ces menaces à la sécurité internationale. Ainsi, en 1993, 130 pays ont signé la Convention sur les armes chimiques (CAC) qui renforce le protocole de Genève de 1925, et créé l'Organisation pour la prohibition des armes chimiques (OPAC) qui a le pouvoir de vérifier l'application de la CAC par les États signataires, comme l'AIEA a le pouvoir de vérifier l'application du TNP par les pays qui y ont adhéré. En 1993 également, le régime de contrôle de la technologie des missiles balistiques, adopté en 1987 et auquel ont adhéré plus de 25 pays, dont les États-Unis, le Canada, la France, l'Allemagne, l'Italie, le Japon, le Royaume-Uni, la Russie, la Chine et Israël, a été étendu aux missiles porteurs d'armes biologiques et chimiques[79]. Selon la majorité des organisations environnementales, l'augmentation des gaz à effet de serre a entraîné un réchauffement du climat et un accroissement des catastrophes météorologiques dans diverses régions du monde. Les pressions de ces organisations—dont le caractère transnational et l'influence auprès des citoyens se sont développés dans le contexte de la mondialisation—ont toutefois convaincu les États d'adopter la Convention cadre des Nations Unies sur les changements climatiques, en 1992, et le protocole de Kyoto à cette convention, en 1998, afin de réduire les émissions de gaz à effet de serre. Cent quatre-vingt pays ont signé le protocole de Kyoto et, en 2002, 99 l'avaient ratifié, dont tous les États membres de l'UE et le Canada. Depuis, ces derniers et certains des pays qui n'ont pas ratifié le Protocole de Kyoto, comme les États-Unis, ont commencé à mettre en œuvre diverses mesures concourant à réduire les gaz à effet de serre, telles que le développement d'énergies alternatives aux hydrocarbures, l'augmentation des prix de l'essence et l'instauration de politiques incitant les citoyens à délaisser la voiture au profit des transports collectifs.

La menace du terrorisme, par contre, est demeurée très préoccupante en raison de l'incapacité des États à résoudre les contentieux à l'origine de ce fléau. Comme nous l'avons indiqué précédemment, le terrorisme est une méthode de combat caractérisée par des actions très violentes qui visent à terroriser l'adversaire afin de le démoraliser et l'obliger à capituler. Le terrorisme a été et continue d'être utilisé, tant par certains États que par diverses catégories d'acteurs non étatiques (milices, mafias, organisations politiques extrémistes). Le seul élément nouveau est l'amplification, depuis une trentaine d'années, du «terrorisme international». Cette expression désigne les organisations transnationales qui prennent pour cibles, non seulement des installations et des personnes de leur pays d'origine, mais les biens et les citoyens d'origine étrangère sur leur territoire et outre-frontières[80]. Depuis 1970, le «terrorisme international» est principalement le fait de deux catégories d'acteurs. D'une part, les groupes nationalistes ultraradicaux—laïques ou islamistes intégristes—opposés à l'occupation israélienne des territoires palestiniens (Bande de Gaza, Cisjordanie, Jérusalem-Est), égyptiens (Sinaï), syriens (Golan) et libanais (sud du Liban), à la suite de la guerre des Six Jours (1967) et à celles du Kippour (1973-1978) et du Liban (1978-1990), groupes souvent soutenus par certains régimes du monde arabo-musulman, dont ceux de la Lybie, de la Syrie, de l'Irak et de l'Iran[81]. D'autre part, les mouvements islamistes intégristes wahhabites (Frères musulmans, Hamas, Djihad islamique, Al Qaeda, Jamaah Islamiyah, etc.) engagés dans une guerre sainte contre toutes les forces modernistes (socialistes ou capitalistes, occidentales ou orientales) qui s'opposent à l'Instauration de l'État islamique idéal (le dar al-islam), notamment—mais non exclusivement—au Moyen-Orient, en Asie centrale, en Afrique de l'Est et dans le sud-est asiatique.

La renaissance des mouvements islamistes intégristes, au tournant des années 1980, est liée à une conjugaison d'événements : l'échec des projets de développement des régimes nationalistes capitalistes ou «socialistes» arabes issus de la décolonisation des années 1950 et 1960, échec qui a engendré d'énormes désillusions et frustrations au sein de leurs populations ; les hausses du prix du pétrole par l'OPEP, en 1973 et 1979, qui ont considérablement enrichi les pays producteurs de pétrole, tout en donnant la possibilité aux éléments islamistes intégristes des monarchies pétrolières, notamment celle de l'Arabie saoudite, de financer la consolidation et l'expansion des partis et organisations wahhabites extrémistes ; la victoire de la révolution islamique iranienne contre le régime du Shah et les États-Unis, en 1978, qui a constitué une source d'inspiration importante pour les partisans de l'expansion du dar al-islam ; la victoire des Moudjahidines et des combattants mobilisés par les organisations wahhabites contre l'occupation soviétique en Afghanistan (1978-1990). Grâce au soutien conjugué des États-Unis, du Pakistan et de l'Arabie saoudite, les organisations islamistes intégristes afghanes et arabes ont pu, à la faveur de cette guerre, développer leur implantation dans cette région, installer des bases d'entraînement militaires, former des milliers de combattants et étendre leurs réseaux d'influence au sein des sociétés civiles et des appareils politiques des pays de l'Asie centrale[82]. Toutefois, si les organisations islamistes intégristes se sont beaucoup renforcées et développées durant les années 1980, ce n'est qu'au début des années 1990 qu'elles ont entrepris des actions terroristes contre les intérêts des États-Unis et de leurs alliés, arabes ou non arabes, au Moyen-Orient et dans d'autres régions. La principale cause de ce changement de stratégie est la Guerre du Golfe (1990-1991) et l'occupation par la coalition internationale dirigée par les États-Unis de plusieurs pays de la région, en particulier le sud de l'Irak et l'Arabie saoudite, où se trouvent les principaux lieux saints de l'islam. La perpétuation de cette occupation, après la victoire contre l'Irak, a généré en une escalade des attentats terroristes, contre les États-Unis au premier chef, dont les attaques contre le World Trade Center et le Pentagone par Al-Qaeda, le 11 septembre 2001, ont été le point culminant.

La politique adoptée par l'administration Bush, à la suite de ces attentats, a aggravé la menace du terrorisme car elle a accentué l'hostilité des organisations nationalistes et islamistes intégristes arabo-mulsulmanes contre les États-Unis et leurs alliés, tout en hypothéquant les relations de coopération des États-Unis avec plusieurs pays et oi, dont l'onu et l'ue. La décision de la Maison Blanche de riposter aux attentats du 11 septembre 2001 par l'invasion militaire de l'Afghanistan et le renversement du régime islamiste des Talibans, principal soutien de l'organisation de Oussama Ben Laden, a été appuyée par l'onu et la communauté des États. La majorité des pays ont également accepté de coopérer avec Washington pour resserrer les mesures de sécurité à l'encontre du terrorisme. Par contre, la décision de l'administration Bush, en 2003, d'envahir l'Irak sans l'aval du Conseil de sécurité et sur la base d'une présomption—l'utilisation imminente d'armes de destruction massive contre les États-Unis par le régime de Saddam Hussein—qui s'avérera sans fondement ultérieurement[83], a suscité l'opposition des opinions publiques et de la plupart des gouvernements, tout en contribuant à faire de l'Irak un foyer de lutte des forces terroristes arabo-musulmanes, comme l'avait été l'Afghanistan à l'époque de l'occupation soviétique. L'appui de l'administration Bush à la politique du gouvernement israélien d'Ariel Sharon, abandon des Accords de paix d'Oslo de 1992, éradication par la force du terrorisme palestinien, construction d'un mur entre Israël et les territoires palestiniens, maintien des colonies juives en Cisjordanie, etc., a, par ailleurs, alimenté l'hostilité des mouvements nationalistes palestiniens et islamistes intégristes contre les États-Unis, accru le ressentiment des opinions publiques arabes à l'endroit de l'Amérique et renforcé l'isolement diplomatique de Washington et de Tel Aviv au sein de la communauté internationale.

À l'instar des autres menaces à la sécurité internationale, le terrorisme ne peut être endigué ou atténué sans la coopération des États. Dans le cadre de l'ordre unipolaire, cette coopération ne peut se concrétiser sans l'adoption par la superpuissance américaine d'une politique étrangère fondée sur le multilatéralisme, notamment en ce qui concerne le Moyen-Orient et l'Asie centrale, lieux des principaux contentieux politiques à l'origine du terrorisme international. Comme le souligne Zbigniew Brezinski, les États-Unis doivent, dans leur propre intérêt et celui de la communauté internationale, abandonner leur politique de domination globale au profit d'une politique de leadership global. Ceci implique que la Maison-Blanche renonce aux doctrines unilatérales «d'attaque préventive» et de «guerre contre le terrorisme et la tyrannie» adoptées par l'administration Bush à la suite des événements du 11 septembre 2001[84].

Les conditions du maintien de la paix

Nous avons, dans le chapitre 1, exposé les thèses des diverses théories des relations internationales sur les conditions du maintien de la paix entre États. Dans cette section, nous montrerons que ces thèses sont également valables pour les guerres civiles ou les conflits au sein des États.

Selon les réalistes et les néoréalistes, la principale condition du maintien de la paix entre les États est l'équilibre de la force militaire au sein du système international grâce à la création d'alliances de sécurité collectives qui permettent aux puissances plus faibles de dissuader les grandes puissances de les attaquer. Plusieurs auteurs de cette école croient par ailleurs que ce sont les alliances hégémoniques qui sont les plus susceptibles de prévenir et de résoudre les conflits internationaux car l'*hegemon* oblige les États membres à coopérer entre eux. Qu'ils soient d'accord ou non avec la théorie de la stabilité hégémonique, tous les tenants de cette école admettent que la capacité d'action d'une alliance de sécurité repose sur la coopération ou la volonté commune des États membres.

Si les alliances de sécurité n'ont pas démontré leur capacité à prévenir les guerres civiles, elles ont prouvé leur aptitude à y mettre fin, lorsque tous les partenaires sont résolus à atteindre cet objectif, condition plus facile à réaliser dans le cadre d'une alliance hégémonique que dans celui d'une alliance plurihégémonique ou non hégémonique. C'est du moins ce que démontre le bilan des interventions de l'OTAN, de l'ONU et de l'OUA dans des guerres civiles durant les années 1990. Les deux seules interventions de l'OTAN, visant à mettre fin aux guerres civiles en Bosnie-Herzégovine et au Kosovo ont été couronnées de succès car elles ont permis de faire taire les armes entre les belligérants. Les interventions du Conseil de sécurité de l'ONU dans plusieurs conflits internes ont été fructueuses lorsque la majorité des membres du Conseil, en particulier les cinq membres permanents, ont appuyé ces interventions (ex.: Namibie, Mozambique, Angola, Érythrée, Sierra Leone, Timor oriental) mais inefficaces lorsqu'un tel appui n'existait pas (ex.: Bosnie-Herzégovine, Rwanda, Zaïre). Les efforts déployés par l'OUA pour rétablir la paix au sein des États africains ont tous été vains en raison des dissensions entre les membres de l'organisation.

Selon les libéraux et les néolibéraux, de toutes les stratégies de la politique étrangère—persuasion, pressions, coercition, sanctions, force—, la plus mauvaise est la force, car c'est celle dont l'issue est la moins prévisible et le niveau des coûts le plus élevé, pour les États et les citoyens, en toute circonstance[85]. Non seulement la guerre entre États doit-elle être évitée, mais elle peut être éliminée définitivement grâce à la mondialisation du capitalisme (industrialisation, libre-échange, intégration des marchés), qui atténue les inégalités économiques entre nations et renforce l'intérêt commun des États à coopérer, et à l'universalisation de la démocratie politique, qui oblige les gouvernements à tenir compte des intérêts fondamentaux des citoyens qui sont la prospérité et la sécurité.

Les faits démontrent que lorsqu'elles sont réalisées, ces deux conditions sont en mesure de prévenir, non seulement les conflits interétatiques, mais aussi les guerres civiles. Comme nous l'avons mentionné précédemment, ce sont dans les régions du monde où les processus de libéralisation économique et de démocratisation politique sont demeurés lettre morte ou ont le moins progressé qu'ont éclaté et perduré les guerres civiles à l'époque contemporaine: Afrique, Asie centrale, Moyen-Orient, Amérique centrale, pays andins.

En conclusion, on constate que les conditions du maintien de la paix identifiées par l'école réaliste offrent une avenue de solution aux guerres civiles, alors que les conditions du maintien de la paix définies par les tenants du libéralisme permettent de prévenir ces dernières.

L'analyse des approches postmodernistes, qui associe les guerres civiles à des conflits identitaires entre groupes ethniques, religieux et/ou linguistiques, ne contredit pas cette conclusion. D'une part, les conflits de nature strictement identitaire, si tant est qu'ils existent, peuvent être résolus par l'action concertée et résolue de la communauté internationale. D'autre part, de tels conflits peuvent être évités grâce à l'élimination des inégalités économiques et des discriminations politiques entre groupes identitaires. Selon Pascal Boniface, si la démocratie est une condition importante du maintien de la paix au sein des États et entre eux, « c'est néanmoins la richesse qui a l'effet le plus apaisant sur les velléités guerrières. Brzezinski a pu écrire que la guerre est devenue le luxe des pays pauvres. Tant que le monde sera inégal économiquement, que chaque communauté n'estimera pas qu'elle est traitée avec justice, les risques de guerres existeront[86]».

* * *

En conclusion, on retiendra que la politique étrangère est l'ensemble des institutions, des politiques et des actions qui orientent et concrétisent les relations d'un État avec les autres États. Les responsables du pouvoir exécutif sont les principaux artisans de la politique étrangère. Leurs décisions sont influencées par de multiples variables subjectives (leurs perceptions de la réalité, leur psychologie, leurs calculs d'intérêts) et objectives (les pressions provenant de l'environnement sociétal et externe, la nature du régime politique, les caractéristiques du système économique, la position géographique du pays) dont il est difficile de mesurer le poids respectif.

La politique étrangère se concrétise sous la forme de deux comportements — la diplomatie et la stratégie —, qui sont l'expression de deux attitudes contradictoires : la confiance et la méfiance. La première encourage les États à résoudre leurs différends par le dialogue et la négociation d'en tentes juridiques ; la seconde les incite à s'armer et à se coaliser afin de prévenir ou de vaincre les attaques des autres États. Quoique principalement fondée sur la confiance, la diplomatie n'est cependant pas exempte de méfiance, ce qui explique qu'elle fasse appel à la ruse, au mensonge, aux menaces et au chantage tout autant qu'au dialogue franc et ouvert. Quoique principalement fondée sur la méfiance, la stratégie est également caractérisée par la négociation de pactes de sécurité dont l'efficacité repose sur la confiance mutuelle des partenaires[87].

La diplomatie et la stratégie ont profondément évolué depuis 1945. Ce ne sont plus les ambassades et les consulats qui constituent les principaux lieux de dialogue, de concertation et de négociation entre États, mais les rencontres au sommet entre gouvernants et les forums multilatéraux. La politique stratégique des États est désormais davantage axée sur la prévention et la résolution des guerres civiles et l'endiguement des réseaux criminels et terroristes internationaux que sur la prévention et la résolution des conflits interétatiques. Les menaces à la sécurité étant maintenant globales et d'origine interne autant qu'externe, les États doivent coopérer davantage entre eux et réorganiser leurs systèmes de défense en vue d'intégrer les dispositifs voués à la protection du territoire et les institutions chargées de contrer les ennemis extérieurs. Néanmoins, les principales conditions du maintien de la paix, au sein des États et entre eux, demeurent le développement et l'intégration économique, les progrès de la démocratie et l'existence d'alliances de sécurité collectives fondées sur la coopération interétatique.

Notes

1. Janice Stein, « L'analyse de la politique étrangère : à la recherche de groupes de variables dépendantes et indépendantes », *Études internationales*, n° 3, (1971).

2. James Rosenau, « Moral Fervor, Systematic Analysis and Scientific Consciousness in Foreign Policy Research », Austin Ranney, ed., *Political Science and Public Policy* (Chicago : Markham, 1968), 197-236.

3. K.J. Holsti, « National Role Conceptions in the Study of Foreign Policy », *International Studies Quarterly*, 14, 3 (1970), 233-309.

4. Zorgbibe, *Les relations internationales*, 55.

5. « Document sur la position du gouvernement fédéral en matière de conclusion des Traités du Canada » Morin, Rigaldies et Turp, *Droit international public. Tome II*, 1.

6. À Bruxelles, 10 000 firmes de lobbying défendent les intérêts d'autant d'ONG auprès de la Commission et du Conseil de l'UE. Le nombre des firmes de lobbying qui interviennent auprès du Congrès américain et de la Maison Blanche, à Washington (DC), et auprès de l'ONU, à New York, est du même ordre de grandeur.

7. Pour une rétrospective de ces théories, voir notamment Braillard, *Les théories des relations internationales*, chap. 3, 120-376 ; Zorgbibe, *Les relations internationales*, 55-69 ; Charles-Philippe David, *Au sein de la Maison Blanche* (Québec/Nancy : Presses de l'Université Laval/Presses de l'Université de Nancy, 1994), 5-15 ; André Donneur et Onig Beylerian, « La politique étrangère : état des travaux scientifiques » Korany *et al.*, *Analyse des relations internationales*, 221-253.

8. Elle exclut les déterminants invoqués par les théories constructivistes et communautariennes. Pour s'informer sur ces dernières, voir les références bibliographiques des notes de la section consacrée aux théories critiques des relations internationales, dans le premier chapitre.

9. Kenneth Boulding, *The Image* (Ann Arbor : University of Michigan Press, 1956).

10. Zorgbibe, *Les relations internationales*, 65.

11. Voir notamment Harold Lasswell, *Psychopatology and Politics* (Chicago : Chicago University Press, 1930).

12. Anatole Rapoport, *Combats, débats et jeux* (Paris : Dunod, 1967).

13. Graham Allison, *Essence of Decision* (Boston : Little Brown and Company, 1971) ; Morton Halperin, *Bureaucratic Politics and Foreign Policy* (Washington DC : The Brooking Institution, 1974).

14. John Steinbruner, *The Cybernetic Theory of Decision* (Princeton : Princeton University Press, 1974).

15. Ce paragraphe est une citation de David, *Au sein de la Maison Blanche*, 11.

16. Parmi les multiples travaux inspirés de cette perspective, deux d'entre eux illustrent particulièrement bien l'impact des rapports de force économiques sur la politique étrangère : P. Evans, *Dependent Development, The Alliance of Multinationals, State and Local Capital in Brazil*; Wallerstein, « Tendances et prospectives de l'économie-monde », 107-121.

17. Waltz, *Theory of International Politics*; Morton Kaplan, *System and Process in International Politics* (New York : Wiley, 1967); Michael Brecher, « Système et crise en politique internationale » Korany *et al.*, *Analyse des relations internationales*, 73-107; Kennedy, *The Rise and Fall of the Great Powers*; David Singer, *Human Behavior and International Politics* (Chicago : Rand McNally, 1965); Nossal, *The Patterns of World Politics*.

18. K.J. Holsti, « National Role Conceptions in the Study of Foreign Policy ».

19. Karl Deutsch, *Nationalism and Social Communication* (Cambridge, Mass : MIT Press, 1966); *Id., The Nerves of Government* (New York : Free Press, 1963).

20. Zorgbibe, *Les relations internationales*, 62-63.

21. Sur ces facteurs, voir Marcel Mercle, *La politique étrangère* (Paris : Presses universitaires de France, 1984).

22. Parmi les rares travaux sur le sujet, voir Antonio Cassese ed., *Parliamentary Control over Foreign Policy* (Alphen aan den Rijn : Sijthoff & Noordhoff, 1980).

23. Gonidec et Charvin, *Les relations internationales*, 271.

24. A. Watson, *The Evolution of International Society* (Londres : Routledge, 1992), 14-15. Pour une revue de la littérature sur la diplomatie voir : Christer Jönsson, « Diplomacy, Bargaining and Negotiation », *Handbook of International Relations* (Londres : Sage Publications, 2001), p. 212-235.

25. Cette « diplomatie coercitive » a été analysée par Alexander L. George, *Forceful Persuasion : Coercive Diplomacy as an Alternative to War* (Washington D.C. : United States Institute of Peace Press, 1991) et Alexander L. George et William E. Simons (dir), *The Limits of Coercive Diplomacy* (Boulder : Westview Press, 1994).

26. Sur la guerre psychologique et la propagande, voir Peter A. Toma et Robert F. Gorman, *International Relations : Understanding Global Issues* (Pacific Grove, CA : Brooks/Cole Publishing Company, 1991), 190-207.

27. *Id., ibid.*, 166.

28. *Id., ibid.*, 166. Pour une revue de la littérature sur la négociation et le *bargaining*, voir : Jönsson, « Diplomacy, Bargaining and Negotiation ».

29. *Id., ibid.*, 168.

30. Pour une meilleure connaissance de ces autres approches, voir notamment : Glen Fisher, *International Negociation : A Cross-Cultural Perspective* (Chicago : Intercultural Press, 1980); Howard Raiffa, *The art and Science of Negociation* (Cambridge : Harvard University Press, 1981); Charles Lockart, *Bargaining in International Conflict* (New-York : Columbia University Press, 1979); Guy Olivier Faure et Jeffrey Z. Rubin (dir.), *Culture and Negotiation* (Newbury Park : Sage, 1993); William I. Zartman et Jeffrey A. Rubin (dir.), *Power and Negotiation* (Ann

Harbor: Michigan University Press, 2000); Marieke Kleiboer, *The Multiple Realities of International Mediation* (Boulder: Lynne Rienner, 1998).

31. Christer Jönsson, « Diplomacy, Bargaining and Negotiation », *Handbook of International Relations*, p. 226.

32. Sur le contenu du droit international, voir Colard, *Les relations internationales de 1945 à nos jours*, 331-336; Gonidec et Charvin, *Les relations internationales*, 237-241.

33. Gonidec et Charvin, *Les relations internationales*, 236-237.

34. Aron, *Paix et guerre entre les nations*, 691.

35. Morgenthau, *Politics among Nations*, 507.

36. Adoptées à la suite de la guerre du Golfe, ces résolutions exigeaient que l'Irak collabore pleinement avec les inspecteurs de la Commission de sécurité et de l'Agence internationale de l'énergie atomique (AIEA) de l'ONU et procède au démantèlement de toutes ses installations de production d'armes nucléaires, bactériologiques et chimiques. À la suite du retrait des inspecteurs de l'ONU, en 1997, motivé par un manque de collaboration suffisante de Bagdad, le Conseil de sécurité imposa à l'Irak un embargo en vertu duquel le pays ne peut exporter que les quantités de pétrole nécessaires au financement des importations d'aliments et de médicaments pour sa population. En novembre 2002, le Conseil de sécurité a adopté la résolution 1441 ordonnant à l'Irak de se soumettre entièrement aux exigences des inspecteurs d'une nouvelle mission de la Commission de contrôle et de vérification de l'ONU et de l'AIEA, sous peine d'être exposé à de graves conséquences. Bien que cette fois l'Irak ait fait preuve d'une meilleure collaboration, les États-Unis et le Royaume-Uni ont décidé, en mars 2003, d'attaquer l'Irak sans l'aval du Conseil de sécurité.

37. Sur les organisations internationales et le droit humanitaire, voir les articles de Josiane Tercinet, Frédéric Ramel, Michèle Bacot-Décriaud et Marie-Claude Pantin in: Jean-François Rioux (dir.), La Sécurité humaine. Une nouvelle conception des relations internationales (Paris : L'Harmattan, 2001), p. 157-245; Commission sur la sécurité humaine, La sécurité humaine maintenant (Paris: Presses de Science Po, 2003).

38. Reuter et Combacau, *Institutions et relations internationales*, 1982, 158.

39. Des extraits de ces deux conventions sont reproduits dans Morin, Rigaldies et Turp, *Droit international public. Tome I. Documents d'intérêt général*, 189-211. Le Canada a ratifié ces conventions. Les missions diplomatiques des gouvernements régionaux ne sont pas tenues de respecter ces conventions. Toutefois, le Québec a adopté une loi qui soumet ses délégations à l'étranger à ces conventions.

40. Sur les fonctions et qualités des diplomates et agents consulaires, voir Toma et Gorman, *International Relations*, 159-163; Michael G. Roskin et Nicolas O. Berr, *The New World of International Relations* (Upper Saddle River, NJ, Prentice Hall, 3e éd., 1997), 309-324.

41. Sir Harold Nicolson, cité par Toma et Gorman, *International Relations*, 162-163.

42. *Id., ibid.*, 165. Voir aussi sur le sujet R.P. Barnston, *Modern Diplomacy* (Londres: Longman, 1997).

43. Voir Albert Legault, « Vingt-cinq ans d'études stratégiques : essai critique et survol de la documentation », Korany *et al.*, *Analyse des relations internationales*, 37-61.

44. Carl Maria von Clausewitz (1780-1831) est considéré par plusieurs comme le plus grand spécialiste de la stratégie militaire. Son ouvrage le plus important est *De la Guerre* (Paris : G. Lebovici, 1989).

45. Henri Pac, *Le système stratégique international* (Paris : Presses universitaires de France, 1997).

46. *Id., ibid.*, 34.

47. Kennedy, *The Rise and Fall of Great Powers*.

48. Le Traité de non-prolifération (TNP) des armements nucléaires, signé en 1968, interdit le transfert ou la vente de matériel nucléaire à des fins militaires et oblige les États signataires à soumettre leur programme nucléaire civil aux règles et mesures de surveillance de l'agence internationale de l'énergie atomique (AIEA) de l'ONU. Toutefois, plusieurs États n'ont pas signé le TNP (Brésil, Afrique du Sud, Argentine, Israël, Cuba, etc.). D'autres sont soupçonnés de s'être engagés dans la fabrication d'armes nucléaires en dépit de leur adhésion au TNP. Plusieurs d'entre eux ont pu lancer leur programme nucléaire civil grâce à l'uranium enrichi et au réacteur CANDU canadiens.

49. Le Comité militaire de l'OTAN regroupe des officiers d'état-major des dix-neuf pays membres. Ce Comité, placé sous l'autorité des ministres de la défense des pays membres et du Conseil de l'Atlantique Nord — qui réunit les représentants civils des pays membres — planifie l'action militaire des divers Commandements stratégiques régionaux de l'OTAN. Si, dans le passé, certains pays membres de l'OTAN ne participaient pas à sa structure militaire (ex. : France, Espagne, Grèce), tel n'est plus le cas désormais.

50. La coopération stratégique entre les États existe sous d'autres formes que les alliances de sécurité collectives, par exemple : les accords de sécurité bilatéraux informels, comme celui qui lie les États-Unis et Israël ; les coalitions multilatérales formées en vertu de la Charte de l'ONU (ex. : coalition créée en 1990-1991 pour repousser l'armée irakienne du Koweït) ; les coalitions multilatérales constituées en dehors de la Charte de l'ONU (ex. : coalition initiée par les États-Unis en 2003 afin de renverser le régime de Saddam Hussein et d'instaurer un nouvel ordre politique en Irak) ; les ententes juridiques internationales visant à interdire ou à limiter l'expérimentation, la production et l'utilisation des armes chimiques, biologiques et nucléaires, à bannir les mines antipersonnelles, à combattre le terrorisme, à lutter contre les réseaux criminels.

51. L'OEA, créée en 1948, regroupait, en 2001, 34 États de l'Amérique du Nord et de l'Amérique du Sud. Le seul pays du continent non membre de l'Organisation était Cuba (exclu en 1962).

52. L'ANZUS est un pacte militaire conclu en 1951 entre les États-Unis, la Nouvelle-Zélande et l'Australie. Il a été dissous en 1987.

53. L'OTASE a été créée en 1954 par les États-Unis, la Nouvelle-Zélande, l'Australie, la France, la Grande-Bretagne, les Philippines, la Thaïlande et le Pakistan. Le Pakistan s'en est retiré en 1973. L'organisation a été dissoute en 1977.

54. Le pacte de Varsovie, instauré en 1955 en tant que riposte à la création de l'OTAN, regroupait l'URSS, la Pologne, l'Allemagne de l'Est (RDA), la Hongrie, la Roumanie, la Tchécoslovaquie et la Bulgarie.

55. En 2000, avant sa dissolution, l'UEO regroupait 10 États : France, Belgique, Pays-Bas, Luxembourg, Royaume-Uni, Allemagne, Espagne, Grèce, Italie, Portugal. Les autres États de l'UE et plusieurs pays de l'Europe centrale et orientale avaient toutefois un statut d'associé ou d'observateur.

56. L'OUA rassemble 52 États africains. En 1984, le Maroc a suspendu sa participation en raison du conflit au Sahara occidental. En juillet 2000, a été adopté l'acte constitutif de l'Union africaine (UA) qui se substituera à l'OUA. Celui-ci est entré en vigueur en mai 2001.

57. Créé en 1996 par la Georgie, l'Ukraine, l'Azerbaïdjan et la Moldavie, le GUUAM a accueilli l'Ouzbékistan en 1999.

58. Le PSESE est soutenu par 40 États et de multiples ONG. Toutefois, ses principaux partenaires sont les États membres de l'UE, l'Union Serbie-Monténégro, la Croatie, la Bosnie-Herzégovine, la Macédoine, l'Albanie la Bulgarie et la Roumanie.

59. La PESC a été établie par le TUE de 1993. Compte tenu que la majorité des décisions relatives à la PESC doivent être adoptées par les États membres de l'UE à l'unanimité, au sein du Conseil, et que ces derniers ont des intérêts souvent très divergents en matière de politique étrangère et de sécurité, la PESC est demeurée largement un vœu pieux jusqu'en 1999-2000. Le sommet européen de Cologne de 1999 a précisé les trois objectifs de la politique de sécurité et de défense européenne (PSDE) : gérer les crises militaires et civiles et prévenir les conflits dans le respect de la Charte de l'ONU et en collaboration avec d'autres organisations, dont l'OTAN et l'OSCE. Le sommet d'Helsinki de 1999 et celui de Nice de 2000 ont sanctionné la création d'un commandement unifié de la PSDE à Bruxelles—le Comité politique et de sécurité permanent—et prévu l'entrée en vigueur, en 2003, d'une force d'intervention rapide autonome, capable de déployer dans un délai de 60 jours, 50 000 à 60 000 soldats et 1 000 à 5 000 policiers prêtés par les États membres de l'UE. En 2000, les pouvoirs de l'UEO ont été transférés à la PESC. Les États-Unis ont approuvé ces développements et donné leur aval à la création d'un pilier européen au sein de l'OTAN. Ce dernier signifie que les États de l'UE membres de l'OTAN disposent d'une autonomie d'action en ce qui a trait à la mise en œuvre de la PSDE. Sur l'évolution de la PESC, voir le site Internet Europa et Helen Wallace et William Wallace, *Policy-Making in the European Union* (Oxford : Oxford University Press, 4ᵉ éd., 2000), p. 461-493.

60. La Communauté des États indépendants (CEI), issue du démantèlement de l'URSS en 1991, regroupe toutes les ex-républiques de l'Union soviétique à l'exception des trois républiques baltes : Russie, Biélorussie, Ukraine, Moldavie, Georgie, Azerbaïdjan, Turkménistan, Kirghizstan, Ouzbékistan, Tadjikistan, Arménie, Kazakhstan. Le traité de Tachkent de 1992 a fait de la CEI une alliance de sécurité collective peu contraignante. Malgré les efforts de Moscou, plusieurs États membres, notamment en Asie centrale, ont refusé que leur armée soit intégrée à l'armée russe et placée sous le commandement de cette dernière.

61. Ce conseil est un lieu d'échange d'informations, de consultation et de concertation entre la Russie et les pays membres de l'OTAN. Il réunit les ministres des Affaires étrangères et des Finances deux fois l'an et les ambassadeurs une fois par mois.

62   La guerre entre Croates, Bosniaques et Serbes en Bosnie-Herzégovine, déclenchée à la suite de la proclamation de son indépendance par cette ex-république yougoslave, en 1992, a pris fin grâce aux accords de paix de Dayton (1995) qui ont été conclus à la suite des frappes aériennes de l'OTAN contre les forces serbes à Sarajevo. Depuis cette date, ce sont des contingents de l'OTAN qui supervisent l'application des accords de Dayton qui ont partagé la Bosnie-Herzégovine en deux entités : la fédération croato-bosniaque de Bosnie-Herzégovine et la république serbe. Le conflit entre la république de Serbie et sa province du Kosovo, qui réclame son indépendance depuis 1989, a également été résolu par l'OTAN. Ce sont les bombardements de l'alliance en Serbie (1999) qui ont permis le retrait de l'armée serbe du Kosovo et la prise en charge du territoire par l'OTAN, l'UE et l'ONU.

63. « L'OTAN s'élargit et étend ses missions », *Le Monde*, 22 novembre 2002.

64. Les conflits URSS-Hongrie (1956) et URSS-Tchécoslovaquie (1968) ne peuvent être considérés comme des guerres puisque ni la Hongrie ni la Tchécoslovaquie n'ont riposté militairement à l'occupation de leurs territoires par l'armée rouge soviétique, occupation qui a conduit à l'écrasement des mouvements en faveur de l'autonomie politique et de la libéralisation économique.

65. Une guerre a opposé la France, puis les États-Unis, au mouvement de libération nationale communiste au Vietnam entre 1946 et 1973. Cette guerre s'est étendue au Laos (1964-1973) et au Cambodge (1972-1975). Dans les trois cas, les forces communistes ont été victorieuses.

66. Une guerre dont l'enjeu était la souveraineté sur les îles Falklands ou Malvinas a opposé l'Argentine et la Grande-Bretagne en 1982. L'Argentine a été vaincue et l'archipel est demeuré propriété britannique. Les conflits qui ont déchiré l'ex-Yougoslavie à partir de 1991 ne sont pas pris en compte car il s'agit de conflits internes plutôt qu'internationaux.

67. Plusieurs des sites Internet indiqués dans les sources de référence, à la fin du volume, notamment celui du SIPRI, fournissent une liste des conflits internationaux et internes depuis 50 ans.

68. C'est le cas de Toma et Gorman, *International Relations : Understanding Global Issues*, 223-226 et de Jean-Pierre Derriennic, *Les guerres civiles* (Paris : Presses de Science Po, 2001), 147-183. Sur les différents types de guerres civiles, voir aussi Boniface, *Le monde contemporain : grandes lignes de partage*, 159-162.

69. Sur cette question, voir entre autres Gérard Chaliand, *Dictionnaire de stratégie militaire : des origines à nos jours* (Paris : Perrin, 1998).

70. La Convention interdisant les armes biologiques a cependant une portée plus réduite que les autres ententes internationales sur les armes nucléaires et chimiques car elle ne comporte aucun système d'inspection et de contrôle de ces armes. Pour une analyse détaillée de ces ententes, voir Boniface, *Le monde contemporain : grandes lignes de partage*, 122-139.

71. Derriennic, *Les guerres civiles*, 168-171. Sur la guérilla, voir aussi Gérard Chaliand, *Stratégies de guérilla : de la Longue Marche à nos jours* (Paris : Ed. Payot et Rivages, 1994).

72. *Id., ibid.*, 178-179. Voir également K.J. Holsti, *The State, War and the State of War* (Cambridge. Cambridge University Press, 1996) ; Mary Kaldor, *New and Old Wars. Organized Violence in a Global Era* (Stanford : Stanford University Press, 1999) ; Michael Ignatieff, *The Warrior's Honours. Ethnic War and the Modern Conscience* (Toronto : Penguin, 1998).

73. Les milices tribales afghanes ont infligé de lourdes pertes aux troupes soviétiques (entre 1978 et 1992), mais elles ne les ont pas vaincues malgré l'appui des États-Unis.

74. Derriennic, *Les guerres civiles*, 173. Sur le terrorisme, voir aussi Gérard Chaliand, *Les stratégies du terrorisme* (Bruges : Desclée de Brouwer, 1999).

75. Id., *ibid.*, 173 ; George H. Quester, *Deterrence before Hiroshima. The Airpower Background of Modern Strategy* (New York : John Wiley and Sons, 1966), 142.

76. Au cours de l'histoire, la majorité des indépendances ont été conquises à la suite d'une lutte armée. Néanmoins, la plupart des colonies, protectorats et dominions de l'Empire britannique (ex. : Canada, Nouvelle-Zélande, Australie, Malaisie, Singapour, Hong Kong, Kenya, Antilles anglaises) et des colonies françaises d'Afrique (ex. : Tunisie, Maroc, Mauritanie, Sénégal) ont obtenu leur émancipation pacifiquement.

77. Exemples : intervention des troupes russes dans la guerre civile entre Géorgiens et Abkazes/Ossètes ; intervention des troupes indiennes et pakistanaises dans le conflit entre Hindous et musulmans au Cachemire ; intervention des troupes namibiennes, angolaises et zimbabwéennes aux côtés des forces d'opposition au président Kabila en République démocratique du Congo (ex. Zaïre).

78. Sur la dimension internationale des guerres civiles, voir Michael Barston, ed., *The International Dimension of Internal Conflict* (Cambridge : MIT Press, 1996).

79. Pour une meilleure connaissance de ces autres approches, voir notamment : Glen Fisher, *International Negociation : A Cross-Cultural Perspective* (Chicago : Intercultural Press, 1980) ; Howard Raiffa, *The art and Science of Negociation* (Cambridge : Harvard University Press, 1981) ; Charles Lockart, *Bargaining in International Conflict* (New-York : Columbia University Press, 1979) ; Guy Olivier Faure et Jeffrey Z. Rubin (dir.), *Culture and Negociation* (Newbury Park : Sage, 1993) ; William I. Zartman et Jeffrey A. Rubin (dir.), *Power and Negociation* (Ann Harbor : Michigan University Press, 2000) ; Marieke Kleiboer, *The Multiple Realities of International Mediation* (Boulder : Lynne Rienner, 1998).

80. Christer Jönsson, « Diplomacy, Bargaining and Negotiation », *Handbook of International Relations*, p. 226.

81. Sur les organisations internationales et le droit humanitaire, voir les articles de Josiane Tercinet, Frédéric Ramel, Michèle Bacot-Décriaud et Marie-Claude Pantin in : Jean-François Rioux (dir.), *La Sécurité humaine. Une nouvelle conception des relations internationales* (Paris : L'Harmattan, 2001), p. 157-245 ;

Commission sur la sécurité humaine, *La sécurité humaine maintenant* (Paris: Presses de Science Po, 2003).

82. Paul R. Viotti et Mark V. Kauppi, *International Relations and World Politics* (Upper Saddle River: Prentice Hall, 1997), p. 178-185.

83. *Ibid*, p. 178.

84. L'accord de 1978, qui a mis fin à l'occupation du Sinaï par Israël, et le retrait des forces israéliennes du sud-Liban, en 2002, n'ont pas endigué l'action terroriste des groupes propalestiniens extrémistes puisque les territoires palestiniens demeurent sous occupation israélienne.

85. Nossal, *The Patterns of World Politics*, 98.

86. Boniface, *Le monde contemporain: grandes lignes de partage*, 169.

87. Sur l'importance et les limites de la bonne foi dans les relations diplomatiques, voir Romain Yakemtchouk, *La bonne foi dans la conduite internationale des États* (Paris: Éditions techniques et économiques, 2002).

CHAPITRE 4

LES RELATIONS ÉCONOMIQUES INTERNATIONALES

4

LES RELATIONS ÉCONOMIQUES INTERNATIONALES

Les relations économiques internationales (REI) sont les échanges commerciaux et les mouvements de capitaux impliquant des paiements monétaires entre les personnes privées et morales de la communauté internationale : particuliers, entreprises privées et publiques, gouvernements, ONG et OI. Le domaine d'études des REI englobe également les théories, les politiques, les institutions et les règles de droit qui orientent et réglementent ces transactions. Si ce sont les entreprises privées, et en particulier les firmes multinationales (FMN)[1], qui réalisent la majorité des échanges commerciaux et financiers internationaux, les gouvernements des États et les organisations économiques internationales gouvernementales (OEI) demeurent des acteurs majeurs des REI puisque ce sont eux qui décident des règles essentielles de leur fonctionnement.

> L'État continue d'être l'acteur central des affaires économiques nationales et internationales. Certaines organisations, telles que le FMI, la Banque mondiale et la Commission de l'Union européenne, sont également des joueurs importants, mais les gouvernements nationaux, en particulier les États-Unis, la France, l'Allemagne et le Royaume-Uni, demeurent les principaux décideurs des questions économiques ; ils continuent à établir les règles pour l'ensemble des acteurs et utilisent leur pouvoir—qui est considérable—pour influencer les résultats (des transactions économiques) (traduction de l'auteure)[2].

Ce chapitre s'intéresse principalement à la dimension interétatique des REI. La première section traite de l'évolution des théories de l'économie internationale depuis la création des États-nations ; la seconde section examine les déterminants et les composantes des échanges interétatiques comptabilisés dans la balance des paiements; la troisième section analyse les transformations du système économique international depuis l'entre-deux-guerres.

Les théories de l'économie internationale

Les théories générales réaliste, libérale et marxiste constituent les approches fondamentales de tous les champs des relations internationales, y compris celui des REI. Depuis le Moyen Âge, ces trois théories ont servi de modèle aux politiques économiques nationales et extérieures des États. L'approche réaliste ou nationaliste a inspiré les politiques mercantilistes des premiers États-nations européens, entre le XVIe et le XVIIIe siècle; elle a également influencé les politiques néomercantilistes des pays du centre et de la périphérie aux XIXe et XXe siècles. L'approche libérale s'est imposée comme modèle dominant des REI, au sein du monde capitaliste, au cours de la période 1750-1920. La théorie marxiste-léniniste a été le paradigme de référence des politiques économiques des États communistes entre 1917 et 1990. Au cours de la seconde moitié du XXe siècle, deux théories ont exercé une influence prépondérante sur l'orientation des politiques économiques nationales et internationales des pays capitalistes avancés et en développement: la théorie libérale hétérodoxe de John Maynard Keynes et ses disciples, synthèse critique des approches nationaliste, libérale et marxiste, s'est imposée entre 1935 et 1980, pour être ensuite remplacée par le néolibéralisme, amalgame de plusieurs reformulations de la pensée libérale classique.

Compte tenu que la théorie marxiste-léniniste a été étudiée dans le premier chapitre et qu'elle a été largement abandonnée depuis la disparition de la plupart des régimes communistes, nous circonscrirons notre exposé aux modèles mercantiliste, néomercantiliste, libéral, libéral hétérodoxe et néolibéral[3].

Le mercantilisme

Le commerce entre les sociétés remonte à une époque très ancienne. On sait par exemple que dès la haute Antiquité (3 000 à 650 avant J.-C.), il existait un troc à large échelle des matières premières (bétail, céréales, fruits et légumes, métaux précieux) et des produits artisanaux (armes, bijoux, poteries, tissus) entre les dynasties pharaoniques égyptiennes et les contrées voisines. Entre le VIIe et le Ve siècle avant J.-C., les cités de la Mésopotamie, de la Phénicie et de la Grèce développèrent un vaste réseau d'échanges avec l'Inde, l'Arménie, le Caucase et les territoires du pourtour de la Méditerranée. C'est à cette époque qu'apparaissent les premières monnaies métalliques (pièces d'or, d'argent, de bronze) et que naît la pratique du prêt avec intérêt. À partir du IIIe siècle avant J.-C., le commerce s'étend en volume monétaire et géographique mais il reste borné sensiblement aux mêmes produits. Par contre, on assiste à l'essor des banques et de la spéculation sur la valeur des biens transigés. L'Empire romain (du IIIe siècle avant J.-C. au Ve siècle après J.-C.) imposa un modèle d'échanges à sens unique. Les armées impériales pillaient les richesses mobilières (métaux précieux, bijoux) des provinces soumises pendant que les banquiers et commerçants romains importaient de ces dernières les aliments et biens manufacturés nécessaires à la consommation des habitants de Rome. La multiplication des monnaies favorisa l'émergence d'un marché monétaire : achat et vente de devises, spéculation sur la valeur des monnaies, usure, crédit. La chute de l'Empire romain et l'instauration du système féodal, caractérisé par le morcellement du territoire entre fiefs seigneuriaux, l'obligation pour la population de se consacrer à la culture des terres et à la défense militaire des seigneuries et de fortes restrictions au commerce, au voyage et aux migrations entraînèrent un net ralentissement des échanges en Europe[4]. La domination de l'Église catholique, qui condamnait toute activité génératrice de profit, contribua également au recul du commerce. Paradoxalement, ce sont les croisades des chrétiens contre les musulmans qui relancèrent les échanges entre l'Occident et l'Orient aux XIIIe et XIVe siècles. La constitution de l'Empire ottoman, au XVe siècle, ferma la route des Indes, de la Chine et de l'Afrique à l'Europe, obligeant les monarchies européennes à financer des explorations afin de trouver d'autres routes d'accès à ces contrées. La découverte de nouveaux territoires en Amérique, en Asie et en Afrique permirent à plusieurs pays—le Portugal, l'Espagne, les Pays-Bas, l'Angleterre, la France—de se constituer des empires coloniaux aux XVe, XVIe et XVIIe siècles[5]. C'est dans ce contexte que naquit la théorie du mercantilisme.

Le mercantilisme exprime le nationalisme ou l'aspiration des premiers États-nations à développer leur puissance. Il s'imposa comme théorie économique dominante aux XVIe, XVIIe et XVIIIe siècles tout en adoptant plusieurs formes : le bullionisme espagnol (**ORTIZ**), le mercantilisme financier et commercial anglais (Thomas **MUN**, 1571-1641), le mercantilisme industriel français (Jean-Baptiste **COLBERT**, 1619-1683), le mercantilisme financier allemand (**SCHROEDER**).

L'idée centrale du mercantilisme, tel qu'il est appliqué en Angleterre et en France, est que l'État doit supporter le développement de l'industrie et du commerce afin d'assurer l'augmentation de sa puissance économique, principal support de son pouvoir militaire et politique. Pour ce faire, il doit favoriser la croissance des manufactures par des subventions, des privilèges, des concessions de monopoles et le maintien des salaires à un bas niveau ; encourager la conquête de colonies qui constitueront un marché captif pour l'approvisionnement en matières premières et l'écoulement du surplus de la production manufacturière ; construire une marine marchande puissante afin de favoriser les échanges entre la métropole et ses colonies d'une part, et barrer la route aux nations rivales, d'autre part. En résumé, le fondement de la richesse d'une nation est la constitution d'un surplus commercial grâce au développement, sous l'égide de l'État, d'une industrie manufacturière exportatrice à l'abri de la concurrence[6].

Le mercantilisme est vu comme la pensée économique du réalisme, puisqu'il associe les REI à des rapports de force conflictuels entre États dans le cadre desquels « nul ne gagne que l'autre ne perd[7] », chacun cherchant à accroître sa puissance économique au détriment de celle de ses concurrents afin de préserver ou renforcer sa position militaire et politique au sein de l'arène internationale.

Le libéralisme

Si le mercantilisme permit à tous les empires coloniaux européens de s'enrichir, c'est uniquement dans les pays qui pratiquèrent un mercantilisme industriel et commercial, tels l'Angleterre et les Pays-Bas, qu'il favorisa la constitution d'une riche bourgeoisie manufacturière, commerciale et bancaire aux XVIIe et XVIIIe siècles. Dans le cadre de la révolution industrielle, qui augmenta énormément le potentiel de développement du capitalisme[8], cette nouvelle élite devint de plus en plus critique à l'égard des contraintes du mercantilisme qui contrecarraient son expansion : la limitation des importations qui restreignait l'approvisionnement en matières premières des manufactures ; la loi d'airain sur les salaires qui, en maintenant ces derniers au strict minimum indispensable à la survie et à la reproduction de la force de travail, réduisait les possibilités de consommation, engendrait des crises de surproduction et infléchissait les investissements et les profits; les législations qui entravaient la concentration des entreprises, etc.

La théorie économique libérale classique, formulée principalement par des auteurs anglais de la fin du xviie siècle (John LOCKE), du xviiie siècle (David HUME, Adam SMITH, David RICARDO) et du début du xixe siècle (Jeremy BENTHAM, Thomas Robert MALTHUS, John Stuart MILL), traduisait l'aspiration de la bourgeoisie britannique à créer une économie de marché concurrentielle, libérée des contraintes de l'intervention de l'État. Après la révolution de 1688, qui permit à la bourgeoisie d'accéder au pouvoir, elle deviendra la principale source d'inspiration de la politique économique intérieure et extérieure de l'Empire britannique et le restera jusqu'au déclin de ce dernier durant l'entre-deux-guerres. Le libéralisme économique exerça une influence prépondérante sur les REI entre 1750 et 1920, en raison de la suprématie de l'Empire britannique et de son adoption par d'autres puissances européennes, dont la France, à la suite du renversement des régimes absolutistes par les bourgeoisies.

Le postulat de base du libéralisme économique est que tous les individus sont des êtres rationnels qui cherchent naturellement à satisfaire leurs besoins, à accroître leur bien-être au moindre coût possible. C'est de ce désir que naît spontanément le marché, un lieu où les producteurs tentent de vendre le plus grand nombre de marchandises ou de services au prix le plus avantageux pour eux, et où les acheteurs cherchent à se procurer les biens qui répondent à leurs besoins au meilleur prix possible. Lorsque le marché est laissé à lui-même, guidé uniquement par la rationalité des vendeurs et des acheteurs, l'offre et la demande tendent à s'équilibrer sur le long terme et les prix des biens coïncident avec les attentes des uns et des autres. Selon les libéraux, l'économie de marché est le système le plus susceptible de permettre une allocation rationnelle et efficace des ressources lorsqu'il n'est pas perturbé par les ingérences des gouvernements: nationalisations, réglementations, subventions, contrôles, etc. Ce sont ces ingérences qui sont responsables d'une mauvaise allocation des ressources (ex.: chômage ou pénurie de main-d'œuvre), des déséquilibres entre l'offre et la demande (surproduction, récession, pénurie), d'une hausse ou d'une baisse excessive des prix (inflation, déflation). L'objectif des libéraux est la croissance équilibrée de la production et des revenus, l'amélioration du bien-être général, mais non la répartition égalitaire des fruits de la croissance ou du revenu national entre les individus et les groupes de la société. Selon la théorie libérale, l'État a un rôle minimal mais essentiel à jouer. Il doit prendre en charge les politiques d'intérêt général qui sont essentielles au bon fonctionnement de l'économie et que l'entreprise privée ne veut pas assumer en raison de leurs coûts trop élevés ou de leur rentabilité trop faible ou incertaine : la défense et la sécurité, la justice, la santé, l'éducation, les transports et les communications. Il doit également stimuler les investissements et harmoniser les conditions de la concurrence par un allègement du fardeau fiscal, l'élimination des réglementations trop contraignantes ou discriminatoires, la restriction des pratiques monopolistiques, etc.

Selon les libéraux, si le travail ou la production crée la valeur, c'est dans l'échange que cette valeur se réalise ou se transforme en capital. La richesse des nations repose donc sur le développement du libre commerce au sein des États et entre eux. Compte tenu que tous les pays ne possèdent pas en abondance les facteurs essentiels à la production — matières premières, main-d'œuvre, capital —, il est nécessaire que chacun spécialise sa production en fonction de ses avantages comparatifs afin d'abaisser le coût de ses produits, accroître ses exportations et importer les biens dont il a besoin au meilleur prix possible. Compte tenu que les avantages comparatifs d'un pays changent au fur et à mesure qu'il s'industrialise, la spécialisation internationale de la production est une réalité en constante mutation à laquelle chaque économie doit s'adapter si elle veut maintenir sa compétitivité et conserver une balance commerciale excédentaire. À l'instar des marchés nationaux, le marché mondial tend vers l'équilibre de l'offre et de la demande et des prix lorsqu'il n'est pas perturbé par le protectionnisme des États, les contrôles et les réglementations des institutions économiques internationales, les pratiques monopolistiques des entreprises. L'intervention des États et des OEI au sein du marché mondial doit donc être réduite au strict minimum.

Les libéraux reconnaissent qu'une économie mondiale fondée sur la libre compétition ne peut assurer une répartition égalitaire de la richesse entre les nations. Mais elle permet à chacune d'améliorer son revenu d'une manière relative, favorise une redistribution permanente de la richesse et accroît le bien-être matériel général de l'humanité. En bref, la dynamique du libre marché est un jeu à somme variable dans le cadre duquel ce ne sont pas toujours les mêmes acteurs qui gagnent plus que d'autres. Le capitalisme libéral a un autre avantage inestimable : il est un gage de paix et de sécurité, puisque plus les nations commercent entre elles et deviennent interdépendantes du point de vue économique, moins elles ont intérêt à se faire la guerre.

Le néomercantilisme

Le néomercantilisme du XIXe siècle est une réaction au libéralisme triomphant de cette époque. Systématisé initialement par l'homme politique américain Alexander HAMILTON (1757-1804), dont les vues seront reprises par l'école historique allemande (Friedrich LIST [1789-1846], Wilhelm ROSCHER, Gustav SCHMOLLER), il vise à défendre les intérêts des pays qui, comme les États-Unis et l'Allemagne, sont pénalisés par le libre-échange, étant incapables de concurrencer efficacement les importations manufacturières de l'Angleterre.

> Dans son célèbre ouvrage *National System of Political Economy*, List soutient que la théorie du libre commerce défendue par les économistes libéraux classiques britanniques est la politique économique du plus fort, qu'il n'existe pas de division internationale naturelle et immuable du travail basée sur la loi des avantages comparatifs, que la division du travail est simplement une situation historique imposée par les États qui détiennent la suprématie politique et économique. Les Britanniques, selon List, ont utilisé leur État pour protéger leur industrie naissante contre la concurrence étrangère tout en combattant leurs opposants par la force militaire. Ils ne sont devenus les champions du libre-échange qu'après être devenus supérieurs aux autres États sur le plan industriel et technologique (traduction de l'auteure)[9].

Selon les néomercantilistes, chaque État doit imiter l'Angleterre et se doter d'un système industriel complet, en protégeant ce dernier de la concurrence, au cours des premières étapes de sa construction, grâce à la limitation des importations par des barrières tarifaires (droits de douane, taxes) et non tarifaires (contingentements), dans le but d'assurer son auto-suffisance économique, sa souveraineté politique et sa sécurité. L'industrie est jugée plus importante que l'agriculture ou les services car elle génère une plus forte plus-value, contribue davantage à améliorer les qualifications de la main-d'œuvre et l'entrepreneurship et a des effets d'entraînement sur l'ensemble de l'économie[10]. Lorsqu'un pays a atteint un stade d'industrialisation qui lui permet de concurrencer efficacement les nations les plus avancées, il a alors intérêt à ouvrir son marché aux importations étrangères et à tourner son industrie vers l'exportation. En bref, selon les néomercantilistes, les États ont avantage à être protectionnistes lorsqu'ils sont faibles ou en déclin et libre-échangistes lorsqu'ils sont forts ou en croissance. L'application de cette doctrine fit de l'Allemagne et des États-Unis de grandes puissances industrielles et militaires au XIX⁰ siècle, ce qui leur permit d'agrandir leurs territoires au détriment des principales nations rivales[11].

Au cours des XIXe et XXe siècles, plusieurs pays du tiers-monde, une fois leur indépendance acquise, privilégièrent des politiques économiques néomercantilistes au cours des premières phases de leur développement. Entre 1945 et 1975, cependant, le néomercantilisme des PED prit des formes nouvelles sous l'influence du libéralisme hétérodoxe keynésien. La théorie développementiste, les approches non marxistes de l'école de la dépendance et les thèses structuralistes et néostructuralistes promues par les spécialistes du développement des années 1950, 1960 et 1970 sont en effet des modèles éclectiques inspirés principalement du néomercantilisme et du libéralisme hétérodoxe[12]. Selon Gilpin, le nationalisme économique de l'Italie fasciste, de l'Allemagne nazie et du Japon militariste des années 1930 et 1940 peut être qualifié de néomercantilisme impérialiste. Afin de favoriser l'expansion de leur puissance industrielle, ces pays annexèrent et occupèrent militairement divers pays et territoires pour se procurer les matières et la main-d'œuvre dont ils avaient besoin et écouler leurs surplus de production. À l'instar des premiers États-nations européens, ils développèrent leur puissance économique grâce à la constitution d'empires coloniaux protégés par des barrières protectionnistes[13].

Le libéralisme hétérodoxe

Au cours de la période 1920-1940, John Maynard KEYNES (1883-1944)[14] et plusieurs économistes libéraux, dont James MEADE, Joan ROBINSON, Piero STRAFFA et Gunnar MYRDAL, entreprirent de critiquer le nationalisme, responsable du déclenchement de la Première et de la Seconde Guerre mondiale, le libéralisme, à l'origine de la très grave dépression des années 1930, et le marxisme qui, quoique plus apte à assurer le développement économique et la justice sociale, prive les citoyens de leurs libertés politiques. Cette critique déboucha sur la construction d'une nouvelle théorie fondée sur la synthèse de ces trois approches. Cette théorie est néanmoins considérée comme l'expression d'un libéralisme hétérodoxe parce qu'elle est, dans l'ensemble, plus proche du libéralisme que du nationalisme et du marxisme. Keynes et ses disciples, en effet, sont convaincus de la supériorité du capitalisme sur le socialisme, mais ils croient que le marché laissé à lui-même, loin de tendre vers l'équilibre comme le soutiennent les libéraux orthodoxes, engendre inévitablement des déséquilibres, des inégalités et des crises comme l'affirment les marxistes. La solution à ce problème est la régulation des forces du marché par l'État. En bref, le modèle que propose l'hétérodoxie libérale keynésienne est un capitalisme de type social-démocrate qui allie économie de marché, démocratie politique et intervention de l'État; un système qui permet, non seulement d'assurer une croissance économique équilibrée et durable, mais aussi une répartition équitable des fruits de la croissance et le respect des libertés politiques.

Afin d'éviter les crises de surproduction, qui entraînent une augmentation du chômage et un appauvrissement des classes moyennes et ouvrières, tout en renforçant l'attrait pour le communisme, les États doivent stimuler la demande effective ou la consommation, au lieu de laisser l'offre déterminer la demande comme le recommandent les libéraux. L'atteinte de cet objectif implique que les gouvernements encouragent le plein emploi, par le financement de grands travaux publics et l'aide aux industries de biens de consommation—davantage génératrices d'emplois que l'industrie lourde—, tout en améliorant le niveau général des revenus grâce à la syndicalisation de la main-d'œuvre, à l'augmentation des salaires proportionnellement à la productivité du travail et à la création de politiques sociales redistributives—assurance santé, allocations familiales, assurance chômage, régimes de retraite, etc.—sous la gouverne d'un État-providence[15]. La réalisation de ce programme suppose une importante augmentation des dépenses publiques, financée par des emprunts qui seront remboursés ultérieurement grâce à la hausse des revenus fiscaux provenant de la croissance de l'économie, de l'emploi et des revenus. C'est sur le plan de ses politiques monétaires et fiscales que la théorie libérale hétérodoxe se démarque le plus de la théorie libérale orthodoxe, celle-ci recommandant *a contrario* aux gouvernements de dépenser le moins possible et uniquement ce qu'ils ont épargné afin de préserver l'équilibre des finances publiques et maintenir les impôts au niveau le plus bas.

L'idée d'un marché mondial s'ajustant lui-même grâce au libre-échange et à la spécialisation des économies en fonction de leurs avantages comparatifs est une utopie selon les keynésiens. Les REI doivent être régulées par les États au même titre que les rapports économiques nationaux. Les gouvernements doivent créer diverses institutions multilatérales qui fourniront aux PED les capitaux nécessaires à leur industrialisation, assureront la stabilité des taux de change et des balances de paiements, favoriseront une libéralisation graduelle et sélective des échanges qui permettra une plus juste répartition des gains du commerce entre pays industrialisés (PI) et PED. À l'instar des néomercantilistes, les keynésiens sont des libres-échangistes pragmatistes pour lesquels l'ouverture et l'intégration des marchés doivent être adaptées aux inégalités de développement des nations. C'est uniquement dans cette optique, soutiennent-ils, que le renforcement de l'interdépendance économique peut encourager la coopération, la paix et la sécurité internationale tout en endiguant efficacement la propagation du communisme[16].

La dépression des années 1930 sera la principale cause de l'abandon du libéralisme au profit du libéralisme hétérodoxe. Après la Seconde Guerre mondiale, il deviendra le modèle de référence des politiques nationales et des REI parce qu'il était alors le seul capable d'assurer une croissance durable du capitalisme et de faire échec à la menace d'une troisième guerre mondiale et de l'expansion du communisme. Durant trois décennies, les trente glorieuses (1945-1975), il fut à l'origine du plus long cycle de croissance ininterrompue de l'histoire. Dans tous les PI et PED où il fut appliqué, il favorisa un essor de l'industrialisation et de la consommation, une augmentation et une redistribution plus égalitaire de la richesse.

Ces acquis économiques et sociaux furent cependant largement financés par l'endettement des États, des entreprises et des particuliers, lui-même favorisé par les surplus de capitaux disponibles sur le marché mondial et le bas niveau des taux d'intérêt. Au fil du temps, la spirale de l'endettement provoqua une augmentation de l'inflation ou du niveau général des prix. Dans les PI, les syndicats réagirent à cette tendance en réclamant une indexation des salaires au coût de la vie, ce qui entraîna, à partir de la seconde moitié des années 1960, une augmentation des coûts de la main-d'œuvre supérieure à la productivité, un infléchissement des taux de profit, une baisse des investissements et un ralentissement de la croissance. Cette situation encouragea les grandes entreprises industrielles et bancaires à délocaliser une partie de leurs activités vers certains PED afin de maintenir leurs taux de profits[17]. Les investissements des firmes multinationales permirent à plusieurs pays en développement d'accéder au rang de NPI et les pressions conjuguées de ces deux catégories d'acteurs forcèrent les pays industrialisés à ouvrir davantage leurs marchés aux produits manufacturés des NPI, ce qui entraîna l'apparition et l'aggravation du déficit commercial des pays de l'OCDE vis-à-vis des NPI[18]. La décision de l'Organisation des pays exportateurs de pétrole (OPEP) d'augmenter les prix de l'or noir, en 1973 et 1979, provoqua une flambée des taux d'inflation et deux récessions — en 1974-1975 et 1979-1983 — qui aggravèrent la crise structurelle du modèle keynésien. C'est cette crise qui fut à l'origine de la renaissance du libéralisme orthodoxe sous la forme du néolibéralisme.

Le néolibéralisme

« Le triomphe du keynésianisme a pu donner l'illusion qu'il occupait toute la scène, que la *Théorie générale* avait effectivement terrassé la théorie libérale »[19]. En réalité, cette dernière, loin de disparaître, s'est développée dans l'ombre du keynésianisme tout en prenant un profil bas. Plusieurs économistes, en effet, ne se sont jamais ralliés au keynésianisme, en particulier Friedrich HAYEK (1899-1992) et Milton FRIEDMAN (1912...), têtes d'affiche de l'École de Chicago. Dès les années 1960 et 1970, aux États-Unis, on assiste à une résurgence du libéralisme sous la forme de nouvelles théories qui trouvent leur inspiration chez les classiques et les néoclassiques tels Alfred Marshal, Leon Walras, Paul Samuelson et Bertil Ohlin. Ce sont ces théories qui forment le corpus du néolibéralisme.

Tous les néolibéraux partagent la conviction qu'il faut revenir au libre marché, en confinant l'État à un rôle minimal pour certains, en éliminant toute intervention étatique pour d'autres, tant sur le plan national qu'international. L'originalité du néolibéralisme par rapport au libéralisme tient moins à sa vision dogmatique et radicale du laisser-faire économique (qui n'est pas entérinée par tous les auteurs) qu'aux nouveaux arguments qu'il invoque en faveur de la liberté du marché. Alors que le libéralisme était une réaction au mercantilisme, le néolibéralisme est une critique du keynésianisme. Son objectif est de démontrer que les problèmes de ce modèle, qui deviennent de plus en plus nombreux et importants à partir de la fin des années 1960, sont dus aux interventions de l'État. Trois théories néolibérales ont contribué d'une façon particulièrement importante à la réfutation et au discrédit du keynésianisme: la théorie monétariste, l'économie de l'offre et la théorie du capital humain.

Selon la théorie monétariste de Milton Friedman[20], l'augmentation des prix ou les taux d'inflation de plus en plus élevés que connaissent les pays capitalistes découlent d'une trop forte expansion de la quantité de monnaie en circulation, elle-même due à des taux d'intérêt trop faibles. Ce sont les gouvernements qui sont responsables de cette situation puisqu'ils contrôlent les banques centrales et les incitent à maintenir les taux d'intérêt bas afin de favoriser l'endettement des administrations publiques, des entreprises et des ménages jugé essentiel à la croissance de la consommation. Il faut, soutient Friedman, que les banques centrales soient laissées libres d'établir les politiques monétaires en ne tenant compte que des seules forces du marché. Elles ne pourront alors éviter une hausse des taux d'intérêt, ce qui permettra de réduire la demande de crédit, de restreindre la masse monétaire et de faire baisser l'inflation, tout en forçant les gouvernements à diminuer leur endettement par des coupes dans leurs dépenses publiques. Une telle politique anti-inflationniste débouche sur un déclin de l'intervention de l'État, conforme aux prescriptions du programme de politique économique de Friedman :

> L'État doit se limiter à assurer un encadrement stable aux opérations du marché (...) aux politiques keynésiennes de gestion de la conjoncture, en particulier par la fiscalité et les dépenses publiques, il faut substituer quelques objectifs globaux et laisser agir le seul mécanisme le plus apte à gérer efficacement l'allocation des ressources : le marché[21].

Selon l'économie de l'offre, un mouvement de pensée associé aux politiques économiques du président américain Ronald Reagan durant les années 1980, le ralentissement de la croissance économique dans les PI est dû au trop lourd fardeau fiscal qu'impose aux contribuables l'État-providence. En s'appuyant sur la courbe d'Arthur LAFFER et de Jan P. SEYMOUR[22], la théorie de l'offre soutient que des impôts sur le revenu et des profits trop élevés découragent l'initiative, l'épargne, l'investissement et l'effort productif et encouragent l'évasion fiscale et le travail au noir, ce qui se traduit par une baisse des revenus fiscaux de l'État. Il faut donc que les gouvernements procèdent à une réduction importante de l'impôt, en diminuant davantage celui des riches que celui des pauvres, puisque ce sont les riches qui investissent et consomment le plus. La réduction de la fiscalité doit être accompagnée d'une réorientation des dépenses sociales vers le secteur privé productif. Selon Georges Gilder :

> les politiques sociales constituent l'obstacle principal, non seulement à la croissance économique mais même à la survie de la civilisation, menacée par les rêves d'état stationnaire, les modes de vie alternatifs et immoraux et les revendications écologistes (...)

Rappelant certains accents de Malthus, Gilder écrit que l'aide aux chô-
meurs, aux divorcés, aux déviants, aux prodigues ne peut que les inciter à se
multiplier et constitue ainsi une menace d'éclatement pour la société[23].

La théorie du capital humain, popularisée principalement par le prix
Nobel d'économie Gary Becker[24] et par Jacob Mincer, postule que tous les
comportements humains, y compris un mariage, un divorce, le partage des
tâches ménagères, un crime, sont déterminés par une évaluation rationnelle des coûts et des bénéfices, à l'instar des choix purement économiques.
Les gouvernements keynésiens sont confrontés à un endettement excessif,
à des déficits budgétaires et à des problèmes de stagflation parce qu'ils ont
adopté des politiques publiques irrationnelles, non basées sur un calcul de
leurs coûts et bénéfices à court et moyen terme. La solution que préconisent les partisans de la théorie du capital humain est moins une diminution de l'intervention de l'État qu'une réorganisation de cette dernière en
fonction de la rationalité économique.

Dès le tout début des années 1980, les gouvernements conservateurs de
Margaret Thatcher en Angleterre et de Ronald Reagan aux États-Unis
adopteront les politiques économiques recommandées par les néolibéraux.
Cependant, contrairement à une idée répandue, l'abandon du keynésianisme au profit du néolibéralisme fut beaucoup moins un choix idéologique de la droite qu'une décision dictée par la crise structurelle du modèle
capitaliste social-démocrate de l'après-guerre. Au cours des décennies 1980
et 1990, la très grande majorité des gouvernements de droite, de gauche ou
du centre des PI, NPI, PED et ex-pays communistes adopteront — d'emblée
ou avec réticence, rapidement ou progressivement — des politiques économiques néolibérales orthodoxes ou hétérodoxes[25].

Il est toutefois indéniable, néanmoins, que les États-Unis ont fortement
contribué, par leur politique économique et leur influence au sein des OEI,
à ce changement de modèle économique sur le plan international. La décision de la Banque fédérale américaine de hausser ses taux d'intérêt, en
1983, acculera plusieurs NPI et PED très endettés à une crise financière. Cette
conjoncture incitera le FMI, la Banque mondiale et plusieurs autres OEI à
conditionner leur aide financière à l'adoption, par les pays emprunteurs, de
réformes économiques à caractère néolibéral. Ces réformes, dont l'un des
principaux objectifs était la libéralisation des politiques commerciales,
contribuèrent au succès de l'Uruguay Round (1986-1993) du GATT, qui déboucha sur une libéralisation sans précédent des échanges de biens et de

services. Elles encouragèrent également l'approfondissement du processus d'intégration européenne (1986-2000) et la multiplication des accords d'intégration économique dans les Amériques, en Afrique et en Asie au cours des années 1990. Dans l'ensemble, la victoire du néolibéralisme sur le keynésianisme stimula le renforcement de l'interdépendance économique des États et le processus de mondialisation. L'opinion selon laquelle la mondialisation est une création du néolibéralisme est toutefois erronée. Le mercantilisme impérialiste des xvie et xviie siècles, le libéralisme des xviiie et xixe siècles et le néomercantilisme du xxe siècle ont tous contribué à la mondialisation progressive du marché capitaliste.

À l'instar des modèles antérieurs, le capitalisme néolibéral n'est pas universel. L'idée selon laquelle la planète serait désormais soumise à une pensée unique est fausse. Comme le souligne à juste titre Gilpin, la mondialisation du capitalisme néolibéral est largement circonscrite à l'Amérique du Nord, à l'Europe et à quelques pays de l'Asie extrême-orientale[26]. Le communisme survit dans quelques pays, sous une forme intégrale ou mixte (Corée du Nord, Cuba, Vietnam, Chine notamment). Plusieurs PED continuent de privilégier une politique économique de type néomercantiliste. Des modes de production précapitalistes subsistent dans plusieurs régions de l'Afrique et de l'Asie centrale. Le néolibéralisme ne saurait être éternel. Sa longévité, en tant que modèle prééminent des REI, dépendra de sa capacité à assurer la croissance du capitalisme, principalement au sein des États les plus puissants — États-Unis et Union européenne — et de l'aptitude de ces derniers à conserver leur position hégémonique.

En conclusion, on constate que toute théorie économique vise à promouvoir un modèle d'organisation de la production, de la consommation et des échanges. Une théorie et son modèle apparaissent et s'imposent principalement lorsque les élites économiques et politiques des États dominants du système international jugent qu'elles sont en mesure d'assurer l'expansion de leur puissance. L'adoption d'un nouveau modèle économique est principalement déterminée par la crise du modèle existant, c'est-à-dire son incapacité à assurer la croissance des États dominants et la modification des rapports de force au sein des grandes puissances ou du système international.

TABLEAU 4.1

Modèles théoriques dominants de l'économie internationale

	MERCANTILISME XVᵉ, XVIᵉ, XVIIᵉ SIÈCLES	LIBÉRALISME XVIIIᵉ, XIXᵉ SIÈCLES	LIBÉRALISME HÉTÉRODOXE 1945-1975	NÉOLIBÉRALISME DEPUIS 1975
Principaux acteurs du développement	L'État	Le marché	L'État et le marché	Le marché
Finalité du développement	Puissance industrielle, commerciale, politique et militaire de l'État	Enrichissement relatif des entreprises, des particuliers et des nations	Enrichissement égalitaire des individus et des États	Enrichissement relatif des entreprises, des particuliers et des nations
Dynamique des REI	Compétition et conflits	Concurrence et interdépendance	Coopération	Concurrence et intégration
Causes de l'hégémonie du modèle	Crise du système féodal/Constitution des États-nations colonialistes	Limites du mercantilisme/ Accession au pouvoir des bourgeoisies	Crise du libéralisme et du néomercantilisme/ Montee en puissance du communisme	Crise du libéralisme hétérodoxe

Les échanges internationaux

La balance des paiements

Les échanges économiques internationaux comprennent : (a) les flux commerciaux, soit les importations et les exportations de biens et de services ; (b) les flux financiers, soit les entrées et les sorties de capitaux ; (c) les mouvements monétaires, soit les fluctuations des avoirs de change des banques et des autorités monétaires. Ces trois items sont comptabilisés dans la balance des comptes courants (BCC), la balance des capitaux (BCA) et la balance monétaire (BM) de la balance des paiements (BP) de chaque pays[27] (voir tableau 4.2).

« La balance des paiements est un compte qui enregistre toutes les transactions donnant lieu à des règlements monétaires entre les unités résidentes et le reste du monde, pendant une période donnée »[28]. Elle est un des principaux indicateurs de la situation économique d'un pays, une source cruciale d'informations, tant pour les décideurs politiques nationaux et étrangers que pour les agents du marché national et mondial. Par

TABLEAU 4.2

Les composantes de la balance des paiements

BALANCE DES COMPTES COURANTS	**BALANCE COMMERCIALE** • Exportations (FOB)[1] • Importations (CAF)[2] de marchandises **BALANCE DES SERVICES** **Dépenses-recettes** • Transport et assurances • Flux touristiques • Transferts privés et publics de revenus et de gains de capital **BALANCE DES DONS** • Transferts de revenus des immigrés • Dons au titre de la coopération
BALANCE DES CAPITAUX	**CAPITAUX À LONG TERME** • Entrées - sorties de capitaux privés et publics **CAPITAUX À COURT TERME** • Entrées - sorties de capitaux privés et publics
MOUVEMENTS MONÉTAIRES	**AVOIRS DE CHANGE DU SYSTÈME BANCAIRE** **AVOIRS DE CHANGE DES AUTORITÉS MONÉTAIRES** • Banque centrale • Trésor public

Source : Janine Brémond et Alain Geledan, *Dictionnaire économique et social* (Paris : Hatier, 1981), 137.

1. Free on board
2. Coût, assurance, fret

exemple, les composantes de la BCC révèlent quels sont les secteurs et les branches de spécialisation de l'économie d'un État, quelle place il occupe dans la division internationale de la production et des échanges, quel est le niveau de sa dépendance commerciale vis-à-vis des autres pays. Les données de la BCA permettent de connaître sa situation financière, en particulier l'importance de ses investissements directs et de portefeuille outre-frontière et le niveau de son endettement privé et public externe. Les avoirs de change sont révélateurs de sa capacité à transiger avec les autres pays et à défendre la valeur de sa monnaie.

La balance des paiements est régie par les règles comptables de tout bilan et a ce titre se présente en équilibre. Par construction, on a égalité de la somme de tous les éléments inscrits au passif et à l'actif. En réalité, cependant, la BP est excédentaire si le solde de la BCC + le solde de la BCA > 0 et qu'en conséquence le pays augmente ses créances sur l'étranger. À l'inverse, la BP est déficitaire si le solde de la BCC + le solde de la BCA < 0 et qu'en conséquence le pays est débiteur vis-à-vis de ses partenaires. La BP est équilibrée lorsque le solde de la BCC + le solde de la BCA = 0, ce qui implique que la variation des créances est nulle et qu'il n'est pas nécessaire de régler par des mouvements monétaires les échanges commerciaux[29] (voir tableau 4.3).

Les flux commerciaux

Les échanges commerciaux ont connu un essor sans précédent au cours de la seconde moitié du XXe siècle en raison des progrès du développement économique, des investissements des banques et entreprises multinationales dans les PED, de la réduction progressive des barrières tarifaires et non tarifaires au commerce, de la création de nombreuses OEI et des innovations technologiques qui ont facilité et accéléré les transports et les communications. En 1997, la valeur totale des exportations de biens et de services a dépassé 6,6 trillions[30] de dollars US. À l'époque de Ricardo, le commerce extérieur des États représentait 3 % de la production mondiale. En 1913, cette proportion était de 30 %. Depuis 1950, le volume du commerce global a été mutiplié par 14 alors que le volume de la production mondiale a été multiplié par 5,5. L'augmentation de la quantité et de la valeur mondiale des échanges commerciaux a été accompagnée d'une modification de leur composition. La part des produits primaires est passée de 50 %, en 1950, à 20 %, en 1997, et le prix de ces biens a diminué en termes réels de 50 % entre 1970 et 1990. Par contre, la part des produits manufacturés, en particulier celle des machines et équipements à haute valeur ajoutée, n'a cessé de progresser. La part des services inclus dans les accords de l'OMC (conception et traitement de l'information, télécommunications, services financiers, transport, ingénierie, services professionnels et touristiques entre autres) s'est considérablement accrue pour atteindre 30 % en 1997. Si la répartition géographique des échanges commerciaux demeure très inégale, les deux tiers

TABLEAU 4.3

Calcul du solde de la balance des paiements

	SOLDE DE LA BP
Solde de la balance des comptes courants + solde de la balance des capitaux > 0	Excédentaire
Solde de la balance des comptes courants + solde de la balance des capitaux = 0	Équilibre
Solde de la balance des comptes courants + solde de la balance des capitaux < 0	Déficitaire

d'entre eux s'effectuant encore entre les pays du Nord (Amérique du Nord, Europe occidentale, Asie du Nord-Est), la part des NPI du Sud dans le commerce mondial n'a cessé de progresser depuis le milieu des années 1960 en raison, principalement, de la délocalisation des banques et des industries des pays occidentaux vers la périphérie. Dans le contexte de la NDIT, la part des NPI d'Amérique latine et d'Asie dans le commerce mondial a augmenté de 19 %, en 1970, à 30 %, en 1990. Par ailleurs, le déficit des échanges des pays de l'OCDE avec les NPI et les PED est devenu de plus en plus important au cours de la période postérieure à 1980. Entre 1990 et 2000, il est passé de 92,2 à 376,4 milliards de dollars US[31].

La balance des comptes courants

Les flux commerciaux sont comptabilisés dans la BCC de la BP. La BCC comprend trois rubriques : la balance commerciale (BC) (valeur des exportations moins valeur des importations de marchandises) ; la balance des services (BS) (recettes moins dépenses des transport et assurances, des flux touristiques et des transferts privés et publics de revenus et de gains de capital) ; la balance des dons (solde des transferts de revenus par les immigrants et des dons liés à la coopération internationale) (voir tableau 4.2).

La balance commerciale. La BC est excédentaire lorsque la valeur des exportations est supérieure à la valeur des importations (exportations-importations > 0). Elle est équilibrée lorsque la valeur des exportations est égale à la valeur des importations (exportations-importations = 0). Elle est déficitaire lorsque la valeur des exportations est inférieure à la valeur des importations (exportations-importations < 0). C'est le prix et la quantité des importations et des exportations de marchandises, ainsi que la politique commerciale d'un pays, qui déterminent le solde de sa BC. Les trois principaux facteurs qui déterminent le prix des marchandises sont : 1) les coûts de production (matières premières, loyers des bâtiments et terrains, salaires, taxes et impôts, transports, assurances, intérêts sur les emprunts, etc.) ; 2) l'offre et la demande pour ces marchandises sur le marché ; 3) le taux de change de la monnaie nationale. La quantité des importations et des exportations de marchandises varie selon les besoins des pays échangeurs, leur politique commerciale et le prix de leurs importations et exportations.

En théorie, chaque pays a intérêt à ce que le solde de sa BC soit excédentaire ou au moins équilibré. En pratique, cet objectif est souvent difficile à réaliser. Par exemple, les PED qui exportent essentiellement des matières premières et importent des biens manufacturés sont souvent confrontés à un déficit de leur BC car le prix des matières premières est généralement moins élevé que celui des biens manufacturés. Ils peuvent alors limiter leurs importations par des mesures protectionnistes. Mais une telle politique est susceptible de nuire à leur industrialisation (qui requiert l'importation de machines et d'équipements). En outre, à moins qu'elles ne soient conformes aux régimes d'exception prévus par les accords de libre-échange, des mesures protectionnistes peuvent être la cause de représailles ou de sanctions de la part des partenaires commerciaux. Les États-Unis, principale puissance économique mondiale, sont également aux prises avec un déficit de leur BC à cause, notamment, de la force du dollar et du fait que les succursales de leurs entreprises multinationales, installées dans les NPI, exportent un très grand nombre de marchandises vers leur pays d'origine. Le Canada enregistre un excédent de sa BC depuis fort longtemps grâce à la faiblesse de son dollar par rapport à la devise des États-Unis, principale destination de ses exportations[32]. Certains NPI matures, tels que la Corée du Sud, Taïwan et Singapour, ont conservé ou maintenu le solde positif de leurs BC en augmentant leurs exportations de BM à haute valeur ajoutée (ordinateurs, transistors, avions, armes, etc.).

La balance des services. La BS est la différence entre les crédits et les débits qu'enregistre un pays au chapitre des flux touristiques, du transport et de l'assurance des marchandises importées et exportées, des revenus du travail (cachets, honoraires, salaires, rentes de retraite, prestations de sécurité sociale, etc.) et des gains de capital ou revenus de placement (loyers, dividendes, intérêts, etc.) que réalisent les particuliers, les entreprises privées et les institutions publiques.

Lorsqu'un gouvernement (ou une entreprise) vend des obligations à des individus ou à des établissement financiers, il leur promet en retour un certain pourcentage annuel d'intérêts (ou de dividendes). Chaque année, l'emprunteur (canadien dans ce cas) verse des intérêts ou des dividendes aux détenteurs d'obligations; lorsque les détenteurs résident à l'étranger, il s'agit d'une sortie de devises du pays. Sur ce plan-là, l'effet est le même que si nous avions importé un produit : c'est un paiement dans notre compte courant. Ces recettes d'intérêts et de dividendes sont comptabilisées dans la balance des revenus de placement.

Si une compagnie québécoise possède une usine à l'étranger, les profits (du moins la partie distribuée aux actionnaires sous forme de dividendes) quitteront l'usine à intervalles réguliers pour être déposés dans les comptes bancaires de ses propriétaires. Étant donné que ces dividendes viennent de l'étranger et que les propriétaires résident ici, il s'agit d'une entrée de devises. L'effet est le même que si nous avions exporté un produit[33].

Dans l'ensemble, comme le montre le tableau 4.4, les pays industrialisés ont une balance des services excédentaire alors que les nouveaux pays industrialisés et les pays en développement ont une balance des services déficitaire. En effet, les PI bénéficient davantage des flux touristiques que les deux autres catégories de pays, parce que ce sont des centres d'affaires plus importants, leurs infrastructures de transport, d'hébergement et de restauration sont de qualité supérieure, et leur situation politique et sociale est plus stable et sécuritaire. Selon les données de la Banque mondiale, les régions qui attirent le plus grand nombre de touristes sont l'Europe occidentale et l'Amérique du Nord. Les neuf pays qui ont reçu le plus grand nombre de visiteurs entre 1990 et 2000 sont, par ordre décroissant : la France, les États-Unis, l'Espagne, l'Italie, la Chine, la Russie, le Mexique, le Canada et l'Allemagne. Par ailleurs, les gains que font les PI au titre des revenus du travail et des gains de capital sont beaucoup plus élevés que ceux des PED et des NPI car leurs citoyens et leurs entreprises exportent davantage de savoir-faire technologique, professionnel, culturel, scientifique, et

TABLEAU 4.4

Solde des échanges de biens et de services
par catégorie de pays (en millions $ US)

	SOLDE DE LA BALANCE COMMERCIALE		SOLDE DE LA BALANCE DES SERVICES	
	1990	2000	1990	2000
Pays à faibles revenus (PED)	-5 302	+15 940	-13 858	-15 137
Pays à revenus intermédiaires (NPI)	+44 555	+111 878	-14 388	-20 545
Pays à revenus élevés (PI)	-116 481	-336 604	+4 049	+66 984

Source : The World Bank, *World Development Indicators 2002*, p. 222 et 226.

réalisent davantage d'investissements à l'étranger que les ressortissants et les entreprises des deux autres catégories de pays.

Cela étant dit, ce sont les échanges de biens qui demeurent l'élément le plus important de la balance des comptes courants. Le tableau 4.4 révèle qu'entre 1990 et 2000, si les PI ont vu s'accroître l'excédent de leur balance des services, ils ont également été confrontés à une hausse du déficit de leur balance commerciale, ce qui les place dans une position plus difficile que les PED et les NPI, du point de vue de la balance des comptes courants. Au cours de la même période, en effet, les NPI ont enregistré une importante hausse de leur excédent commercial, ce qui leur a permis de compenser largement le déficit de leurs échanges de services. Quant aux PED, ils sont parvenus à couvrir le solde négatif de leur balance des services grâce au surplus de leur balance commerciale. Ces données expliquent que les PI militent en faveur d'une plus grande libéralisation des échanges de services et des mouvements de capitaux, ces secteurs étant les seuls, avec l'agriculture, qui peuvent leur permettre désormais d'avoir une balance des paiements équilibrée ou excédentaire.

La balance des dons. Troisième élément de la BCC, la balance des dons comptabilise principalement les transferts d'argent effectués par les travailleurs immigrants vers leur pays d'origine et les dons reçus ou offerts au titre de la coopération. Les PED, qui sont des sources d'émigration et les bénéficiaires de la coopération, ont généralement une balance des dons excédentaire alors que les PI, qui sont des terres d'asile pour les immigrants et les donateurs de l'aide aux PED, ont habituellement une balance des dons déficitaire. La balance des dons a toutefois une incidence moindre que la DO et la DO sur le solde des comptes courants.

Les orientations du commerce extérieur

Le solde des transactions courantes d'un pays est largement influencé par ses politiques économiques — industrielle, monétaire, fiscale, budgétaire, commerciale. Celles-ci sont habituellement articulées de manière à favoriser une stratégie de développement de l'économie nationale et des échanges extérieurs. Comme nous l'avons vu dans la section précédente, diverses stratégies ont été privilégiées par les États au cours des siècles : limitation des importations par des mesures protectionnistes et promotion des exportations (mercantilisme) ; libéralisation des importations et promotion des exportations (libéralisme, néolibéralisme) ; combinaison des approches protectionniste et libre-échangiste en fonction du niveau de développement de l'économie nationale (néomercantilisme, libéralisme hétérodoxe).

Durant la période du keynésianisme (1945-1975), les gouvernements ont privilégié des stratégies de substitution des importations dont l'objectif était le développement des industries de biens de consommation nationales et l'augmentation de la demande interne pour ces biens. Ils ont donc adopté des politiques commerciales qui limitaient les importations de biens de consommation susceptibles de concurrencer leurs propres industries, tout en favorisant l'exportation dans d'autres secteurs. Afin de stimuler la consommation, ils ont opté pour des politiques économiques et sociales qui facilitaient l'accès au crédit (bas taux d'intérêt) et encourageaient la hausse des revenus (stimulation de la création d'emplois, amélioration des salaires et des avantages sociaux, État-providence).

L'adhésion au néolibéralisme a complètement modifié ce modèle. Désormais, la stratégie des États repose sur la substitution ou la promotion des exportations de biens et de services, objectif qui implique une libéralisation des échanges et du marché, une spécialisation du système productif en fonction de ses avantages comparatifs et une augmentation de sa compétitivité. Le moteur de la croissance économique n'étant plus la demande interne mais la demande externe, les politiques gouvernementales visent à améliorer la productivité et la capacité exportatrice des entreprises par des mesures qui ont pour effet de limiter le pouvoir d'achat d'une proportion significative de ménages: hausse des taux d'intérêt en vue de réduire l'inflation; diminution des transferts sociaux afin de permettre un allègement des impôts et une réorientation des dépenses publiques vers le secteur privé; privatisation des entreprises publiques et flexibilisation des lois du travail qui encourage la réduction du taux de syndicalisation et la précarisation des emplois, etc.[34]

En faisant abstraction des orientations des politiques commerciales, nous examinerons maintenant de manière plus précise les mesures protectionnistes utilisées par les États en vue de maximiser les bénéfices et réduire les coûts de leurs échanges commerciaux.

Les mesures protectionnistes[35]

Les deux principaux types de mesures protectionnistes sont les barrières tarifaires et les barrières non tarifaires.

Les barrières tarifaires sont des tarifs, ou droits de douane, ou taxes qu'impose un gouvernement sur certaines catégories de biens importés afin de limiter leur pénétration sur le marché national. Des tarifs douaniers peuvent être appliqués également aux exportations afin d'accroître les revenus du gouvernement. Ainsi, au cours des années 1970 et 1980, le Canada a imposé un tarif sur le pétrole albertain exporté aux États-Unis afin de financer les importations de pétrole du Québec et des quatre provinces maritimes.

Il y a deux types de tarifs: le tarif *ad valorem* et le tarif spécifique. Le tarif *ad valorem* représente un pourcentage de la valeur d'un bien (ex.: un tarif de 10 % de la valeur d'une voiture de 30 000 $ équivaudra à 3 000 $). Le tarif spécifique est un montant fixe par unité de bien (ex.: 500,00 $ par voiture importée, peu importe sa valeur). Le tarif *ad valorem* est généralement préféré au tarif spécifique parce qu'il est plus équitable et protège davantage contre l'inflation. Cependant, l'application du tarif *ad valorem* est plus complexe parce qu'elle est basée sur l'évaluation de la valeur d'un bien, elle-même déterminée par plusieurs facteurs.

L'interdiction progressive des barrières tarifaires par les accords de libre-échange a encouragé le recours aux barrières non tarifaires.

En effet, les mesures tarifaires et les mesures non tarifaires fonctionnent comme deux vases communicants: la baisse des premières relève les secondes. Comme le GATT/OMC a réussi à faire chuter le mur tarifaire un peu partout dans le monde au cours de ses 50 ans d'existence, on assiste à la prolifération des mesures non tarifaires[36].

La barrière non tarifaire la plus connue est le quota ou contingentement, qui limite la quantité d'un bien importé en fixant une valeur ou un montant d'unités au-delà desquels ce bien est interdit d'entrée sur le marché national. Des quotas peuvent être également appliqués aux exportations. Plus rares que les quotas d'importations, ils répondent parfois à des considérations stratégiques plutôt que commerciales. Ainsi, la Maison-Blanche a contingenté l'exportation des super-ordinateurs *Apple* parce qu'elle craignait qu'ils soient utilisés à des fins militaires par des pays ennemis. C'est par la fixation périodique de quotas plus ou moins élevés à leurs exportations que les pays de l'OPEP déterminent les prix du pétrole sur le marché mondial.

Bien que le GATT/OMC ait sanctionné les accords multifibres qui autorisent les PI à contingenter leurs importations de textiles en provenance des PED, l'organisation condamne l'utilisation des contingentements parce qu'ils sont discriminatoires et qu'ils faussent le mécanisme des prix. C'est la raison pour laquelle, depuis 1980, plusieurs pays ont eu recours aux Accords de restriction volontaire des exportation (ARVE) afin de réduire leurs importations. Par exemple, en 1981, le gouvernement Reagan a obtenu du Japon qu'il limite l'entrée des voitures nippones sur le marché américain. En 1993, le Canada a accepté par une entente similaire de diminuer la quantité de ses exportations de blé d'orge aux États-Unis. Malgré ses réticences, l'OMC ne peut s'opposer à ces accords car il s'agit de quotas négociés librement entre États pour se soustraire aux obligations du GATT/OMC.

Plusieurs autres sortes de barrières non tarifaires licites sont utilisées par les États, notamment des spécifications techniques et des normes de sécurité, de santé et d'environnement qui permettent de contrôler et de limiter l'entrée sur leur marché de certains produits. Par exemple, la loi sur les langues officielles du Canada exige que les informations apparaissant sur les emballages des marchandises, produites localement et importées, soient rédigées en anglais et en français. L'Union européenne a banni plusieurs produits agro-alimentaires de son territoire parce qu'elle jugeait qu'ils présentaient des risques pour la santé (farines animales, céréales et autres plantes génétiquement modifiées, bovins nourris aux hormones de croissance). Les procédures administratives peuvent également être considérées comme des barrières non tarifaires lorsqu'elles contribuent à décourager et à réduire les importations. Ainsi en est-il des réglementations qui complexifient et allongent indûment le dédouanement des marchandises, l'obtention de licences d'importation ou de visas de séjour, l'ouverture de filiales ou de bureaux à l'étranger. Les politiques d'achat préférentiel des gouvernements, qui subsistent sous une forme plus ou moins officielle, malgré leur caractère discriminatoire, sont un autre exemple de barrière non tarifaire, à l'instar des campagnes du type « Achetons chez nous ». Ajoutons que, dans certains pays, c'est la culture nationaliste des consommateurs et non des mesures gouvernementales qui tend à limiter les importations. Les Japonais, par exemple, préfèrent acheter des produits locaux plutôt que des produits importés même s'ils doivent payer plus cher. Souvent dénoncé par les États-Unis et les pays de l'UE, le protectionnisme du Japon est cependant difficile à contrecarrer puisqu'il ne constitue pas une entorse aux règles de l'OMC.

Plusieurs études ont constaté que les barrières non tarifaires, souvent qualifiées de mesures néoprotectionnistes, sont de plus en plus utilisées par les États dans le contexte de la libéralisation accélérée des échanges. Cela prouve, qu'au-delà de leurs déclarations en faveur de la saine concurrence, les gouvernements cherchent aujourd'hui comme hier à protéger leurs intérêts nationaux. Les barrières non tarifaires, en effet, sont concentrées dans l'agriculture, les produits énergétiques, le textile, l'acier, la chaussure, les machines électriques, l'automobile, les métaux et les produits chimiques, donc dans des industries qui sont en difficulté dans les PI ou en émergence dans les PED[37].

C'est dans le contexte de la montée du néoprotectionnisme qu'est apparue, aux États-Unis, durant les années 1980, une nouvelle version du néo-mercantilisme : la théorie du commerce stratégique. Élaborée par James BRANDER et Barbara SPENCER, cette théorie soutient que l'industrie manufacturière, en particulier les branches qui produisent des biens à haute valeur ajoutée (ordinateurs, semi-conducteurs, logiciels, biotechnologies, etc.), est plus importante que les autres secteurs de l'économie parce qu'elle a des effets d'entraînement positifs sur l'ensemble de l'économie. Les gouvernements doivent donc aider ces industries à se développer par des subventions et des mesures protectionnistes. Plus globalement, la théorie du commerce stratégique affirme que dans un marché de concurrence imparfaite, dominé par les oligopoles, les États doivent favoriser la concentration des industries porteuses et les aider à conquérir de nouveaux marchés[38].

Bien que largement critiquée par les néolibéraux, la théorie du commerce stratégique est en fait appliquée par de très nombreux gouvernements, ce qui tend à multiplier les différends commerciaux et les recours devant les instances d'arbitrage des organisations commerciales internationales.

Les flux financiers et monétaires

La balance des capitaux

Deuxième grande composante de la BP, la BCA est la différence entre les entrées et les sorties de capitaux à court terme (moins d'un an) et à long terme (plus d'un an).

Les entrées de capitaux incluent toutes les entrées d'argent enregistrées par un pays: les revenus de placements perçus par les gouvernements, les entreprises et les particuliers installés sur le territoire national (dividendes sur des actions, loyers en provenance de propriétés immobilières, intérêts d'obligations, revenus transférés par des parents, etc.) et les placements effectués par des gouvernements, entreprises et particuliers résidant à l'étranger (achat d'actions, d'obligations, d'immeubles, etc.). Les sorties de capitaux englobent toutes les sorties d'argent enregistrées par un pays: les placements effectués à l'étranger par les résidents et les revenus de placements perçus par les étrangers. Ces mouvements de capitaux sont comptabilisés à la fois dans la BCC et la BCA. Au cours de l'année 2001, le passif du Canada envers l'étranger (entrées de capitaux) a augmenté de 80,9 milliards de dollars en raison, principalement, de l'achat d'actions et d'obligations canadiennes par les étrangers. L'actif du Canada à l'étranger (sorties de capitaux) a pour sa part totalisé 107,4 milliards de dollars en raison, principalement, d'achats d'actions et d'obligations étrangères par les Canadiens. La BCA s'est donc traduite par un déficit de 26,5 milliards de dollars.[39]

Le solde de la BCA, en effet, est excédentaire lorsque les entrées de capitaux sont supérieures aux sorties, quand les ressortissants du pays vendent plus d'avoirs (actions, immeubles, obligations, etc.) aux étrangers qu'ils n'en achètent d'eux. Il est déficitaire lorsque les entrées de capitaux sont inférieures aux sorties, quand les ressortissants du pays achètent plus d'avoirs aux étrangers qu'ils ne leur en vendent[40]. Le solde de la BCA est donc calculé différemment du solde de la BCC. Dans le second cas, les sorties sont des crédits et les entrées des débits. Dans le premier cas, les sorties sont des débits et les entrées des crédits, peu importe leurs incidences sur la santé et l'autonomie financière d'un pays.

Depuis 1975, il est devenu presque impossible pour les gouvernements de controler les entrées et les sorties de capitaux afin de maximiser leurs effets bénéfiques sur l'économie, en raison de la déréglementation progressive des institutions bancaires, boursières et financières, de l'intégration des marchés de capitaux, de la création de produits dérivés, de l'accélération et de l'essor fulgurants des transactions financières internationales. Au milieu des années 1990, les opérations de vente et d'achat de valeurs mobilières réalisées par les seuls fonds mutuels et caisses de retraite totalisaient 20 trillions de dollars US, un montant dix fois plus élevé qu'en 1980. La généralisation des investissements sur marge, soit des investissements effectués avec des sommes d'argent empruntées, a fortement contribué à cette explosion du volume des transactions tout en haussant considérablement leur niveau de risques. Les opérations sur les produits dérivés[41], dont la valeur à la fin des années 1990 atteignait la somme astronomique de 360 trillions de dollars US—un montant supérieur à la valeur de l'économie mondiale—, a énormément augmenté la complexité, la volatilité et l'incertitude des marchés financiers[42].

La balance monétaire

Les banques, la Banque centrale et les trésoreries des gouvernements national, régionaux et municipaux d'un pays se doivent d'acquérir des avoirs de change, soit de l'or et des devises étrangères fortes (dollar US, yen, euro) sous forme, notamment, de bons du trésor d'autres gouvernements et de comptes au sein des banques centrales d'autres pays. Ainsi, en 1988, la Banque centrale du Canada a acheté 7 521 millions de dollars US sous forme de bons du trésor américain. Ces avoirs de change ont plusieurs utilités. Entre autres, ils servent à financer les importations des entreprises nationales. Un très grand nombre de pays, en effet, exigent que les achats de biens et de services soient libellés en devises fortes, le dollar US étant à cet égard le plus prisé. Par exemple, le Soudan doit payer le pétrole qu'il achète à l'Arabie Saoudite en dollars US car cette dernière n'accepte pas la livre soudanaise. Ils servent également à rembourser les dettes contractées par les particuliers, les entreprises privées et les gouvernements auprès de créanciers étrangers. La Banque centrale peut aussi utiliser ses réserves d'or et de devises étrangères fortes pour racheter une certaine quantité de la devise nationale afin de contrer une dépréciation de cette dernière lorsqu'elle juge qu'une telle dépréciation est nuisible aux échanges extérieurs et à l'économie du pays.

La valeur de la monnaie a une incidence majeure sur les échanges et l'économie d'un pays. Une monnaie forte entrave les exportations de biens et de services et réduit les recettes du tourisme, mais elle favorise les importations, attire les investissements étrangers et allège le fardeau de la dette extérieure. Une monnaie faible stimule les exportations de biens et de services et les recettes touristiques, mais augmente le coût des importations, limite les investissements étrangers et accroît le poids de la dette extérieure. La Banque centrale peut limiter la dépréciation de la monnaie nationale en rachetant cette dernière à l'aide de ses devises fortes. Elle peut, à l'inverse, favoriser une telle dépréciation en imprimant davantage de monnaie pour financer les importations et la dette nationale. En fait, la politique monétaire de la Banque centrale reflète les objectifs de la politique commerciale et économique de l'État. Dans les nombreux pays, tel le Canada, qui privilégient désormais une stratégie de promotion des exportations, tout en étant moins endettés qu'auparavant, en raison de l'adoption de politiques budgétaires plus restrictives, les banques centrales sont beaucoup moins portées à intervenir sur le marché des changes afin de contrer les fluctuations à la baisse de la devise nationale. Dans les pays fortement endettés et dans ceux où prédomine encore une stratégie protectionniste de substitution des importations, les banques centrales sont davantage enclines à intervenir pour empêcher une dépréciation de la devise nationale. Ceci étant dit, les autorités monétaires ne peuvent rester passives lorsque le pays est confronté à une chute brutale de la valeur de sa monnaie, comme ce fut le cas au Mexique en 1995, dans plusieurs pays de l'Asie de l'Est et du Sud-Est en 1997-1998 et en Argentine en 2001. Si la Banque centrale ne possède pas alors suffisamment de devises étrangères fortes pour racheter massivement sa propre monnaie, ou la valeur de celle-ci s'effondre entraînant une grave crise économique qui peut se propager à d'autres pays, ou la crise est évitée grâce aux prêts—souvent colossaux—consentis par le FMI, d'autres institutions internationales et les gouvernements occidentaux.

En conclusion, on retiendra que les mouvements monétaires, l'augmentation ou la diminution des avoirs de change des banques et des autorités monétaires ont une incidence sur les soldes de la balance des comptes courants, de la balance des capitaux et de la balance des paiements.

L'évolution du système économique international

Dans la première section de ce chapitre nous avons montré, qu'au cours de l'histoire, les nei ont été guidées par divers modèles théoriques ou systèmes cohérents de principes et de règles adoptés par les États les plus puissants. Dans cette section, nous analyserons plus en profondeur les caractéristiques du système économique de l'après-guerre et son évolution au cours de la seconde moitié du xxᵉ siècle.

Le dispositif de l'après-guerre

Les antécédents de l'entre-deux-guerres[43]

La période de l'entre-deux-guerres a été marquée par la crise du modèle économique libéral, à l'origine de la suprématie de l'Empire britannique. Durant la Première Guerre mondiale, il devint évident que le système de l'étalon-or, qui obligeait les États à garantir la convertibilité de leur monnaie à l'or afin d'assurer la stabilité des taux de change, n'était plus viable. Durant les années 1920, les pays abandonnèrent cette règle car il était de plus en plus difficile d'acheter et de vendre de l'or. On assista alors à des fluctuations de plus en plus importantes des monnaies, à une hausse des taux d'inflation, à une augmentation du chômage et à un accroissement de l'endettement des États. Afin de contrer les dévaluations monétaires, les Banques centrales commencèrent à racheter leur monnaie nationale à l'aide de leurs réserves de devises étrangères fortes, essentiellement la livre sterling et le dollar américain. Compte tenu que la disponibilité de ces devises était limitée, cette nouvelle forme de contrôle des changes fut cependant inefficace. Les fluctuations monétaires persistèrent et l'inflation continua à progresser, ce qui contribua à alourdir la dette des États européens, dont une part importante était due aux dettes de guerre de la France et de la Grande-Bretagne à l'égard des États-Unis et aux réparations que devait rembourser l'Allemagne à la France et à la Grande-Bretagne.

Très fragilisé, le système monétaire international ne résista pas à la secousse du krach d'octobre 1929 à Wall Street. Les faillites d'entreprises jumelées à une demande insuffisante provoquèrent la plus grave dépression économique de l'histoire. Durant cette crise monétaire et économique, qui dura jusqu'à la fin des années 1930, les États se replièrent sur eux-mêmes. Le protectionnisme se généralisa, allant même quelquefois jusqu'à l'autarcie, les guerres commerciales se multiplièrent et le commerce connut un ralentissement considérable. Cette situation favorisa l'essor du néomercantilisme impérialiste et du fascisme en Italie, en Allemagne et au Japon et le déclenchement de la Seconde Guerre mondiale.

Le système de Bretton Woods[44]

Le conflit de 1939-1945 dévasta les économies européennes en détruisant leurs industries, en réduisant fortement la productivité de leur agriculture et en jetant à la rue des millions de personnes. Il fit du Japon et de l'Allemagne des nations exsangues. S'il permit à l'URSS de devenir une superpuissance politique et militaire, il eut cependant des effets désastreux sur l'économie soviétique. Par contre, en épargnant le territoire américain, il permit aux États-Unis de relancer leur production et de devenir une superpuissance politique, militaire et économique. À la fin des hostilités, seuls ces derniers étaient en mesure de soutenir une reprise de la production et des échanges mondiaux grâce à une injection massive d'argent au sein des pays alliés et vaincus. Les Américains étaient d'ailleurs désireux d'assumer cette mission puisqu'elle leur offrait la possibilité de créer des débouchés pour leur surplus de capitaux et de marchandises, tout en leur fournissant l'occasion d'étendre leur influence politique et militaire et de contrer la menace d'expansion du communisme.

Les États-Unis conditionnèrent cependant leur aide à la mise en place d'un nouveau système de règles et d'institutions fondé sur un compromis entre la vision de Washington et celle des libéraux hétérodoxes keynésiens à laquelle l'administration américaine s'était ralliée en partie durant la guerre. Ce « compromis du libéralisme encastré », selon l'expression de Gilpin, fut accepté par les autres pays qui participèrent à son élaboration, car tous ressentaient la nécessité d'un ordre économique multilatéral par opposition au désordre unilatéral antérieur, à l'origine des problèmes et des conflits économiques des années 1920 et 1930 et de la Seconde Guerre mondiale.

La Conférence monétaire et financière des Nations Unies, qui réunit les 45 nations alliées à Bretton Woods, en juillet 1944, fut le premier et le principal lieu d'élaboration du nouveau système économique de l'après-guerre. Ce dernier reposait sur deux idées-forces. Premièrement, on doit éviter l'unilatéralisme et la politique du fait accompli. Il est nécessaire de trouver un compromis entre les exigences de la coopération et le respect de la souveraineté des États. Les gouvernements exerceront une large autonomie sur leurs politiques économiques, notamment celles relatives à la fiscalité, à la création des emplois et à la croissance, mais ils devront consulter un organisme international, et parfois même solliciter son autorisation, avant de prendre une décision ; en contrepartie, les États en difficulté pourront compter sur la solidarité des pays favorisés. En bref, il faut instaurer un système de sécurité économique collective qui fonctionne à la manière d'un système de sécurité militaire. Deuxièmement, il faut encourager au maximum le développement du commerce par une généralisation du libre-échange, la convertibilité des monnaies et le maintien de parités fixes. Les participants à la conférence de Bretton Woods créèrent deux institutions spécialisées de l'ONU en vue de concrétiser ces idées-forces : le FMI et la Banque mondiale. Ils s'entendirent également sur un projet d'organisation mondiale du commerce qui ne vit finalement pas le jour.

Le FMI. Le FMI, auquel peuvent adhérer les États qui acceptent ses statuts même s'ils ne sont pas membres de l'ONU, s'est vu confier deux missions : assurer la convertibilité et la parité des monnaies, aider les États à sauvegarder l'équilibre de leur balance des paiements.

Les États membres du FMI s'engagent à permettre la libre conversion de leur monnaie en devises étrangères et le libre transfert de ces devises hors de leur territoire. Cette obligation ne vise toutefois que les paiements des transactions courantes et non les mouvements de capitaux auxquels l'État conserve le droit d'imposer une réglementation.

La parité des monnaies est basée sur l'étalon de change-or. Ce dernier fonctionne de la manière suivante : pour faire ses règlements extérieurs, l'État détient comme liquidités internationales, non seulement de l'or (comme dans le système de l'étalon-or) mais aussi toutes les devises étrangères convertible à l'or (comme dans le système qui succéda à celui de l'étalon-or). Dès 1945, le dollar américain deviendra la seule monnaie convertibles à l'or, les États-Unis possédant alors 70 % des réserves mondiales de ce métal précieux, et servira *de facto* d'étalon monétaire. Chaque État doit déclarer sa parité, soit la valeur de sa monnaie en or et en dollar US. Les parités demeureront fixes, le taux de change d'une monnaie pouvant varier uniquement de plus ou moins 1 % par rapport à sa parité déclarée. Ce système de taux de change fixe oblige l'État à mettre en place des mécanismes d'intervention pour assurer le maintien du prix de sa monnaie à l'intérieur de la marge autorisée. Cela signifie que les autorités monétaires devront acheter leur monnaie à l'aide de leurs réserves de devises étrangères, si sa valeur baisse de plus de 1%, ou la vendre en contrepartie de devises étrangères, si sa valeur augmente de plus de 1%. Lorsqu'un État est forcé d'intervenir fréquemment pour contrer la dépréciation de sa monnaie, il épuise ses réserves de devises étrangères et provoque un déficit de la BP. Dans ce cas, ou le FMI aide temporairement l'État à maintenir sa parité, en alimentant ses réserves de devises, ou l'État modifie la parité de sa monnaie par rapport à l'or et au dollar US.

Chaque État membre du FMI doit verser à l'organisation une quote-part d'or et de devises, établie par l'organe plénier—le Conseil des gouverneurs—en fonction de son importance dans les relations monétaires internationales. Lorsqu'un État fait face à un déficit provisoire de sa BP, il peut emprunter au FMI un montant de liquidités équivalent à 125 % de sa quote-part. Plus le montant de l'emprunt est élevé, plus il est conditionnel à l'adoption de mesures de stabilisation par l'État emprunteur.

La Banque mondiale. La Conférence de Bretton Woods créa la Banque internationale de reconstruction et de développement (BIRD) en tant que complément du FMI, l'adhésion à la Banque étant conditionnelle à l'adhésion au Fonds. La mission de la BIRD était de fournir des prêts à long terme pour la reconstruction des pays détruits par la guerre et le développement des nations du tiers-monde, en particulier celles dont la décolonisation était en cours ou à l'agenda en 1944. Financée par les entreprises privées, les gouvernements et des emprunts bancaires, elle fut incapable d'assumer seule la reconstruction de l'Europe, qui fut prise en charge directement par les États-Unis, par l'intermédiaire du plan Marshall (1948-1952). La Banque s'est donc essentiellement consacrée au développement des pays pauvres. Elle a, à cette fin, créé deux filiales: la Société financière internationale (SFI), en 1956, chargée de financer les entreprises privées rentables, et l'Association internationale pour le développement (AID), en 1960, dont la mission est d'octroyer des crédits moins contraignants aux PED les plus pauvres, inéligibles aux prêts de la SFI. Le réseau de ces institutions sera complété en 1988 par l'Agence multilatérale de garantie des investissements. Celle-ci vise à encourager les investissements des entreprises privées en les protégeant contre les risques de pertes inhérents à l'instabilité politique des États du tiers-monde.

Le GATT. La conférence de Bretton Woods prévoyait la création d'une organisation mondiale du commerce (OMC) à laquelle serait dévolue une double mission : instaurer un code du commerce international et amener les États à négocier un abaissement des barrières tarifaires et non tarifaires. Ce projet sera toutefois un échec et il faudra attendre 1947 pour que soit adopté par 23 États, hors du cadre de l'ONU, l'Accord général sur les droits de douane et le commerce, mieux connu sous le nom de General Agreement on Tariffs and Trade (GATT). Ce dernier assumera la double mission qu'on prévoyait confier à l'OMC.

En vertu de la première mission, il impose des obligations aux parties contractantes. Premièrement, en vertu de la clause de la nation la plus favorisée, chaque État s'engage à accorder à tous les autres États membres du GATT les concessions (par exemple l'élimination ou l'abaissement d'un droit de douane sur telle marchandise importée) qu'il a accordées à un État. Deuxièmement, chaque État doit accorder l'égalité de traitement aux produits nationaux et étrangers. Ainsi, il ne peut imposer à des produits importés d'autres États membres du GATT des normes sanitaires, environnementales ou techniques qui ne s'appliquent pas aux biens produits sur son territoire. Troisièmement, le GATT interdit le recours aux quotas entre États membres. Enfin, il réglemente les pratiques en matière d'exportation. Il interdit aux États membres d'accorder des subventions ou leur équivalent à leurs entreprises exportatrices et condamne le dumping, une politique d'exportation qui vise à éliminer la concurrence. Ces obligations, imposées du jour au lendemain, auraient été très lourdes à respecter. C'est pourquoi l'application des obligations du GATT comporte-t-elle des limites. Certaines sont spécifiques, comme la clause de sauvegarde qui permet à un État membre de déroger aux règles du GATT, lorsque celles-ci compromettent l'équilibre de sa balance des paiements. D'autres sont globales, comme celle qui autorise plusieurs États à s'accorder un traitement préférentiel dans le cadre d'un processus d'intégration régionale.

En vertu de sa seconde mission, le GATT a servi de cadre aux négociations de libéralisation des échanges et d'instrument de consultation et de conciliation entre les États membres. Entre 1947 et 1988, le nombre des États signataires du GATT est passé de 23 à 96 et près de 30 pays ont appliqué l'Accord *de facto*[45]. À la suite de la conférence de fondation du GATT, à Genève, en 1947, six cycles de négociations ont eu lieu : Annecy, 1949 ; Torquay, 1950-1951 ; Genève, 1956 ; Dillon Round (à Genève), 1960-1961 ; Kennedy Round, 1963-1967 ;

Tokyo Round, 1973-1979. Dans l'ensemble, ces négociations ont permis de réduire d'environ 40 % les barrières tarifaires aux échanges de produits manufacturés mais ces réductions ont davantage profité aux PI qu'aux PED. Ce déséquilibre a incité le Groupe des 77 PED de l'Assemblée générale de l'ONU à créer, en 1964, la Conférence des Nations Unies pour la coopération et le développement (CNUCED). Le principal objectif de la CNUCED était d'obtenir l'établissement d'un système généralisé de préférences (SGP) qui permettrait aux PED de protéger leurs industries par des mesures protectionnistes, tout en obligeant les PI à ouvrir davantage leurs marchés à leurs exportations de biens manufacturés. Contesté par le GATT, le SGP sera néanmoins adopté par divers PI et finalement reconnu par le Tokyo Round.

Le système de Bretton Woods a rempli ses promesses pendant les trente premières années de son existence. Il a suscité le plus long cycle de croissance économique de l'histoire et a permis aux États européens et au Japon de redevenir des puissances économiques de premier plan dès les années 1960. Il a été à l'origine d'un transfert massif de capitaux, américains puis européens et japonais, vers plus de soixante-dix PED et a contribué à une expansion sans précédent des flux commerciaux et financiers, notamment au sein du monde occidental. Si la très grande majorité des pays ont adhéré au système de Bretton Woods, l'URSS et les pays du bloc communiste ont cependant refusé d'y participer considérant que la BIRD, le FMI et le GATT étaient des instruments de promotion du capitalisme.

L'intégration européenne[46]

La nécessité de construire un vaste réseau d'organisations de coopération multilatérales qui favoriserait l'établissement d'une paix durable s'est imposée aux dirigeants alliés pendant la Seconde Guerre mondiale. Plusieurs projets ont été envisagés parallèlement à ceux de l'ONU et des institutions de Bretton Woods, notamment la création d'une fédération des États européens similaire à celle instaurée par les États-Unis en 1787. Initialement conçu par le Français Jean Monnet, alors qu'il dirigeait l'organisation de la défense commune à Washington, et appuyé par le président Franklin Roosevelt qui tenait Monnet[47] en haute estime, ce projet ne verra cependant jamais le jour en raison de l'opposition du Royaume-Uni et des pays scandinaves à toute forme d'organisation supranationale. Lors de la création du Conseil de l'Europe par dix États européens, en 1949, les partisans du fédéralisme, ayant la

France à leur tête, tenteront sans succès de faire de cette organisation l'instrument d'une intégration politique de l'Europe. Les États rebelles à tout fédéralisme imposeront leur vision et le Conseil demeurera une structure de coopération politique intergouvernementale vouée à la défense de la démocratie et des droits de la personne. Toutes les autres organisations européennes créées au lendemain de la guerre, telles l'Organisation européenne de coopération économique (OECE) et l'UEO (voir tableau 2.2), seront également fondées sur le principe de la coopération entre États souverains.

C'est donc dans un cadre différent de celui prévu initialement que se développera l'intégration européenne durant les années 1950. La première étape sera le plan Schuman de 1950, élaboré par Jean Monnet et le ministre français des Affaires étrangères, Robert Schuman, qui plaçait la production française et allemande de charbon et d'acier sous une autorité internationale commune. Ce plan sera suivi, en 1951, de la création de la Commission européenne du charbon et de l'acier (CECA) par six pays: la France, la République fédérale d'Allemagne, l'Italie, les Pays-Bas, le Luxembourg et la Belgique. La CECA était l'équivalent d'une zone sectorielle de libre-échange puisqu'elle éliminait les barrières tarifaires et non tarifaires aux échanges de charbon et d'acier entre pays membres et interdisait toute pratique commerciale discriminatoire, tels les subventions aux exportations et les cartels.

La seconde étape sera l'adoption, par les six États membres de la CECA, du traité de Rome de 1957 instituant la Communauté européenne de l'énergie atomique (EURATOM) et la Communauté économique européenne (CEE). En vertu des dispositions du traité de Rome, la CEE est une union douanière c'est-à-dire une zone de libre-échange (abolition des obstacles tarifaires et non tarifaires aux échanges de biens et de services), assortie d'un tarif extérieur commun sur les importations provenant des pays tiers. Elle est appelée à se transformer progressivement en un marché commun caractérisé par la libre circulation des marchandises, des services, des capitaux et des personnes, l'harmonisation des législations ayant une incidence sur les conditions de la concurrence et l'établissement de politiques communes dans certains secteurs, en particulier les transports et l'agriculture. Pour réaliser le Marché commun européen, un important dispositif d'institutions intergouvernementales fut mis en place: le Conseil, qui réunit périodiquement les ministres ou les chefs d'État des pays membres et qui est le seul organe habilité à prendre des décisions à l'unanimité ou à la majorité qualifiée; la Commission, composée des fonctionnaires délégués par les

États membres, qui élabore les propositions législatives et réglementaires soumises au Conseil ; une assemblée parlementaire, désignée par les parlements nationaux qui émet des avis sur les actes normatifs des organes directeurs ; la Cour européenne de justice, qui a pour mandat de vérifier si les lois des États membres sont conformes aux traités de la Communauté ; la Cour des comptes, qui vérifie la légalité et la régularité des dépenses et des recettes de la Communauté ; le Comité économique et social, organe consultatif rattaché à la Commission où siègent des représentants des employeurs, des syndicats et des nombreux groupes d'intérêt des États membres.

Le Marché commun européen est la première expérience d'intégration économique régionale de l'après-guerre. Elle a démontré que l'application limitée des règles du GATT, autorisée par ce dernier, encourageait plutôt qu'elle ne nuisait au développement du commerce international. En effet, si la construction du Marché commun a été beaucoup plus lente et problématique que prévue[48]—elle ne sera véritablement complétée qu'au début des années 1990, à la suite de la mise en œuvre de l'Acte unique européen (1987-1992) —, elle a fortement contribué à la relance des échanges intra et extracommunautaires. Entre 1958 et 1973, les échanges entre les six pays fondateurs ont été multipliés par dix et les échanges entre la CEE et les pays tiers par six, « ce qui représente, pour la période considérée, le plus grand progrès commercial au monde avec celui du Japon[49] ».

L'érosion du système de Bretton Woods

Le compromis de Bretton Woods, dont la finalité était de concilier la libéralisation des échanges avec le développement économique égalitaire des nations, grâce aux interventions régulatrices et redistributives des États sur le plan interne et international, a dès l'origine été envisagé comme un modèle transitoire. Ses principaux artisans, l'Américain Harry Dexter White et le Britannique John Maynard Keynes, considéraient qu'à terme, le libéralisme l'emporterait nécessairement sur l'interventionnisme. Toutefois, ils étaient convaincus que ce nouvel ordre libéral mondial serait plus juste que celui de l'avant-guerre, puisqu'il reposerait sur une répartition plus équilibrée de la puissance économique, une compétition moins inégale des forces du marché et une répartition plus équitable des bénéfices de la production et des échanges entre les groupes sociaux et les États. Les faits leur ont donné raison en partie. Le libéralisme hétérodoxe de l'après-guerre a effectivement été remplacé par un modèle libéral orthodoxe ou néolibéral, mais plus tôt qu'ils ne l'avaient prévu, après avoir suscité une réduction des écarts de développement et des disparités de revenus réelle, mais certainement moins importante qu'ils ne le souhaitaient. Deux phénomènes principaux expliquent l'érosion du système de Bretton Woods : la crise monétaire de 1971 et la crise financière de 1983.

La crise monétaire de 1971

À la suite de leur reconstruction économique, due largement aux investissements américains, les pays d'Europe et le Japon sont devenus d'importants compétiteurs des États-Unis durant les années 1960. À cette époque, ces derniers ont commencé à dépenser des sommes prodigieuses afin de financer leur intervention militaire au Vietnam, sans contrebalancer ces dépenses par une augmentation des taxes et des impôts, ce qui a engendré des déficits budgétaires de plus en plus importants. Leur balance commerciale est également devenue déficitaire en raison d'une croissance de leurs importations supérieure à celle de leurs exportations. Durant les années 1960, en effet, les États-Unis ont commencé à importer de plus en plus de marchandises, non seulement de l'Europe et du Japon, mais des NPI du tiers-monde. Ces derniers, rappelons-le, sont devenus des exportateurs de biens manufacturés à bas coût, à partir de la seconde moitié des années 1960, en raison principalement des investissements directs des FMN américaines, européennes et japonaises au sein de leurs économies[50]. Ce développement des échanges, entre les PI et entre les PI et les NPI, a contribué à une forte augmentation de la quantité des eurodollars en circulation[51]. Les déficits commerciaux et budgétaires des États-Unis ont affaibli la confiance dans le dollar et incité un nombre de plus en plus important de détenteurs d'eurodollars à demander leur conversion en or aux autorités monétaires américaines. Ceci a eu pour effet de réduire considérablement les réserves d'or des États-Unis. La part des réserves d'or mondiales détenues par ces derniers est passée de 70 % en 1944, à 28 % en 1962 et à 8 % en 1970.

L'atteinte de ce seuil critique explique la décision du président Nixon, en 1971, d'abandonner la convertibilité du dollar à l'or. Cette décision sanctionna la fin du système des taux de change fixes adopté à Bretton Woods et son remplacement par une politique de taux de change flottants. Dans le cadre d'une telle politique, c'est l'offre et la demande pour la monnaie d'un État, elles-mêmes largement liées aux perceptions qu'ont les acteurs du marché de la prospérité économique et financière de cet État, qui déterminent principalement la valeur de sa monnaie par rapport à celle des autres devises[57]. Tout en demeurant une monnaie forte, le dollar sera désormais concurrencé par d'autres devises comme le mark ou le yen. La fluctuation de plus en plus erratique des monnaies aura un effet perturbateur sur les échanges commerciaux et contribuera à accroître la fréquence des déficits des balances de paiements. Cette situation conduira les États membres du FMI à créer une nouvelle monnaie internationale, les droits de tirage spéciaux (DTS), qui sera utilisée pour aider les États à restaurer l'équilibre de leurs échanges extérieurs.

La crise financière de 1983

L'abandon des taux de change fixes sera la seule modification d'envergure apportée au système de Bretton Woods durant les années 1970. D'autres changements majeurs interviendront à la suite de la crise financière de 1983. Comme nous l'avons expliqué dans la première section de ce chapitre, durant la période keynésienne (1945-1975), la croissance a été largement alimentée par les dépenses des gouvernements, elles-mêmes financées par des emprunts auprès des banques et des institutions financières privées et publiques, nationales et internationales. Cet endettement a provoqué une hausse des taux d'inflation, aggravée par l'augmentation des prix du pétrole en 1973 et 1979. Désireux de maintenir sinon d'augmenter leurs dépenses, malgré le renchérissement du coût des biens, des services et des salaires, les gouvernements ont alors décidé d'accroître leur dette — et leur déficit budgétaire — malgré la baisse de leurs revenus fiscaux, due au déclin de la croissance et aux récessions de 1974-1975 et 1979-1983. La solvabilité des États, soit leur capacité à rembourser leur dette, devint donc de plus en plus critique, ce qui amena les bailleurs de fonds à exercer d'intenses pressions en faveur d'un relèvement des taux d'intérêt. Cette situation explique la décision de la Banque fédérale américaine de hausser ses taux d'intérêt, en 1983. Compte tenu que, d'une part, une large partie des dettes des États était libellée en dollars et que, d'autre part, les institutions financières des pays investisseurs furent forcées de suivre le mouvement, un grand nombre d'États furent soudainement confrontés à l'incapacité de rembourser les intérêts et le capital de leurs emprunts.

Afin d'éviter des cessations de paiement en série, qui auraient eu des effets dévastateurs sur l'économie mondiale, le FMI proposa aux pays aux prises avec une crise financière de renégocier les termes et l'échéancier du remboursement des dettes contractées auprès des institutions financières privées et publiques. En vertu de cet arrangement, le FMI se portait garant du remboursement des dettes des États à l'égard de la communauté financière, à la condition que ces derniers acceptent de mettre en œuvre, non seulement des mesures de stabilisation, comme cela avait toujours été le cas lors des prêts pour rééquilibre d'un déficit provisoire de la balance des paiements, mais aussi des changements structurels (réduction des dépenses gouvernementales, privatisations d'entreprises publiques, déréglementation du marché, libéralisation de toutes les législations économiques, etc.) inspirés du paradigme néolibéral.

La Banque mondiale suivit l'exemple du FMI et décida de conditionner ses programmes d'aide à l'adoption par les États receveurs de programmes d'ajustement structurel destinés à améliorer la bonne gouvernance de leurs administrations publiques. Cette nouvelle orientation fut adoptée sous la pressions des principaux pays donateurs membres de l'OCDE qui souhaitaient réduire le volume de leur aide tout en augmentant l'efficacité de cette dernière. La fin de la guerre froide, qui avait été une motivation cruciale de l'aide entre 1945 et 1990, les contraintes budgétaires des PI, eux-mêmes confrontés à la nécessité d'assainir leurs finances publiques, les impacts très décevants de l'assistance au développement, notamment en Afrique, principale bénéficiaire de cette assistance depuis 1945, des opinions publiques moins favorables que dans le passé au transfert de ressources vers les PED et la complémentarité des actions de la Banque par rapport à celles du FMI expliquent en grande partie ce changement d'attitude des donateurs. La Banque mondiale ne fut d'ailleurs pas la seule organisation prêteuse à modifier son approche de l'aide sous les pressions des bailleurs de fonds. Ses filiales régionales, telles la Banque interaméricaine de développement (BID) et la Banque asiatique de développement (BAD), les agences nationales des PI, l'Union européenne (UE) et la BERD, parmi d'autres, imposèrent également des conditions économiques aux pays receveurs. En outre, la United States Agency for International Development (USAID), l'Agence canadienne de développement international (ACDI) et d'autres agences nationales lièrent leur assistance à trois nouvelles conditions politiques : le respect de la bonne gouvernance, la reconnaissance des droits de la personne et la démocratisation des institutions politiques[53].

Les politiques conditionnelles d'aide n'ont jamais fait l'objet d'un consensus. Elles ont été et continuent d'être critiquées par certains dirigeants des États donateurs et receveurs et par plusieurs agents des organismes d'aide qui les jugent ou trop contraignantes, ou inefficaces, ou responsables d'une aggravation des problèmes économiques et sociaux des PED[54].

La prédominance du néolibéralisme

La transition du modèle libéral hétérodoxe au modèle néolibéral s'est amorcée durant la récession de 1979-1983 et la crise financière de 1983 ; elle s'est poursuivie durant la décennie 1980 et s'est accélérée au cours des années 1990. Il est impossible de traiter ici de tous les changements qu'elle a entraînés au sein du système économique mondial. Nous nous concentrerons donc sur deux dynamiques majeures : l'extension de la libéralisation des échanges et l'essor des processus d'intégration régionale.

L'extension du libre-échange

L'Uruguay Round est sans aucun doute le processus qui a le plus contribué à approfondir la libéralisation des échanges mondiaux au cours de la période postérieure à 1983[55]. Lancé en septembre 1986 à Punta del Este, en Uruguay, et conclu en avril 1994 à Marrakech, au Maroc, il constitua le cycle de négociations le plus long et le plus ambitieux de l'histoire du GATT. « Si le Tokyo Round fut plus complexe et plus vaste que les séries antérieures de négociations, l'Uruguay Round est encore plus important en raison de son imposant ordre du jour, de ses nombreux participants et de la gamme des nouveaux sujets abordés »[56].

L'Uruguay Round a été lancé dans le but de résoudre les problèmes créés par la crise du début des années 1980 : incertitude des taux d'intérêt, chômage élevé, instabilité des marchés de change, fluctuation des prix de l'énergie, comportement spéculatif des marchés financiers, récession des économies des PI, crise financière des PED. Promu principalement par les États-Unis et les pays de l'OCDE, il visait également à solutionner les problèmes engendrés par l'accentuation de la compétition entre les États-Unis, le Japon et la Communauté européenne (CE) et l'augmentation de la concurrence des NPI. C'est pour mieux faire face à la compétitivité du Japon, des États-Unis et des NPI que la CE a élargi son marché à la Grèce

(1981), puis à l'Espagne et au Portugal (1986), et c'est pour mieux affronter la concurrence du Japon, de la CE et des NPI que les États-Unis ont signé un accord de libre-échange (ALE) avec le Canada en 1989.

L'agenda de l'Uruguay Round comportait cinq grands objectifs: approfondir la libéralisation des échanges de biens manufacturés entamée par les négociations précédentes du GATT; libéraliser les échanges de services; libéraliser les mouvements de capitaux; réduire les subventions aux exportations agricoles; protéger par des redevances la propriété intellectuelle des inventions technologiques, pharmaceutiques et autres. Quinze groupes de négociation ont été formés à cet effet, dont les groupes quatre (textiles et vêtements), cinq (agriculture), treize (propriété intellectuelle), quatorze (investissements) et quinze (services). Dès le départ, les PED étaient réticents à libéraliser davantage les échanges de produits manufacturés. Les États-Unis militaient en faveur de la propriété intellectuelle et de la libéralisation des services et des investissements, objectifs pour lesquels ils avaient un appui partiel du Canada et de la CE. Ils souhaitaient également une libéralisation du commerce des biens agricoles, revendication supportée par les pays producteurs de céréales (dont le Canada, l'Argentine et l'Australie) mais fortement contestée par la plupart des États de la CE, qui souhaitaient conserver les avantages concédés à leurs agriculteurs par la politique agricole commune (PAC).

Malgré les nombreuses difficultés qu'il a soulevées, notamment le conflit entre les États-Unis et la CE sur la question des subventions agricoles, l'Uruguay Round s'est achevé sur un compromis. L'accord conclu dans le domaine agricole comprend deux points essentiels: conversion des restrictions à l'importation en tarifs et réduction de ces tarifs de 36% sur six ans pour les PI, et de 24% sur dix ans pour les PED; réduction des aides à l'exportation de 36% en valeur et de 21% en volume, sur six ans pour les PI et sur dix ans pour les PED. Dans le domaine des produits manufacturés, on a convenu de démanteler progressivement (1995-2005) les accords multifibres qui permettaient aux PED de limiter les importations de textiles et vêtements par des mesures protectionnistes, tout en obligeant les PI à ouvrir partiellement leurs marchés à ces exportations. En vertu de cet arrangement, tous les échanges de textiles et de vêtements devront être soumis aux règles du GATT/OMC à partir de 2005. Dans le domaine des services, il a été décidé d'appliquer les règles du GATT (entre 1994 et 1999), sauf en ce qui a trait aux services financiers. Diverses mesures ont également été adoptées dans le but de protéger la propriété intellectuelle.

Au-delà des progrès considérables qu'il a permis de réaliser quant à la libéralisation des échanges, l'Uruguay Round a donné naissance à l'Organisation mondiale du commerce (OMC). Contrairement au GATT, l'OMC est une institution qui dispose d'un secrétariat permanent, à Genève. Elle détient également plus de pouvoirs en matière de règlement des différends commerciaux entre États membres[57] et son autorité s'applique, non seulement aux marchandises mais aussi aux services et à la propriété intellectuelle. L'OMC est responsable de l'application des accords de l'Uruguay Round et des autres accords commerciaux multilatéraux et elle a le mandat de voir à la poursuite de la libéralisation des échanges par l'organisation de nouvelles négociations multilatérales. C'est dans ce but qu'elle a tenté de lancer un nouveau cycle de négociations multilatérales à Seattle, en 1998. Cette tentative a été un échec en raison des nombreuses dissensions existant tant entre les PED et les PI qu'au sein des PED et des PI relativement à l'agenda des futures négociations. Les États-Unis souhaitent accélérer la libéralisation des échanges dans l'agriculture, les services et le secteur financier, mais ils sont réticents à diminuer leurs subventions aux agriculteurs américains. L'UE est nettement moins favorable à l'ouverture des marchés agricoles et des capitaux. Elle réclame, par contre, qu'une plus grande place soit accordée à l'environnement et veut exclure la culture de la libéralisation des échanges, deux demandes soutenues par le Canada mais rejetées par les États-Unis et les PED. Les PI et les PED qui accordent peu d'aide à leurs producteurs de céréales (dont le Canada, l'Australie, la Corée du Sud, l'Argentine et le Brésil) revendiquent l'élimination des subventions aux exportations agricoles, à l'encontre de l'UE Enfin, la plupart des PED sont favorables à la libéralisation des échanges de biens, mais réfractaires à l'ouverture des marchés dans le secteur des services et celui des investissements financiers. Les événements du 11 septembre 2001 ayant sans doute incité les États au compromis, une entente a été conclue lors de la conférence de l'OMC de Doha, au Qatar, à l'automne 2001. Celle-ci prévoyait un agenda en 21 points et fixait la durée des prochaines négociations multilatérales entre 2002 et 2005[58]. Ce compromis optimiste n'a pas tenu la route cependant. À la conférence de Cancun de 2003, les PI et les PED partisans d'une élimination des subventions aux exportations agricoles ont refusé de poursuivre les négociations en raison du refus des États-Unis et de l'UE de faire des concessions dans ce dossier. Il est maintenant improbable qu'un nouvel accord commercial multilatéral soit conclu dans le cadre de l'OMC à brève échéance. Cette impasse ne signifie pas pour autant l' arrêt du processus de libéralisation des échanges. Ce dernier se poursuit à travers des ententes bilatérales et multilatérales régionales.

L'essor des intégrations régionales

L'intégration régionale est devenue un phénomène qui touche presque toutes les parties du globe. Le GATT a enregistré 124 accords d'intégration régionale (AIR) entre 1948 et 1994 et 90 depuis 1995. Sur ce total, 134 étaient toujours en vigueur en 1999. Actuellement presque tous les États membres de l'OMC participent à au moins un AIR. Selon Bela Balassa, la dynamique de l'intégration comporte cinq stades successifs : zone de libre-échange, union douanière, marché commun, union économique et monétaire, union politique. Les caractéristiques de chacun de ces stades sont décrites dans le tableau 4.5. Il s'agit là, cependant, d'un modèle largement inspiré de l'intégration européenne. Dans les faits, la dynamique de l'intégration régionale ne suit pas toujours cette évolution en cinq étapes de telle sorte qu'il est difficile de catégoriser certains AIR à partir de ce modèle. Ainsi l'ALENA est une zone de libre-échange qui comporte certaines caractéristiques d'un marché commun sans pour autant être une union douanière.

Dans la mesure ou tout AIR contrevient à la clause de la nation la plus favorisée et à celle de l'égalité de traitement, il constitue une dérogation aux règles du GATT/OMC. Mais ces dérogations ont été acceptées parce que les États étaient convaincus qu'à terme, l'approfondissement et la multiplication des AIE favoriseraient la libéralisation globale des échanges. En dépit des nombreux débats théoriques sur le sujet, l'expérience a démontré que les AIR ne conduisaient pas à l'érection de forteresses commerciales régionales et qu'ils contribuaient à une plus grande libéralisation du commerce mondial[59].

L'accélération de l'intégration européenne. Le processus d'intégration européenne, qui avait progressé plus lentement que prévu entre 1957 et 1985, a connu une accélération sans précédent à partir du milieu des années 1980. Bien que les trois communautés européennes (CECA, EURATOM, CEE) avaient été fusionnées au sein de la CE, en 1967, que trois nouveaux pays (l'Irlande, la Grande-Bretagne et le Danemark) avaient adhéré à cette dernière en 1973, et que le parlement européen était devenu une instance élue au suffrage universel, en 1979, le Marché commun européen demeurait largement inachevé. C'est la crise économique du début des années 1980 qui incita la

TABLEAU 4.5

Les stades de l'intégration économique internationale

PROGRESSION	Suppression des droits de douane et des quotas sur les échanges de biens et de services	Tarif extérieur commun à l'égard des pays tiers	Élimination des obstacles à la libre circulation des biens, des services, des capitaux et de la main-d'œuvre	Harmonisation des politiques économiques	Uniformisation des politiques économiques / Banque centrale et monnaie commune	Unification politique et institutionnelle
ZONE DE LIBRE-ÉCHANGE	X					
UNION DOUANIÈRE	X	X				
MARCHÉ COMMUN	X	X	X	X		
UEM	X	X	X	X	X	
UNION POLITIQUE	X	X	X	X	X	X

Source : Bela Balassa, *The Theory of Economic Integration*. Schéma reproduit par Gonidec et Charnin, *Relations Internationales*, 441.

CE à accélérer la dynamique de son intégration. Celle-ci se traduisit par l'élargissement à la Grèce, à l'Espagne et au Portugal (en 1981 et 1986); l'achèvement du Marché commun dans le cadre de l'Acte unique européen (entre 1987 et 1992); l'adoption du traité de Maastricht (en 1993) qui conduira à l'instauration de l'Union économique et monétaire (UEM), en 1999, l'adhésion de l'Autriche, de la Finlande et de la Suède en 1995; et la mise en oeuvre de la PESC; l'adhésion de la Hongrie, de la Pologne, de la République tchèque, de la Slovaquie, la Slovénie, des trois républiques baltes (Lituanie, Estonie, Lettonie); de Chypre et de Malte (en mai 2004). À la suite de l'échec du référendum sur la réunification de Chypre, le 25 avril 2004, seule la partie méridionale grecque de l'île a adhéré à l'UE. Le Conseil européen a refusé de conclure la négociation des traités d'adhésion de la Roumanie et de la Bulgarie en décembre 2002. On estime, à Bruxelles, que ces deux pays pourraient joindre l'UE en 2007 ou 2009, concurremment à la Croatie, qui a déposé sa candidature d'adhésion en 2003. Une décision est attendue en 2004 quant à l'ouverture ou non des négociations d'adhésion avec la Turquie. L'élargissement de l'UE à l'Albanie, la Macédoine, la Bosnie-Herzégovine et l'Union de la Serbie et du Monténégro constitue un projet à plus long terme. Ces États devront remplir les conditions du Processus de stabilisation et d'association de l'UE avant de pouvoir entamer des négociations d'adhésion avec Bruxelles. Ces changements ont nécessité une modification des pouvoirs et des règles de fonctionnement des institutions politiques de l'UE. Les réformes introduites en ce sens par l'Acte unique européen, le traité de Maastricht, le traité d'Amsterdam de 1996 et le traité de Nice de 2000 n'ont cependant pas transformé la nature fondamentale du dispositif institutionnel de l'UE, basé sur le principe de la coopération intergouvernementale. Bien que désormais le parlement européen exerce un contrôle sur les activités de la Commission et qu'il détienne un pouvoir de codécision, avec le Conseil, dans plusieurs domaines, le Conseil des ministres et des chefs d'État demeure l'organe essentiel de prise de décision au sein de l'UE. Cela étant dit, l'UE n'est pas une organisation intergouvernementale comme les autres, car ses États membres ont beaucoup moins de prérogatives que les États membres des autres OI. En vertu de l'UEM, ils ne sont plus maîtres de leurs politiques économiques, commerciales, financières et monétaires. Les décisions de la Commission ou les arrêts de la Cour européenne de justice ont des effets de droit dont ils doivent tenir compte. Cela signifie qu'ils ne peuvent plus définir certains aspects de leurs politiques publiques de manière indépendante, mais ils doivent le faire dans le contexte institutionnel de l'Union ou en tenant compte des directives de Bruxelles. Ils sont souvent amenés à entériner au Conseil des décisions auxquelles ils n'adhèrent pas, soit à cause des pressions conjuguées de la Commission, des lobbies d'intérêt et du Parlement, soit en raison de la procédure de la majorité qualifiée qui a remplacé celle de l'unanimité dans divers champs de compétence depuis l'Acte unique européen. En fait, l'UE est devenue au cours des années 1980 et 1990 une organisation intergouvernementale beaucoup plus centralisée au sein de laquelle les États membres sont tenus de coopérer davantage que dans les autres OI.

Ces caractéristiques devraient être renforcées par la nouvelle constitution européenne. Considérant que l'entrée prochaine de dix nouveaux États membres nécessitait des changements institutionnels plus substantiels, afin de garantir l'efficacité et la démocratie de la future Union à 25, un projet de constitution a en effet été élaboré au cours des années 2001-2003. Ce dernier clarifie le partage des compétences entre l'Union et les États membres, constitutionnalise la Charte des droits fondamentaux, limite le nombre des commissaires à la Commission à moins de 25, augmente le nombre des domaines de juridiction soumis au pouvoir de codécision du Conseil et du Parlement et restreint l'usage du droit de veto des États membres au Conseil. Il propose à cette fin qu'un plus grand nombre de décisions soient adoptées à la majorité qualifiée, c'est-à-dire une majorité représentant à la fois 50 % + 1 des 25 États membres et 60 % de la population totale de l'UE. Ce projet a été rejeté par la conférence intergouvernementale de décembre 2003. Mais la poursuite des négociations devrait permettre l'adoption d'une version légèrement modifiée de la nouvelle Constitution avant l'échéance de 2009, date à laquelle le modèle institutionnel établi par le traité de Nice n'aura plus force légale[60].

Les autres blocs régionaux. Bien qu'un certain nombre de zones de libre-échange, d'unions douanières et de marchés communs (voir tableau 2.3) aient vu le jour au sein du tiers-monde, durant les années 1960 et 1970 (ANSEA, 1967 ; Communauté d'Afrique de l'Est, 1967 ; Pacte andin, 1969 ; CARICOM, 1973 ; CEDEAO, 1977), la plupart sont demeurées en sommeil. Ce sont les changements évoqués plus haut—émergence de nouveaux pôles de concurrence au sein du système mondial, crise économique des années 1980, fin de la guerre froide, problèmes posés par les négociations multilatérales—qui expliquent la réactivation des accords existants ou la naissance de nouvelles ententes d'intégration régionale, tant au Nord qu'au Sud, au cours des années 1990 : ALE (1989), MERCOSUR (1991), Communauté de développement de l'Afrique australe (1992), Accord de libre-échange centre-européen (1992), Coopération économique de la mer Noire (1992), Initiative centro-européenne (1992), ALENA (1994), Marché commun de l'Afrique australe et orientale (1994), Communauté d'Afrique de l'Est (1994), Union économique et monétaire ouest-africaine (1994), Association des États de la Caraïbe (1994), Communauté andine (1996), Communauté économique et monétaire de l'Afrique centrale (1998), Communauté des États subsahariens (1998). Il faut également mentionner la création du forum de coopération économique Asie-Pacifique, en 1989, qui vise à libéraliser les échanges entre les pays situés sur les deux rives de l'océan Pacifique d'ici 2020 et le lancement, en 1994, des négociations pour la constitution d'une zone de libre-échange des Amériques (ZLEA). Prévue pour 2005, celle-ci doit regrouper tous les pays de l'Amérique du Nord et du Sud à l'exception de Cuba[61].

Les résultats obtenus par ces ententes sont toutefois très inégaux. En Afrique, en Amérique centrale et en Europe centrale et orientale, la libéralisation des échanges n'a pas eu les effets escomptés. Selon les spécialistes, les accords qui ont été les plus performants sont l'ALENA et le MERCOSUR. Nous résumerons donc ici brièvement quelques points saillants de ces accords.

L'application de l'Accord de libre-échange (ALE), conclu par le Canada et les États-Unis en 1988, et entré en vigueur le 1er janvier 1989, a été suspendue à la suite de la signature, en 1994, de l'Accord de libre-échange nord-américain (ALENA) entre le Canada, les États-Unis et le Mexique, parce qu'il existait trop de chevauchements entre ces deux ententes. Les États-Unis et le Canada ont convenu de suspendre l'ALE tant qu'ils demeureraient membres de l'ALENA[62]. Comme l'ALE, l'ALENA est fondé sur les principes du GATT/OMC. Il prévoit une élimination de la plupart des droits de douane au cours de la période 1994-2004.

En ce qui concerne les biens, l'ALENA implique, pour le Mexique, l'élimination de ses tarifs sur 43 % des importations des États-Unis et sur 41 % des importations canadiennes. Le marché américain sera ouvert à 84 % et celui du Canada à 79 % dès le début. Le calendrier mexicain de diminution tarifaire sur cinq ans englobe une tranche additionnelle de 18 % des exportations américaines et de 19 % de celles du Canada, ces deux pays ajoutant chacun 8 % de leurs importations du Mexique au commerce en franchise. Après 19 ans, 99 % du commerce (entre les trois pays) se fera sans tarif[63].

En 2004, le Mexique devra avoir éliminé complètement ses restrictions aux importations et aux investissements, ses exigences de contenu local et ses subventions aux exportations. L'ALENA libéralise les investissements entre le Canada, les États-Unis et le Mexique tout en définissant les investissements d'une façon plus large que l'ALE. Alors que ce dernier ne portait que sur les investissements directs, l'ALENA couvre tous les types d'investissements. Il énonce des principes généraux quant à la liberté de commerce transfrontalier des services financiers, quant à la liberté d'établissement des entreprises financières et quant à leur droit de bénéficier d'un traitement équivalent à celui octroyé aux entreprises nationales. Néanmoins, il ne modifie pas les lois très différentes des trois pays en matière de services financiers. L'ALENA reprend à son compte les règles de protection de la propriété intellectuelle inscrites dans l'Uruguay Round.

Selon plusieurs spécialistes, le Canada ne fera pas de gains importants sur le plan commercial grâce à l'ALENA. Par contre, son adhésion à l'accord lui permettra de rivaliser avec les États-Unis et le Mexique pour attirer des investissements, de concurrencer les Mexicains sur leur propre marché et celui des États-Unis, notamment dans le secteur des produits de haute technologie et de profiter du détournement des flux commerciaux aux dépens des pays non membres de l'ALENA. Ce sont des enjeux similaires qui expliquent l'intérêt du Mexique pour la ZLEA.

Par son dynamisme, le MERCOSUR est le troisième bloc régional du monde, après l'UE et l'ALENA. Entre 1990 et 1997, le PIB combiné de ses membres affichait un taux de croissance élevé de 3,5 %. Le revenu annuel par habitant était de 5 000 $, un montant supérieur de 30 % à celui de l'Amérique latine dans son ensemble. Créé en 1991, le MERCOSUR a d'abord été une zone de libre-échange entre l'Argentine, le Brésil, l'Uruguay et le Paraguay. Entre 1991 et 1994, ces derniers ont réduit considérablement leurs barrières tarifaires tout en protégeant leurs industries sensibles. Mais ils n'ont pas libéralisé les services et les marchés publics et n'ont pas adopté de dispositions en faveur de la propriété intellectuelle comme dans l'ALENA. En 1994, le MERCOSUR s'est transformé en une union douanière, des droits de douane communs de 0 % à 20 % ont été adoptés à l'égard des importations provenant des pays tiers. En 1995, les quatre pays membres ont convenu d'harmoniser leurs politiques économiques sans pour autant permettre la libre circulation des travailleurs, ce qui fait que le MERCOSUR ne correspond pas tout à fait à la définition d'un marché commun (voir tableau 4.5). À l'instar de la CE/UE, le MERCOSUR a permis une croissance des échanges entre les États membres et entre ces derniers et le reste du monde. À l'instar de la CE/UE, il a été envisagé, dès ses débuts, non seulement comme un instrument de développement économique, mais aussi comme un moyen de promotion de la sécurité et de la démocratie dans la région. Les affinités entre le MERCOSUR et l'UE se sont concrétisées par la signature, en 1997, d'un accord de libre-échange entre les deux blocs qui entrera en vigueur en 2005.

* * *

On retiendra de ce quatrième chapitre que les REI sont les échanges commerciaux et les mouvements de capitaux impliquant des paiements monétaires entre les personnes privées et morales des États et entre ces dernières et les OI. Depuis la naissance des premiers États-nations, au XVIe siècle, les REI ont été dominées successivement par les préceptes du mercantilisme, du libéralisme et du néomercantilisme, du libéralisme hétérodoxe et du néolibéralisme. Ce sont les États de l'Europe occidentale et les États-Unis, qui en raison de leur position dominante au sein du système économique international, ont imposé le modèle qui convenait le mieux à leurs intérêts, à chaque époque. Ils furent mercantilistes lorsqu'ils étaient faibles ou en déclin, et libéraux lorsqu'ils étaient forts ou en croissance.

Les échanges commerciaux et les mouvements de capitaux sont principalement comptabilisés dans la balance des paiements de chaque État. Les composantes de la balance des paiements sont la balance des comptes courants, qui enregistre les transactions de biens et de services, la balance des capitaux, qui recense les entrées et les sorties de capitaux à court et à long termes, et la balance monétaire, qui tient compte des avoirs de change des autorités monétaires. Si les échanges économiques sont aussi anciens que les premiers groupements humains, c'est au XXe siècle, notamment depuis 1945, qu'ils ont connu l'essor le plus fulgurant et qu'ils se sont le plus diversifiés. Parallèlement à l'augmentation du volume et de la valeur du commerce des marchandises, on a assisté au développement des échanges de services et à une croissance exponentielle des flux financiers, non seulement entre les PI du Nord, qui demeurent les principaux acteurs des REI, mais entre les PI et les NPI du Sud. Parmi tous les facteurs qui ont contribué à ces transformations, le plus important est sans doute la multinationalisation des banques et des PI.

C'est principalement sous l'impulsion des FMN[64], en effet, que s'est accéléréc l'industrialisation de plusieurs PED, que s'est instaurée une nouvelle division internationale du travail, qu'a été progressivement éliminée une grande partie des obstacles à la libre circulation des biens, des services et des capitaux et que se sont multipliés les accords d'intégration régionale. Bien que les FMN existent depuis l'époque coloniale, elles ont connu une croissance sans précédent au cours des dernières décennies. La CNUCED recensait en 1999 environ 60 000 firmes de ce type, à l'exclusion des sociétés financières, contrôlant quelque 500 000 filiales, contre à peine 7000, 20 ans plus tôt. Durant les seules années 1997-1998, 20 000 nouvelles FMN ont vu le jour. L'expansion des entreprises transnationales a été de pair avec une concentration sans précédent de la puissance économique. La CNUCED considère qu'un marché mondial des entreprises est en formation. Des pans entiers des économies des PED passent sous le contrôle des grandes FMN. On leur attribue 25 % de la production mondiale. Leurs ventes de biens et de services s'élevaient à 11 trillions de dollars en 1998, beaucoup plus que l'ensemble des exportations mondiales évaluées à 7 trillions de dollars. Ces entreprises contrôleraient ainsi le tiers des avoirs productifs détenus par le secteur privé dans le monde, quelques centaines d'entre elles ayant une position prépondérante à cet égard. Elles assumeraient près des trois-quarts des échanges mondiaux de biens manufacturés, dont une bonne partie découlerait du commerce qu'elles font avec leurs filiales[65]. Elles sont aujourd'hui les principaux acteurs des REI.

> Des dizaines de milliers de FMN et leurs multiples succursales font des affaires dans le monde entier. L'internationalisation des FMN s'effectue principalement à travers les investissements directs étrangers (IDE) qui consistent à acheter des actions des entreprises étrangères afin d'exercer un contrôle total ou partiel sur leurs activités et leurs produits. Les investissements directs étrangers des FMN, très souvent accompagnés de fusions, d'alliances et de prise de contrôle, sont effectués dans tous les secteurs économiques : ressources naturelles, industrie, services, agriculture. Alors que l'objectif des investissements de portefeuille est d'obtenir un rendement en capital, celui des IDE est de permettre à une FMN de renforcer sa position au sein de l'économie d'un autre pays (traduction de l'auteure)[66].

L'importance des FMN au sein des REI a été l'objet de nombreuses études et controverses. Pour les auteurs les plus critiques, généralement d'obédience néomarxiste, la multinationalisation des entreprises aggrave l'exploitation des travailleurs, accroît les écarts de revenus et la pauvreté, et endommage l'environnement tout en dépouillant les gouvernements de leur autonomie de décision, toutes les politiques publiques étant désormais soumises au diktat de ces grands conglomérats[67]. En revanche, pour les tenants du libéralisme et du néolibéralisme, la multinationalisation des entreprises est un phénomène éminemment positif puisqu'elle atténue les inégalités entre pays riches et pays pauvres et affaiblit le protectionnisme des États, les deux principales causes des guerres et de l'autoritarisme. L'analyse des néoréalistes est plus nuancée.

Selon Gilpin, les FMN ne sont ni des potentats capables de dicter leurs volontés aux États, au détriment du bien des nations et des peuples, ni des bienfaiteurs de l'humanité qui contribuent à développer les pays pauvres grâce à leurs capitaux et à leurs technologies. Elles sont à la fois une source d'exploitation, de détérioration de l'environnement et de progrès économique dans les zones de la planète où elles sont concentrées : Amérique du Nord, Europe occidentale, Asie du Nord-Est[68]. En outre, rien ne prouve que les FMN échappent désormais totalement au contrôle des États parce que leurs activités sont planifiées et intégrées sur le plan mondial[69]. Certaines études indiquent que la majeure partie des biens et des services des FMN sont produits sur le territoire de leur État-nation d'origine[70], ce qui est confirmé par le cas des États-Unis. À la fin du XXe siècle, le volume des biens fabriqués outre-mer par les FMN américaines représentait 20 % de la production totale des États-Unis, ce qui signifie que 80 % de cette dernière était toujours d'origine nationale. Sauf exception, le marché national demeure donc le marché principal des FMN, ce qui les oblige à tenir compte des politiques de leur État d'origine dans la définition de leurs stratégies. Par ailleurs, la mondialisation des entreprises n'a pas entraîné une uniformisation des politiques économiques et sociales des États comme le souhaitent les FMN. Les principaux États hôtes — Japon, États-Unis, pays de l'Union européenne — ont des politiques nationales différentes et les FMN doivent s'y conformer. Le principal enseignement de l'analyse néoréaliste est que les États continueront à exercer un contrôle sur les FMN et les REI tant que les activités des FMN demeureront concentrées au sein de leur État d'origine et que les différences structurelles des économies nationales persisteront. Seules une véritable mondialisation de la production et l'uniformisation des économies nationales sont susceptibles de mettre fin au pouvoir des États. Mais il s'agit là d'une perspective à long terme, car l'intégration internationale demeure limitée. Malgré la multiplication des AIR depuis 1990, seule l'UE a complété et dépassé le stade d'un marché commun et, si la libéralisation globale des échanges se poursuit à travers des ententes bilatérales, les négociations multilatérales piétinent depuis la fin de l'Uruguay Round. Le processus de mondialisation progresse plus lentement que ne le prévoyaient les chantres du néolibéralisme durant les années 1990, en raison des intérêts divergents des États et de la contestation dont il est l'objet de la part des acteurs non étatiques.

Notes

1. Une FMN est une entreprise qui possède la nationalité d'un pays et qui est propriétaire en tout ou en partie de succursales dans au moins un autre pays. Gilpin, *Global Political Economy*, 278.

2. *Id., ibid.*, 18.

3. Pour une analyse plus approfondie des théories mercantiliste, libérale et néo-mercantiliste, voir entre autres Gilpin, *The Political Economy of International Relations*, chap. 2 et 5 ; Hughes, *Continuity and Change in World Politics*, chap. 12. On trouvera aussi une excellente présentation des principales théories économiques dans Janine Brémond et Alain Geledan, *Dictionnaire des théories et mécanismes économiques* (Paris : Hatier, 1984).

4. Jean Imbert, *Histoire économique des origines à 1789* (Paris : Presses universitaires de France, 1965). Sur l'histoire du commerce mondial, voir notamment Fernand Braudel, *Autour de la Méditerrannée* (Paris : Éditions de Fallois, 1996) ; Immanuel Wallerstein, *Le système-monde du xvᵉ siècle à nos jours* (Paris : Flammarion, 1980) ; François Perroux : *L'économie du xxᵉ siècle* (Paris : Presses universitaires de France, 1969).

5. Emmanuel Nyahoho et Pierre-Paul Proulx, *Le commerce international* (Québec : Presses de l'Université du Québec, 1993), 11-14.

6. Le bullionnisme espagnol est différent. Il préconise la thésaurisation des métaux précieux (or et argent) importés des colonies plutôt que leur investissement dans le développement de l'industrie, une approche qui entraînera l'appauvrissement plutôt que l'enrichissement de l'Espagne.

7. Hugon, *Économie politique internationale et mondialisation*, 9.

8. Usage du charbon et de la houille comme combustibles (1760) ; production d'acier (1780) ; découverte de la machine à vapeur (1760) ; invention de la navette

mobile (1733) et du métier à tisser hydraulique (1769) dans l'industrie textile ; envol de l'industrie chimique (1743-1794) ; découverte et utilisation de l'électricité (1797-1830). Nyahoho et Proulx, *Le commerce international*, 15.

9. Gilpin, *The Political Economy of International Relations*, 181.

10. *Id., ibid.*, 185.

11. Les États-Unis conquirent tous les territoires à l'ouest du Mississipi en les rachetant ou en les prenant de force à la France, à l'Angleterre et à l'Espagne. Ils s'emparèrent des deux dernières colonies de l'Espagne — Cuba et les Philippines (1898) — et imposèrent leur influence en Amérique centrale. L'Allemagne triompha de l'Autriche (1866) et de la France (1870), victoire qui lui permet de s'emparer de l'Alsace et de la Lorraine.

12. Sur la théorie développementiste, voir Raul Prebisch, *La politique commerciale dans les pays sous-développés* (Paris : Banque mondiale, 1968). Sur les approches de la dépendance, voir Cardoso, « The Originality of a Copy : CEPAL and the Idea of Development ». Pour une rétrospective des théories et des politiques du développement, voir entre autres Pierre Jacquemot et Marc Raffinot, *Économie et sociologie du Tiers-Monde, un guide bibliographique* (Paris : l'Harmattan, 1981).

13. Gilpin, *The Political Economy of International Relations*, 33.

14. L'œuvre la plus importante de John Maynard Keynes est la *Théorie générale de l'emploi, de l'intérêt et de la monnaie*, publiée en 1936. Pour une analyse de la théorie keynésienne, voir Michel Beaud et Gilles Dostaler, *La pensée économique depuis Keynes* (Paris : le Seuil, 1993), 31-69.

15. Il est important de souligner que l'État-providence prendra une importance beaucoup plus grande que ne le suggéraient les keynésiens, en raison de l'influence des syndicats et des partis socialistes et démocrates-chrétiens sur les gouvernements de l'époque.

16. Pour une analyse plus approfondie de la vision keynésienne des REI, voir Deblock, « La sécurité économique internationale : entre l'utopie et le réalisme » *in :* Deblock et Éthier (dir.), *Mondialisation et régionalisation*, 333-385.

17. Il existe plusieurs explications de la crise du keynésianisme. Nous privilégions ici celle de l'école française de la régulation. Voir Lipietz, *Mirages et Miracles* .

18. Sur ce sujet, voir entre autres Diane Éthier, « La concurrence des nouveaux pays industriels et ses incidences » *in* Deblock et Éthier (dir.), *Mondialisation et régionalisation*, 257-281.

19. Cette citation et les propos de cette section sont principalement empruntés à Beaud et Dostaler, *La pensée économique depuis Keynes*, 149-169.

20. Milton Friedman, *Studies in the Quantity Theory of Money* (Chicago : Chicago University Press, 1956).

21. Beaud et Dostaler, *La pensée économique depuis Keynes*, 155.

22. Arthur Laffer et Jan P. Seymour, *The Economics of the Tax Revolt* (New York : Harcourt Brace Jovanovich, 1979).

23. Georges Gilder, *Wealth and Poverty* (New York : Basic Books, 1981, 27), cité dans Beaud et Dostaler, *La pensée économique depuis Keynes*, 158.

24. Gary Becker, *A Treatise on the Family* (Cambridge: Harvard University Press, 1981); *Id., The Economic Approach to Human Behavior* (Chicago: Chicago University Press, 1976).

25. Plusieurs études ont démontré ce fait, notamment Joan Nelson, ed., *Economic Crisis and Policy Choice* (Princeton: Princeton University Press, 1990); Stephen Haggard et Steven B. Webb, *Voting for Reform,* (Oxford/Washington DC: Oxford University Press/The World Bank, 1994); Diane Éthier, *Economic Adjustment in New Democracies. Lessons from Southern Europe* (Londres/New York: Macmillan/St. Martin's Press, 1997); *Id.,* « Does Economic Adjustment Affect the Legitimacy of Democracies? Comparing Seven Western European Cases », *International Journal of Comparative Sociology,* n° 4 (novembre, 1999).

26. Gilpin, *Global Political Economy,* 10.

27. Pour un complément d'analyse des composantes et du calcul de la balance des paiements, voir entre autres: Wilson B. Brown et Jan S. Hogendorn, *International Economics. Theory and Context* (Reading, Mass: Addison-Wesley Publishing Company, 1994), 400-401; Janine Brémond et Alain Geledan, *Dictionnaire économique et social* (Paris: Hatier 1981), 133-139; R. Glenn Hubbard, *Money, the Financial System and the Economy* (Reading, Mass: Addison-Welsley Publishing Company, 1994), 557-561; Renaud Bouret, *Relations économiques internationales* (Toronto/Montréal: Chenelière/McGraw Hill, 2003) chap. 6.

28. Brémond et Geledan, *Dictionnaire économique et social,* 136.

29. *Id., ibid.,* 138.

30. Un trillion = mille milliards.

31. The World Bank, *World Development Indicators 2002* (Washington DC: The World Bank, 2002), 339-340.

32. En 2002, 85 % des exportations du Canada étaient destinées au marché américain.

33. Bouret, *Relations économiques internationales,* p. 184.

34. Pour une analyse comparative plus approfondie des politiques de substitution des importations et de substitution des exportations, voir Brémond et Geledan, *Dictionnaire des théories et mécanismes économiques,* 422-429.

35. Cette section est largement inspirée de Nyahoho et Proulx, *Le commerce international,* 170-175. Pour une analyse plus spécialisée des mesures protectionnistes, voir Brown et Hogendorn, *International Economics,* chapitres 4 et 5, 105-188.

36. Brown et Hogendorn, *International Economics,* 171.

37. Andrzej Olechowski, « Non-Tariff Barriers to Trade » *in* J. Michael Finger et Andrzej Olechowski, eds., *The Uruguay Round. A Handbook for the Multilateral Trade Negotiations* (Washington DC, Banque mondiale, 1987), 121-126.

38. Gilpin, *Global Political Economy,* 216-217. Sur cette théorie, voir aussi Paul R. Krugman, *La mondialisation n'est pas coupable. Vertus et limites du libre-échange* (Paris: La Découverte, 1998).

39. Bouret, *Relations économiques internationales,* p. 188-189.

40. Hubard, *Money, the Financial System and the Economy,* 559.

41. Les deux principaux produits dérivés sont les contrats à terme (*future contracts*) et les contrats d'option (*option contracts*). Les contrats à terme sont des ententes entre acheteurs et vendeurs qui prévoient qu'un bien (production minière, récolte agricole) ou un instrument financier, (émission de bons du trésor, fixation du taux de change d'une monnaie) sera livré à telle date et à tel prix dans le futur. Les contrats d'option confèrent le droit d'acheter ou de vendre un bien réel ou financier à un prix prédéterminé et à un moment prédéterminé. Sur les produits dérivés et autres aspects du marché financier, voir Hubard, *Money, the Financial System and the Economy*, 203-207.

42. Gilpin, *Global Political Economy*, 6-7.

43. La principale source de référence de cette section est Brown et Hogendorn, *International Economics*, 568-573.

44. Sur les grands principes de Bretton Woods, voir entre autres Reuter et Combacau, *Institutions et relations internationales*, 448-465. Pour une analyse détaillée du FMI, de la Banque mondiale et du GATT, on peut se référer à Jacques Fontanel, *Organisations économiques internationales* (Paris: Masson, 1981), chapitres 8 et 10. On trouvera le texte du GATT et un court bilan de chaque round de négociations dans Ismaël Camara, *Comprendre le* GATT (Sainte-Foy: Le Griffon d'argile, 1990).

45. Camara, *Comprendre le* GATT, 102.

46. Les études sur l'intégration européenne sont légion. Sur les débuts de ce processus, on pourra consulter, entre autres, Reuter et Combacau, *Institutions et relations internationales*, 467-483; Fontanel, *Organisations économiques internationales*, 273-287; P. Laurette, *La construction européenne* (Paris: Syros Alternatives, 1992); R. Touleman, *La construction européenne* (Paris: Le livre de poche, 1994).

47. Jean Monnet avait été un des principaux artisans des organismes interalliés durant le conflit de 1914-1918, puis secrétaire général de la SDN au début des années vingt. Profondément démocrate, il n'appuiera jamais le régime de Vichy et sera l'un des principaux intermédiaires entre la Maison Blanche et les Forces de la France libre durant la Seconde Guerre mondiale. André Kaspi, *Franklin Roosevelt* (Paris: Fayard, 1988).

48. Par exemple, la libéralisation de la circulation des personnes a été limitée à certaines catégories de travailleurs salariés; la libéralisation des capitaux a été restreinte à quelques mesures; la politique agricole commune a entraîné une forte augmentation des prix des biens agricoles au sein de la CEE; les politiques de cohésion économique et sociale ont été mises en œuvre tardivement, durant les années 1970, et n'ont pas réussi à réduire les disparités régionales et les écarts de revenus.

49. Reuter et Comabacau, *Institutions et relations internationales*, 470.

50. Voir notamment OCDE, *Les nouveaux pays industriels* (Paris: OCDE, 1979, 1988).

51. « Les eurodollars sont des avoirs en dollars possédés par des ressortissants extérieurs aux États-Unis (banques ou entreprises) et qui se négocient et circulent à l'extérieur des États-Unis », Bremond et Geledan, *Dictionnaire économique et social*, 357. « C'est l'ouverture par les banques américaines de succursales en Europe, afin d'échapper à la législation qui imposait un plafond aux taux d'intérêt, qui est

à l'origine du marché des eurodollars. Le dépôt dans des banques européennes de ses réserves de dollars par l'Union soviétique contribua également à l'expansion du marché des eurodollars.» Gilpin, *Global Political Economy*, 234, note 2.

52. Les gouvernements de plusieurs pays et les Banques centrales continuent néanmoins d'intervenir afin de favoriser une hausse ou une baisse de la valeur de leurs devises. La dollarisation, le contrôle des changes, l'émission de nouveaux billets de banque, le rachat de la monnaie nationale à l'aide des réserves de devises étrangères, l'augmentation ou la diminution des taux d'intérêt sont quelques mesures parmi d'autres qui modifient l'offre et la demande et conséquemment la valeur d'une monnaie nationale. En outre le G7, créé en 1974 à l'initiative du président Giscard d'Estaing afin de permettre aux sept pays les plus industrialisés de coordonner leurs politiques monétaires, continue à jouer ce rôle. Les réformes économiques et financières exigées par le FMI en contrepartie de son aide visent notamment à stabiliser la valeur des monnaies des États récipiendaires.

53. Il existe une très vaste littérature sur les politiques conditionnelles d'aide. Voir, entre autres, Deborah Brautigan, «Governance, Economy and Foreign Aid», *Studies in Comparative International Development*, 27, 3 (1992), 3-25; Georg Sorensen, ed., *Political Conditionality* (Londres: Frank Cass, 1993); Adrian Leftwich, «Governance, the State and the Politics of Development», *Development and Change*, 25, 2 (1994), 363-386; Diane Éthier, «Is Democracy Promotion Effective? Comparing Conditionality and Pressures».

54. Parmi ces critiques, on retiendra notamment celle de Joseph Stiglitz, prix Nobel d'économie et ancien vice-président de la Banque mondiale dans son livre *La grande désillusion* (Paris: Fayard, 2002).

55. Sur l'Uruguay Round, voir notamment Camara, *Comprendre le GATT*; Nyahoho et Proulx, *Le commerce international*, partie III; Ann Weston, «L'Uruguay Round: les pays du tiers-monde face aux négociations» *in* Christian Deblock et Diane Éthier (dir.), *Mondialisation et régionalisation*, 281-307.

56. Nyahoho et Proulx, *Le commerce international*, 294.

57. Sur les pouvoirs et le mécanisme de règlement des différends de l'OMC voir: Bouret, *Les relations économiques internationales*, p. 105-112; Vilaysoun Loungnarath, «Le mécanisme de règlement des différends» in: Christian Deblock (dir.), *L'Organisation mondiale du commerce* (Montréal: Fides/La Presse, 2003), p. 53-73.

58. Sur la conférence de Doha et les dissensions entre les membres de l'OMC, voir: Christian Deblock, «Introduciton: l'OMC après Doha» in: Deblock, *L'Organisation mondiale du commerce*, p. 11-39.

59. Pour un bilan des théories et des expériences d'intégration régionale voir: Young Jong Choi et James A. Caporaso «Comparative Regional Integration», *Handbook of International Relations*, p. 480-500.

60. Sur l'évolution des institutions et politiques de l'UE avant 2000, voir: Helen et William Wallace, *Policy Making in the European Union* (Oxford: Oxford University Press, 2000); sur les institutions de l'UE avant 2003, voir: Daniel Guéguen, Guide pratique du labyrinthe communautaire (Rennes: Éd. Apogée, 9e éd.,

2003); Paul Magnette, Contrôler l'Europe. Pouvoirs et responsabilités dans l'Union européenne (Bruxelles: Éditions de l'Université de Bruxelles, 2003). Pour des informations plus récentes sur tout sujet relatif à l'UE, il faut consulter le site Internet EUROPA.

61. Cuba a été tenu à l'écart des négociations sur la ZLEA en raison de son régime communiste.

62. Pour une synthèse des points saillants de l'ALE et de l'ALENA, voir Nyahoho et Proulx, Le commerce international, 264-268. Cet ouvrage fournit également une analyse plus détaillée de l'ALENA et une étude d'autres accords commerciaux, notamment le MERCOSUR.

63. Id., ibid., 263.

64. Une firme multinationale est une entreprise qui a la nationalité d'un État et qui possède au moins une succursale dans un autre pays.

65. De Senarclens, La mondialisation, p. 75; CNUCED, Rapport sur l'investissement dans le monde 2001: vers de nouvelles relations internationales (UNCTAD/WIR/2001); UNCTAD, World Development Report 1999 (New-York, 1999); Julius Deanne, Global Companies and Public Policy: The Growing Challenge of Foreign Direct Investment (Londres : Pinter, 1990).

66. Gilpin, Global Political Economy, 278.

67. Voir Stephen Hymer, The International Operations of National Firms: A Study of Direct Investment (Boston: MIT Press, 1976); Robert Fox, Production, Power and World Order: Social Forces in the Making of History (New York: Columbia University Press, 1987).

68. Au milieu des années 1990, 85% de tous les investissements étrangers étaient concentrés aux États-Unis, au Japon et en Europe occidentale. Voir Robert Boyer et Daniel Drache, States Against Markets: The Limits of Globalization (New York: Routledge, 1996), 2.

69. Voir Kenichi Ohmae, The Borderless World: Power and Strategy in the Interlinked Economy (New York: Harper-Business, 1990).

70. Razeen Sally, « Multinational Enterprises, Political Economy and Institutional Theory: Domestic Embeddedness in the Context of Internationalization », Review of International Political Economy, 1, 1 (1994), 161-192.

CHAPITRE 5

LES « NOUVELLES » RELATIONS INTERNATIONALES

5

LES « NOUVELLES » RELATIONS INTERNATIONALES

Marie-Joëlle Zahar

Au début des années 1990, la chute du mur de Berlin et l'effondrement de l'Union soviétique signalaient un tournant décisif dans l'histoire des relations internationales. La nature du monde de l'après-guerre froide a déjà fait l'objet de réflexions dans les chapitres 2 et 3 de ce manuel. L'impact de la fin de la guerre froide sur le système des organisations internationales à la fin du xxᵉ siècle a été examiné ainsi que les changements survenus dans le domaine de la sécurité collective par la suite. Ce chapitre revient sur certains de ces points, mais dans une perspective nouvelle. Il se penche essentiellement sur les questions suivantes: Les changements survenus sur la scène internationale ont-ils altéré l'étude des relations internationales? Peut-on donc parler de « nouvelles » relations internationales? Comment faire la part de l'ancien et du neuf dans le monde où nous vivons?

Les bouleversements du monde nous incitent à questionner l'utilité de nos théories pour comprendre et analyser les phénomènes internationaux contemporains. « Est-ce que les catégories principales qui ont servi à délimiter le lieu et les frontières de l'action politique sont encore pertinentes?[1] » Quelles sont les nouvelles réalités politiques internationales et comment procéder pour en décrire et analyser les composantes? Cette conclusion vise à apporter des éléments de réponse à ces questions.

Dans un premier temps, nous analyserons le contexte des nouvelles relations internationales dans le but d'identifier les principaux changements susceptibles de modifier notre analyse. Seront ensuite décrits les nouveaux défis auxquels les décideurs font face aujourd'hui. Dans un troisième temps, nous décrirons les nouveaux acteurs qui ont surgi sur la scène internationale, pour conclure par une réflexion sur l'impact que tous ces bouleversements ont eu sur nos champs de recherche et outils analytiques.

Le nouveau contexte international

S'il fallait sélectionner trois faits marquant le tournant amorcé en 1989, ce serait probablement la fin de la guerre froide, l'éclatement des « empires », et la troisième vague de démocratisation. Ces changements ont été étudiés autre part dans ce manuel mais il est utile d'y revenir brièvement.

La fin de la guerre froide

Le 3 août 1990, le secrétaire d'État américain, James Baker, et le ministre des affaires étrangères soviétique, Edouard Chevarnadze, lisaient une déclaration commune condamnant l'invasion du Koweït par l'Irak et décrétant un embargo économique contre l'agresseur. Ce tournant historique a marqué la fin de la guerre froide. La guerre froide fait principalement référence à la rivalité qui a opposé les États-Unis d'Amérique à l'Union soviétique depuis la fin de la Seconde Guerre mondiale. Cette rivalité divisait le monde en deux blocs. Elle influençait également les calculs des décideurs, tant à Washington qu'à Moscou, notamment dans leur quête d'influence mondiale qui se traduisait par l'accumulation de régimes clients dans le tiers-monde. La fin de cette compétition à l'échelle mondial a plusieurs conséquences pour les relations internationales. Nous avons déjà relevé la coopération entre les États-Unis et la Russie au sein du Conseil de sécurité de l'ONU. Avant l'invasion du Koweït par l'Irak, une telle coopération était pratiquement impensable. Par ailleurs, les grandes puissances peuvent désormais baser leurs relations internationales sur des considérations d'intérêt plutôt que d'idéologie et de balance de pouvoir. Le largage de clients dont la loyauté coûteuse n'est désormais plus nécessaire est une deuxième conséquence de la fin de cette rivalité bipolaire. Dans certains cas, ce largage offre des opportunités de solution aux crises locales ou régionales (Angola ou Moyen-Orient) mais il est aussi porteur de dangers. En effet, les contraintes imposées par des superpuissances prudentes à leurs clients régionaux sont maintenant absentes, ce qui se traduit parfois par des comportements agressifs (invasion iraquienne du Koweït).

L'interrogation la plus importante qui découle de la fin de la guerre froide porte sur la nature du système international actuel. S'agit-il d'un monde unipolaire, où la puissance économique, politique et militaire des États-Unis s'impose? Est-ce plutôt un monde multipolaire où différents pôles (États-Unis, Union européenne, Japon, Chine) sont en compétition pour affirmer leur puissance dans différentes sphères?

L'unipolarité du système transparaît à travers la tendance américaine à l'unilatéralisme, démontrée maintes fois, notamment lors de la crise du Kosovo (1999) et lors du retrait de Washington du traité sur les missiles antibalistiques (décembre 2001). Par ailleurs, l'asymétrie militaire entre les États-Unis et les autres États est pratiquement insurmontable. En 2001, le budget américain de défense s'élevait à 322 365 milliards de dollars US contre près de 63 milliards pour la Russie, 46 milliards pour la Chine et 34 milliards pour la Grande-Bretagne[2]. Mais qui dit unipolarité ne dit pas nécessairement hégémonie. Les événements du 11 septembre 2001 soulignent en effet que certaines menaces militaires non conventionnelles peuvent défier la puissante machine de guerre américaine. Par ailleurs, les négociations qui ont résulté en la résolution 1441 du Conseil de sécurité de l'ONU sur la reprise des inspections onusiennes concernant les armes de destruction massive en Irak (novembre 2002) et, par la suite, la décision anglo-américaine de déclencher une guerre contre l'Irak sans l'aval des Nations Unies ont démontré la capacité de blocage dont disposent encore certains États membres dudit Conseil, et ce en dépit de leur désavantage militaire vis-à-vis de Washington. Cet état de choses résume bien la position de Joseph Nye, éminent politologue américain, qui souligne la différence entre *hard power* ou la force militaire brute et *soft power* ou la capacité d'atteindre un objectif par le biais de la persuasion plutôt que la coercition. Nye s'inquiète des conséquences négatives de l'unilatéralisme américain, une politique qui, selon lui, risque de miner le *soft power* des États-Unis et de donner des munitions à leurs ennemis sur la scène internationale[3].

L'éclatement des « empires »

Par éclatement des empires, nous faisons surtout référence à l'effondrement de l'Union soviétique et de l'ex-Yougoslavie. Dans ces deux cas, l'affaiblissement du pouvoir central ouvre la voie à une reconfiguration de l'espace territorial, premier changement majeur dans ce domaine depuis la vague de décolonisation qui suit la Seconde Guerre mondiale. Les républiques de l'ex-URSS se constituent en entités souveraines et indépendantes même si elles sont liées dans le cadre de la Communauté des États indépendants (CEI) ; la guerre en ex-Yougoslavie résulte en la création de cinq nouveaux pays. Mais si cet éclatement a des conséquences directes, ce sont en fait ses conséquences indirectes qui sont plus importantes. Les politiques de glasnost et de perestroïka indiquent un changement de priorités favorisant la politique interne aux dépens de la politique étrangère. Ce changement s'amorce dès la moitié des années 1980 et se traduit par un repliement de l'URSS qui abandonne ses pays satellites et clients à leur propre sort. Terminés l'aide économique et militaire ainsi que le soutien politique desquels dépendaient des élites de moins en moins légitimes. La vague de démocratisation qui déferle sur l'Europe centrale et de l'Est est le résultat le plus probant de cette réorientation politique. Ses effets se font néanmoins ressentir aux confins de l'Asie et de l'Afrique dans le phénomène caractérisé par Samuel Huntington comme « troisième vague » de démocratisation[4]. Ces changements dans la politique de Moscou, combinés au changement des élites dirigeantes de plusieurs pays ex-communistes, se traduisent aussi par la recomposition des alliances et des organisations régionales, notamment en Europe. Plusieurs pays d'Europe centrale et orientale amorcent des procédures d'adhésion à l'Union européenne. Celle-ci entame une réflexion sur son élargissement et établit des cadres institutionnels de coopération avec les pays candidats, notamment dans le cadre du Pacte de stabilité qui lie l'Europe occidentale à l'Europe du Sud-Est. Les anciens pays membres du pacte de Varsovie se bousculent à la porte de l'OTAN. Et si la Russie s'inquiète parfois de l'élargissement de l'OTAN à ses frontières, elle ne réagit pas en essayant d'établir une nouvelle ligne de faille mais bien en entamant à son tour un dialogue et en resserrant ses liens de coopération avec l'ennemi d'antan.

La « troisième vague »

Attribuée en partie à l'éclatement de l'Union soviétique, une vague de démocratisation (Afrique, Asie du Sud-Est) et de libéralisation politique (Moyen-Orient) change certaines données régionales. Affaiblis par la décision des grandes puissances de ne plus les soutenir à tout prix, les régimes autoritaires se butent aux revendications de leurs populations. Des populations qui, par ailleurs, sont d'autant plus conscientes de leurs droits et des opportunités de changement qu'elles assistent en retransmission directe à l'effondrement de régimes longtemps considérés invulnérables (Ceausescu en Roumanie; le coup d'État blanc d'août 1991 à Moscou). Si la troisième vague n'a pas le même succès partout (voir par exemple la résistance notoire des régimes arabes), il n'en demeure pas moins que certains changements se font ressentir à l'échelle mondiale: adoption de moins en moins contestée du modèle économique néolibéral; instabilité chronique dans la plupart des pays réticents au changement; pressions accrues de la part de la communauté internationale pour encourager, voire forcer les retardataires à suivre dans la voie du changement.

Il est important de s'attarder au lien entre l'extension de la démocratie et la mondialisation du modèle économique néolibéral. Parfois explicite mais souvent implicite, ce lien est renforcé par plusieurs phénomènes: l'intervention des instances financières et monétaires internationales dans les politiques économiques des pays endettés, l'intervention de la communauté internationale dans la résolution des conflits civils, ainsi que les leçons tirées de la crise financière qui a secoué les marchés asiatiques en 1997. Les contextes sont différents mais le message reste le même: la solution durable aux problèmes des pays du Sud réside dans une double sinon triple transition—de l'autoritarisme à la démocratie, de l'économie socialiste à l'économie de marché, et de la guerre à la paix—et cette transition ne peut s'effectuer que dans sa totalité. Toutefois, nombreux sont ceux qui voient dans cette « orthodoxie » une expression de la volonté dominatrice de l'Occident, accusé de profiter des changements sur la scène internationale pour promouvoir un nouvel « impérialisme[5] ». Les résistances à ce projet de société sont nombreuses et diverses: les groupes antimondialisation et les mouvements fondamentalistes religieux prônent, chacun à sa manière, la sauvegarde des spécificités locales. Si la résistance est symbolique en France où un fermier, José Bové, devient un héros en s'opposant au phénomène McDonald's, elle prend des allures de lutte armée et meurtrière dans d'autres coins du monde, notamment dans le monde islamique. Le titre du livre grand public *Djihad versus McWorld* résume parfaitement cet état de choses.

Cerner le changement

Si tous ces évènements ont lieu dans la même décennie, voire les quelques années précédant et suivant la fin de la guerre froide, il est toutefois incorrect de présumer que celle-ci en est la seule responsable. La fin des « empires » est avant tout le résultat des politiques internes des gouvernements en place à Moscou et Belgrade. Et s'il est vrai que les changements au sein de l'URSS ont contribué au largage de plusieurs régimes clients et à la vague de démocratisation qui a suivi, surtout en Europe de l'Est, il serait aussi erroné de ne pas considérer les facteurs internes ayant mené à ces changements politiques dans plusieurs pays du tiers-monde. Les conséquences des changements esquissés ci-dessus ne sont souvent qu'une amplification de processus qui précèdent 1989, qu'il s'agisse de la démocratisation des régimes autoritaires (Europe du Sud 1973-1978 ; Asie de l'Est et Amérique latine dans les années 1980) ou encore de l'affaiblissement des rivalités Est-Ouest (les négociations pour la limitation des armes stratégiques, SALT 1 et 2, ont précédé l'effondrement de l'Union soviétique). Face à ce constat, qu'en est-il vraiment des changements de l'après-guerre froide ?

Il est difficile de faire la part du nouveau et de l'ancien, de cerner l'amplitude des changements survenus depuis la fin de la guerre froide. S'il est vrai que la rivalité entre les deux superpuissances s'est dissipée au profit d'une nouvelle coopération, concrétisée dans le vote unanime du Conseil de sécurité des Nations Unies au sujet de l'invasion iraquienne du Koweït, il n'en demeure pas moins que certains aspects du monde où nous vivons ne sont pas nouveaux.

Le phénomène de mondialisation est probablement la meilleure illustration de cette continuité. En effet, la mondialisation de l'activité économique ne peut en aucun cas être située au même moment que la fin de la guerre froide. Bien au contraire, il s'agit d'un phénomène qui date au moins de la fin du XIXᵉ siècle. Les liens toujours plus denses entre sociétés ne sont pas récents non plus. S'il est quelque chose de nouveau, c'est probablement l'extension et l'intensification des flux internationaux qui englobent désormais toutes les parties de la planète. C'est d'ailleurs cet aspect du changement survenu dans le contexte international qui, comme on le verra sous peu, influence le plus profondément la nature des relations internationales et celle des théories qui visent à les analyser.

Les défis : du local au mondial

Toute analyse des changements survenus depuis la fin de la guerre froide se doit de signaler l'émergence de nouvelles problématiques internatio-

nales. Si les analystes ne sont pas d'accord sur la catégorisation de ces phénomènes, ils n'en acceptent pas moins leur centralité dans la pratique des
rapports internationaux. Ces thèmes peuvent être regroupés selon leur appartenance à deux axes : l'axe identité-violence et l'axe sécurité-développement. Qu'il s'agisse de SIDA ou de terrorisme, ces nouvelles problématiques
remettent en question la distinction traditionnelle entre *high politics* et *low
politics*. En effet, si des questions de sécurité et de conflits militaires occupent le devant de la scène politique internationale au début du XXIe siècle,
les enjeux environnementaux et sociaux reliés à la mondialisation leur disputent de plus en plus les feux de la rampe.

Identité et violence

« Délestés des enjeux "idéologiques" liés au conflit des deux grandes puissances, les conflits récents ont gagné en lisibilité »[6]. En effet, la guerre est
loin d'avoir disparu de l'échiquier international. Le lien entre identité et
violence resurgit un peu partout. Les revendications identitaires étroites
servent de justification et d'élément mobilisateur dans le cadre de guerres
civiles où certaines factions cherchent soit à contrôler le pouvoir ou encore
à se séparer pour former leur propre État communautaire. C'est le cas en
Bosnie, en Tchétchénie, dans le Caucase, en Asie centrale, de même qu'au
Sri Lanka et au Timor oriental.

Aux dires de certains auteurs, l'identité devrait même devenir un bloc
fondamental de l'organisation du système international. C'est notamment
la thèse du « choc des civilisations » avancée par Samuel Huntington et
qui identifie le bloc culturel islamique comme la nouvelle menace à laquelle l'Occident fait face[7]. Ce sont en effet des revendications identitaires
qui sous-tendent les grands défis au système international, actuel, tels les
attentats du 11 septembre 2001 aux États-Unis[8]. C'est aussi en partie au
nom de la défense d'une identité occidentale (basée sur la culture judéochrétienne et sur les valeurs démocratiques) que le président américain
George W. Bush lançait la guerre au terrorisme. Dans la conjoncture de
l'après-11 septembre, les représentations identitaires binaires font irruption dans le discours et la pratique politique, d'où, par exemple, l'opposition entre Occident et « axe du mal ».

Les conflits identitaires locaux et mondiaux s'imposent désormais
comme l'une des thématiques importantes de l'analyse des relations inter-

nationales. Source d'instabilité dans le système international, ils font aussi intervenir de nouveaux acteurs aux logiques d'action et d'organisation inusitées. Milices, mercenaires et réseaux terroristes déploient des panoplies d'instruments non conventionnels qui orientent la recherche vers des sujets d'actualité comme le ciblage des populations civiles[9], la problématique des saboteurs[10] et l'économie des guerres[11]. Le sous-champ de la résolution des conflits s'est d'ailleurs considérablement enrichi grâce aux travaux sur la résolution des guerres intraétatiques[12] et la mise en application des accords de paix[13].

Sécurité et développement

Le lien entre développement et sécurité fait l'objet de plusieurs études qui en viennent, pour la plupart, à une même conclusion : la nécessité de mieux gérer les ressources naturelles planétaires en vue non seulement d'un développement durable sur le plan local mais également de la survie de l'humanité[14].

La dégradation de l'environnement découle d'un certain nombre de facteurs interdépendants dont la croissance démographique. Le problème vient des besoins croissants ainsi que de la lenteur à laquelle les ressources naturelles se renouvellent. Dans la plupart des pays du Nord, des politiques « vertes » visent à réduire les effets nocifs de l'industrialisation en imposant certaines normes aux industries lourdes. L'extension de ces normes aux pays du Sud est rendue particulièrement ardue à cause du coût élevé des technologies propres. La sécurité environnementale illustre bien le dilemme de la gouvernance des biens publics. Une approche coopérative systémique est nécessaire pour éviter la catastrophe si bien connue sous l'appellation « tragédie des communs ». Mais les intérêts divergents des États rendent cette coopération difficile et augmentent la tentation de faire cavalier seul et de profiter de toute amélioration obtenue par une action collective sans toutefois y participer et donc encourir des coûts[15].

Sur le plan local, le développement durable est aussi lié à la sécurité. La résolution permanente des conflits et l'aplanissement des différences sociales liées aux tensions politiques et militaires ont parfois des volets environnementaux non négligeables. On notera, par exemple, l'importance des nappes phréatiques dans le conflit israélo-palestinien en Cisjordanie et dans la bande de Gaza. La superposition de la famine et de la guerre civile au Soudan a permis, pour sa part, l'utilisation de l'aide alimentaire comme instrument de guerre[16]. Ces problèmes exigent des solutions permanentes qui réduisent les vulnérabilités environnementales susceptibles d'alimenter les conflits latents au sein des sociétés ou entre elles[17].

La plupart de ces problèmes ne datent pas d'hier. C'est leur importance relative qui a changé depuis que le conflit entre les deux superpuissances et le danger de guerre nucléaire qui s'y greffait ne sont plus les problématiques centrales des rapports internationaux. C'est aussi l'étendue des problèmes qui a changé. Par exemple, les problèmes de l'environnement ne se réduisent plus à la pollution industrielle. Il s'agit aujourd'hui de faire face aux conséquences à l'échelle mondiale des pratiques industrielles des cent dernières années. Effet de serre, amincissement de la couche d'ozone, pluies acides sont des problèmes transfrontaliers dont les conséquences auraient des portées mondiales mettant en question la survie de l'humanité.

Ces nouvelles problématiques remettent en question l'utilité du clivage interne-externe. Que les causes des problèmes soient internes (conflits identitaires) ou externes (environnement), leurs conséquences se font ressentir tant à l'intérieur des États qu'à l'échelle internationale. Par exemple, les conflits identitaires créent entre autres des flux de réfugiés et d'immigrants qui peuvent déstabiliser les pays d'accueil alors que le terrorisme remet actuellement en question les politiques étatiques occidentales dans des domaines aussi variés que la sécurité nationale, l'immigration et l'économie. Une observation s'impose : ces nouveaux défis ont un point en commun, l'imbrication du local et du mondial.

Les acteurs

À nouveaux défis, nouvelles donnes : quels sont les acteurs appelés à faire face aux défis qui viennent d'être esquissés dans leurs grandes lignes ? Quelles sont leurs caractéristiques les plus importantes ? Comment les théories peuvent-elles aider à mieux cerner les paramètres de leurs actions ?

Quid de la thèse du retrait de l'État ?

La mondialisation est « l'espace au sein duquel chacun de nous évolue quotidiennement, [un espace qui] ne coïncide plus avec celui défini par les frontières de nos sociétés d'appartenance[18] ». En effet, il est illusoire de penser que l'État demeure l'acteur politique le plus important en relations internationales. Non seulement son intégrité territoriale est remise en question mais aussi son autonomie.

La plupart des analyses en relations internationales reposent sur l'hypothèse de la souveraineté étatique. Par État souverain, les relations internationales font référence à un peuple habitant un territoire clairement délimité, dont le gouvernement effectif est reconnu et ayant une personnalité juridique internationale. Dans le monde actuel, ce concept est de moins en moins conforme à la réalité de l'expérience étatique. S'il est une constatation incontournable, il s'agit bien de la porosité grandissante des frontières étatiques. Sous l'assaut conjugué de plusieurs technologies de pointe, dont les satellites et l'Internet font figure de proue, l'État a de plus en plus de mal à maintenir la fiction du contrôle du territoire. D'autre part, la mondialisation ne brime-t-elle pas la souveraineté de l'État ? Ici, les opinions diffèrent. Certains font valoir l'absence de modèles alternatifs pour conclure que l'État n'est pas en danger[19]. En effet, malgré le développement de blocs régionaux comme l'ALENA ou encore d'organisations supraétatiques comme l'Union européenne, ces nouvelles formes de coopération ont à la base des ententes entre États. D'autres font valoir qu'à l'âge de la mondialisation, la souveraineté étatique n'est plus ce qu'elle était. Ils préconisent donc sa redéfinition de manière à cerner la réalité de l'État au seuil du XXIe siècle.

Les questions de territorialité et de souveraineté convergent pour remettre en question la capacité étatique. La mondialisation limite l'autonomie de l'État-nation, soit sa capacité d'intervention au sein de la société ; elle réduit aussi sa marge de manœuvre dans tout effort de formuler et d'atteindre la réalisation de ses propres objectifs. Le domaine dans lequel ces changements trouvent leur expression la plus claire c'est le domaine économique. Les échanges économiques ont pris beaucoup d'ampleur depuis les années 1970. Dans l'état actuel des choses, on ne peut d'ailleurs plus se limiter à l'étude du commerce extérieur des pays lorsque l'on se penche sur l'économie internationale. Force est de reconnaître que cette économie s'organise de plus en plus sur des bases mondiales. Dans la foulée des firmes multinationales, nous assistons au déplacement du capital productif et financier, à l'accélération des transferts technologiques, à l'expansion de nouvelles infrastructures communicationnelles, et à l'accélération du volume du commerce mondial. Ces mutations économiques

260 ◆ INTRODUCTION AUX RELATIONS INTERNATIONALES

réduisent la marge d'action étatique tout autant que la régulation de l'économie demeure prisonnière d'une « prison keynésienne » qui conçoit l'activité économique comme essentiellement nationale.

Un nouvel acteur mondial : les réseaux

Si la souveraineté de l'État est problématique, il en est de même pour une autre supposition qui sous-tend les relations internationales : le clivage interne-externe. Nulle part mieux exprimé que dans l'analyse de Kenneth Waltz[20], ce clivage présuppose une différence dans les modes d'organisation de la politique interne et étrangère. C'est d'ailleurs ce clivage qui permet également de postuler la prédominance de l'acteur étatique en relations internationales. Toutefois, la mondialisation engendre non seulement une logique d'organisation différente mais aussi de nouveaux acteurs sur lesquels il faut se pencher.

La mondialisation s'accompagne d'une perméabilité croissante des frontières sociétales. L'une des implications de ce changement est la remise en question de l'architecture des rapports internationaux. Si l'organisation du monde en États-nations impliquait la reconnaissance de la plénitude étatique sur le territoire national, cette plénitude est aujourd'hui assaillie par deux phénomènes qui se renforcent mutuellement : la relativisation des allégeances des individus et la porosité des frontières[21]. Les frontières perméables favorisent la consolidation d'identités multiples régionales et transnationales aussi bien que le renforcement d'identités locales. Elles permettent, par exemple, des flux d'immigration de plus en plus denses, flux qui amplifient les phénomènes de double (sinon multiple) nationalité. D'autre part, la perméabilité des frontières contribue aussi à fragiliser certaines identités (religieuses, ethniques) qui se mobilisent conséquemment. Le rôle de l'État, anciennement conçu comme le point d'articulation entre la société et le système international, est donc remis en question.

Le processus de mondialisation est en partie synonyme de création de réseaux déterritorialisés. Organisations non gouvernementales, firmes multinationales, mouvements sociaux et religieux se multiplient à l'échelle mondiale. Mobilisés par l'émergence de nouveaux problèmes mondiaux tels que le SIDA et les questions écologiques, ces acteurs font désormais concurrence aux entités étatiques. Ils exigent une place dans les structures décisionnelles internationales comme le démontrent d'ailleurs les activités des réseaux antimondialisation lors des sommets de Seattle, Québec et Gênes. Ces réseaux ne sont pas uniquement actifs sur la scène internationale mais aussi et surtout sur la scène nationale. La mondialisation médiatique, l'effet CNN, la diffusion instantanée de l'information qui fait fi du temps et de l'espace pour catapulter les téléspectateurs au cœur de l'action ont contribué à l'émergence d'une opinion publique internationale dont la conscience impose souvent des contraintes aux États. Non seulement cette opinion exige des actions internationales face à certaines aberrations — Rwanda et Bosnie par exemple —, mais elle fait également pression sur les gouvernements pour changer leurs pratiques, comme le rôle d'Amnistie internationale, parmi d'autres, en témoigne.

La densité des réseaux internationaux et leur hétérogénéité imposent une nouvelle réflexion sur l'analyse de ces ensembles d'acteurs. Cette analyse, amorcée dès 1973 par le sociologue américain Mark Granovetter, met en évidence un paradoxe : la puissance et la force des réseaux consisteraient en leur faiblesse. Alors que la puissance est principalement synonyme de force en relations internationales, le fonctionnement des réseaux oblige les politologues à se pencher sur ce phénomène. Parmi les questions que l'on se pose : Comment situer un réseau transnational par rapport aux trois niveaux d'analyse identifiés par la discipline ? À l'instar des organisations internationales, comment penser l'autonomie des réseaux ? S'agit-il d'émanations individuelles de la puissance de l'État ou de communautés épistémiques ?

L'articulation des réseaux par rapport aux institutions est un champ d'intérêt majeur. En effet, les réseaux de personnes constituent une dimension traditionnelle de l'expression de pouvoir et de la redistribution des ressources qui l'accompagne. La gouvernementalité porte sur l'action d'individus en position de domination en raison de leur position hiérarchique au sein des institutions[22]. Mais les réseaux internationaux ne tournent souvent pas autour de l'appareil bureaucratique national. S'ils ont certainement une composante bureaucratique internationale, il n'en est pas moins vrai que ces réseaux désignent en premier lieu des acteurs intermédiaires dotés de formes diverses d'autonomie : firmes économiques, ONG, réseaux de professionnels. La particularité de ces acteurs, c'est qu'ils sont à cheval sur deux mondes. Ils participent à la scène politique publique mais également à celle des intérêts privés. Ni acteurs étatiques, ni acteurs politiques, ils sont néanmoins incontournables. Dans ce domaine, la recherche s'est portée sur l'expertise internationale. On parle de communautés épistémiques, des communautés de valeurs et d'intérêts, réunissant des participants à l'échelle d'une profession[23]. Mais l'étude des réseaux ne peut pas se limiter aux terrains des intérêts économiques ou professionnels. Le terrain des valeurs et la formation d'identités communautaires transnationales— protestantisme et islamisme militant—ne sauraient être négligés.

Comment analyser les réseaux? Plusieurs approches se profilent, notamment celle de Thomas Risse-Kappen selon laquelle l'étude de la transnationalité souligne une dimension nouvelle des relations internationales : le clivage État-société[24]. Cette polarisation que l'on voit fort bien à l'occasion des différents sommets du G8 est aujourd'hui l'un des sujets d'analyse les plus importants. L'analyse peut aussi se pencher sur les modalités de la prise de décision internationale. Qui décide et comment? À ce sujet, Robert Cox prône une approche qui prenne en considération le retrait de l'État et la dispersion du pouvoir. Cette approche révolutionnaire se veut différente car elle étudie la construction de l'ordre mondial par le bas, réfutant ainsi les analyses qui privilégient le rôle des acteurs traditionnels. Cox cherche aussi à inclure tous les acteurs, quelles que soient leurs capacités, dans son analyse et ce, dans le but d'appréhender l'impact réel des réseaux sur le processus décisionnel à l'échelle mondiale[25]. Les réseaux posent finalement la question des mécanismes d'action sur le plan international. Quels mécanismes sont plus efficaces pour réaliser les objectifs des différents groupes qui se sentent concernés par les problèmes internationaux mais n'ont pas vraiment de circuits traditionnels pour se faire entendre? D'une part, les acteurs en réseau cherchent à contourner l'État et les sphères officielles et publiques. On assiste à un drainage des ressources économiques et symboliques et à la création de sphères publiques alternatives comme les sommets de Pôrto Alegre. D'autre part, ils essaient de se positionner dans certains espaces publics pour faire entendre leurs voix et cherchent donc à établir un dialogue avec l'État et les autres acteurs sur la scène internationale.

Repenser les relations internationales

Comment les nouveaux défis et acteurs changent-ils la donne? Quels sont les instruments des relations internationales qui ne sont plus utiles, ceux qui le deviennent, et pourquoi? Quel est le rôle de la force armée, de la diplomatie, des conventions et autres instruments légaux internationaux? Dans le contexte de la mondialisation et de la disparition de l'Union soviétique, comment penser les relations Nord-Sud ? Si nous convenons que les changements survenus dans l'organisation et la conduite des relations internationales ne sont ni superficiels ni cosmiques, l'intensité des transformations et leur ampleur exigent une réflexion approfondie sur les nouvelles directions en études de sécurité et en économie politique internationale. Dans cet ordre d'idées, nous effectuerons d'abord un survol rapide des changements dans les deux champs traditionnels des relations internationales, à savoir la sécurité et l'économie politique internationale.

Domaine de la sécurité

La fin de la guerre froide a influencé la sécurité internationale. L'écroulement de l'Union soviétique, le démantèlement du pacte de Varsovie, la fin de la bipolarité ont remis en question nos théories basées sur l'équilibre des puissances et la dissuasion nucléaire. D'autre part, l'éclatement de conflits internationaux, tels que la guerre du Golfe, et la lutte contre le terrorisme soulignent la nécessité de ne pas confondre la fin de la rivalité entre les deux superpuissances avec la paix et la sécurité internationale. Le monde est-il plus sûr que pendant la guerre froide ? Toute ébauche de réponse se doit forcément de distinguer dans un premier temps entre la sécurité des pays du Nord et celle des pays du Sud, puis entre sources traditionnelles et nouvelles sources d'insécurité.

Le Nord et le Sud : des dynamiques différentes mais un destin commun

Sorti « vainqueur » de la guerre froide, le Nord vit dans un monde où l'ancien ennemi n'est plus. Finies les menaces d'holocauste nucléaire, de guerre d'attrition entre les deux blocs. Certains, à l'instar de Francis Fukuyama, y voient une fin de l'histoire[26]. Désormais, il s'agirait pour ces pays, et pour leur chef de file, les États-Unis, de gérer un monde enfin fait à leur mesure. Mais si les menaces traditionnelles d'ordre politico-militaire se sont effectivement relativement estompées, d'autres menaces se profilent à l'horizon. Certaines ne sont pas nouvelles : il s'agit de guerres intraétatique et transétatiques telles que les guerres civiles, le terrorisme international et le risque de prolifération nucléaire, chimique et biologique. La guerre dans les Balkans, à la porte de l'Europe, a vite fait de rappeler aux Occidentaux la précarité du nouvel ordre mondial. La guerre du Golfe, bien que plus distante, a ravivé les inquiétudes quant aux problèmes de prolifération.

Les attentats du 11 septembre 2001 ont contribué à mettre le terrorisme international à l'agenda de la sécurité des pays les plus puissants.

Dans les pays du Sud, un tout autre profil se dessine. D'une part, la fin de la guerre froide ouvre une soupape de sécurité longtemps contrôlée par les grandes puissances. Livrés à eux-mêmes, plusieurs pays armés jusqu'aux dents par leurs anciens patrons implosent. Le phénomène des guerres civiles s'impose comme l'une des formes les plus répandues de guerre à l'aube du xxiᵉ siècle. Principal terrain d'affrontement : le continent africain où des régimes autoritaires avaient été maintenus en place pour des raisons d'ordre géostratégique par les deux grands. Dès lors que ces régimes ne sont plus artificiellement secondés, les revendications éclatent au grand jour. Si le phénomène de guerre civile est loin d'être un fait nouveau, c'est bien le nombre de tels conflits, leur intensité grandissante, et la difficulté de les résoudre qui caractérisent ces guerres.

Toutefois, les sources d'insécurité les plus profondes ne sont pas toujours militaires. Il suffit d'examiner l'impact du SIDA sur les sociétés africaines pour s'en rendre compte. L'infection de près de 30 % de la population dans certains pays met le système international à dure épreuve. Les capacités étatiques limitées dans les domaines de l'éducation et de la santé se font ressentir par l'incapacité d'endiguer l'épidémie. Les conséquences sur le plan social (avec la dislocation des familles qui pose un problème pour les personnes du troisième âge et pour le nombre grandissant d'orphelins) et économique affaiblissent l'État. Alors que les guerres conventionnelles semblent être chose du passé, ce sont ces nouvelles difficultés qui, dans un sens réel, posent le problème de la survie de l'État en Afrique subsaharienne.

Toute distinction entre les problèmes de sécurité du Nord et du Sud exige d'être démontrée. En effet, le phénomène le plus remarquable est probablement l'interdépendance du Nord et du Sud dans le domaine de la sécurité. Soulignée dans l'après-11 septembre 2001 par le premier ministre britannique Tony Blair qui promettait un dialogue constructif pour régler les problèmes du Sud en reconnaissant leurs réverbérations au Nord, cette interdépendance est l'une des manifestations les plus intéressantes de la mondialisation. Comme dans le cas de la mondialisation économique, l'État est incapable de « fermer ses frontières » aux conséquences de problèmes de sécurité provenant de terres lointaines.

L'immigration et les problèmes connexes sont probablement la meilleure illustration de cette imbrication des problèmes du Nord et du

Sud. Les causes de l'immigration sont bien sûr multiples. Alors que les uns cherchent à échapper au marasme économique et à se faire une meilleure vie ailleurs, d'autres cherchent à échapper à la guerre, à la persécution ou tout simplement à la violence systémique qui règne dans leurs pays. On pense notamment aux immigrants algériens en France, cherchant à fuir une guerre civile à basse intensité, ou encore aux travailleurs turcs en Allemagne : des immigrants dont le nombre inquiète les populations européennes et qui sont souvent la cible des partis nationalistes extrémistes. Le débat actuel sur l'immigration en Europe (mais aussi en Amérique du Nord à la suite des attentats terroristes de septembre 2001) est un débat interne qui touche à la fois aux domaines de sécurité (La montée de la violence en Europe est-elle due aux immigrants ?) et de l'économie (Les immigrants ont-ils le droit à l'emploi et aux prestations sociales au même titre que les citoyens ? Cette question est particulièrement critique en Grande-Bretagne où les politiques libérales d'asile politique se heurtent aux réalités sociales). Drogue, pauvreté, SIDA, guerres civiles — tant de maux situés principalement au Sud mais qui créent des problèmes dans les capitales et les grandes villes du Nord.

Nous assistons également à une transformation des politiques étatiques à ce sujet. De plus en plus, les États occidentaux prônent la coopération dans le domaine de la sécurité, bastion traditionnel de l'autonomie étatique. Cette coopération dépasse le cadre habituel. Il ne s'agit plus de se mettre d'accord sur certains principes puis d'avoir toute la latitude pour décider des moyens de les mettre en application chez soi mais bien de l'élaboration de politiques communes et du développement d'institutions et de mécanismes communs pour leur mise en application. À titre d'exemple, les alliances militaires s'institutionnalisent et se donnent de nouveaux objectifs. L'OTAN en est la meilleure illustration. L'organisation s'est dotée de nouveaux objectifs, dont l'intervention dans les conflits internes. Bien que basés sur des considérations d'ordre moral et humanitaire (le refus du génocide et du nettoyage ethnique comme moyen, de règlement des conflits entre communautés), ces nouveaux objectifs permettent aussi d'endiguer les flots de réfugiés qui iraient autrement grossir les rangs des étrangers vivant en Europe de l'Ouest. En Europe, la création de la zone Schengen[27] a permis à certains pays d'harmoniser leurs politiques d'immigration et de visas, ouvrant leurs frontières aux étrangers considérés « non problématiques » tout en les fermant quasi hermétiquement aux autres.

Stratégies de sauvegarde de l'intérêt national

En résumé, existe-t-il des menaces dans le monde de l'après-guerre froide? Les experts et praticiens disaient avant le 11 septembre 2001 qu'il n'y avait plus de menaces mais des risques[28]. Ce disant, ils voulaient signaler la disparition de projets intentionnels visant à dominer. Le concept de risque est plus diffus. Il implique entre autres des sources d'insécurité qui ne sont ni politiques ni étatiques. Si les risques peuvent se cristalliser autour d'un régime (les talibans), d'une organisation (Al-Qaeda), ou d'un régime tricheur qui refuse de respecter les normes internationales de comportement étatique (l'Irak, la Corée du Nord), les attentats du 11 septembre remettent en question l'utilité de cette distinction, car menace et intention sont au cœur de l'action qui a détruit les tours jumelles du World Trade Center.

Il est probablement justifié de dire que ces attentats ont largement contribué à la clarification des objectifs des grandes puissances dans l'après-guerre froide. En effet, bien que l'intérêt national soit un concept flou, la division du monde en deux camps opposés avait permis aux États-Unis de définir cet intérêt en fonction de la compétition avec l'Union soviétique. Avec la fin de la guerre froide, la redéfinition de l'intérêt national américain (et celui des autres grandes puissances) avait subi une période de flottement. Entre autres, nous avons assisté à d'âpres débats sur le bien-fondé de plusieurs décisions américaines ayant trait à la politique étrangère. Quel était l'intérêt américain en Bosnie, au Rwanda et au Kosovo? Les objectifs stratégiques de l'administration américaine incluent la sécurité de l'action diplomatique et militaire, la prospérité du pays et la promotion de la démocratie. Mais dans son discours au peuple américain le soir des attentats, le président Bush affirmait qu'il s'agissait d'assurer la sécurité des États-Unis et d'en sauvegarder les valeurs et libertés fondamentales.

Quelles sont les stratégies les mieux adaptées à la poursuite de ces objectifs? Lors de la guerre froide, la stratégie américaine était relativement claire. Dans un premier temps, il s'agissait d'endiguer l'Union soviétique, d'empêcher l'expansion de son empire sur les pays de l'Est et du tiers-monde. À cet effet, les États-Unis mettaient en place un système d'alliances militaires. L'intervention américaine dans certains points chauds comme l'Iran en 1956 ou les différents pays d'Amérique latine indiquait une volonté de délimiter la sphère d'influence soviétique. Puis vint la détente. Pendant cette période, la stratégie américaine évoluait sur deux axes: d'une part, les négociations avec l'Union soviétique enchevêtraient celle-ci dans un réseau de plus en plus dense d'obligations internationales (traités, régimes) alors que surgissait également la notion de sécurité négociée[29]. Le contrôle des armements avait pour objectif de prévenir la guerre entre les superpuissances, d'assurer la stabilité stratégique au moindre coût, et de renforcer la sécurité et la paix internationale.

Ces stratégies ne sont plus appropriées aux circonstances actuelles. Non seulement l'ennemi mais aussi les sources d'insécurité ont changé. S'il s'agit toujours « de prévenir les menaces, de les interdire si elles se concrétisent et de les vaincre si elles éclatent[30] », il n'est pas dit que ceci s'accomplisse de la même manière. Par exemple, il est clair que *la dissuasion nucléaire* n'a plus la même utilité que dans le cadre du conflit entre les deux superpuissances. Une stratégie de dissuasion exige, entre autres, la détermination et la capacité de défaire l'ennemi. Mais c'est une stratégie qui exige, par-dessus tout, la clarté. Il faut pouvoir déterminer l'identité de l'agresseur, connaître ses intentions, bien lui communiquer la menace et pouvoir s'assurer de sa réponse. Si cette stratégie avait réussi à imposer un équilibre de la terreur entre les deux superpuissances, nous pouvons nous interroger sur son efficacité face à des menaces diffuses, à un ennemi dont la rationalité nous échappe et dont les réactions sont souvent difficiles à évaluer. Par ailleurs, il est également permis de s'interroger sur l'engagement des grandes puissances et ce notamment à cause de la politique « zéro mort » adoptée par l'administration américaine, une politique qui implique des tractations entre politiciens et militaires pour décider des paramètres de l'action des troupes. Si la guerre contre le terrorisme semble échapper à cette logique, il faut donc se demander s'il s'agit d'une entorse à la règle exigée par la gravité des évènements et par la nature des cibles ou encore s'il s'agit d'un revirement dans la politique des États-Unis.

La deuxième stratégie qu'il est nécessaire de discuter dans ce cadre est *la politique de contre-prolifération*. Cette initiative devrait doter les États-Unis d'une stratégie et de capacités pour prévenir et arrêter la production d'armes de destruction massive. Développée au lendemain de la guerre du Golfe, cette politique est devenue d'autant plus nécessaire que plusieurs informations font état de la fuite et de la vente de technologies capitales à la suite de l'effondrement de l'Union soviétique. Il s'agit d'améliorer le renseignement, les capacités de commande, de contrôle et de communications, d'élaborer une défense passive et active pour parer aux dangers. S'inscrivent dans ce sillage des programmes divers tels le rôle du Centre for Disease Control ainsi que le bouclier antimissiles. Toutefois, on peut s'interroger sur cette stratégie. Est-elle adaptée aux priorités du moment? Comment aurait-elle pu parer aux attentats du 11 septembre 2001 (commis par détournement d'avions de ligne) par exemple? D'autre part, est-elle efficace? La contamination au bacille du charbon transmis par un seul individu par le service postal américain entre octobre et décembre 2001 et la difficulté que celle-ci représentait pour le département de la défense américaine pourraient, entre autres, nous permettre d'en douter.

Le contrôle des armements est la troisième stratégie qu'il convient d'aborder. Instrument privilégié de la sécurité internationale pendant la période de détente entre les deux grands, il s'agit d'une coopération militaire entre ennemis potentiels pour réduire la probabilité de la guerre, son intensité et sa violence, ainsi que les coûts politiques et économiques que sa préparation occasionne[31]. Cette stratégie est passée au deuxième plan dans le contexte international actuel. D'une part, ceci est dû au problème des États tricheurs dont les comportements ne permettent pas le recours aux négociations. D'autre part, la diffusion de la menace peut expliquer la désuétude du concept de maîtrise des armements qui présuppose l'identification d'interlocuteurs.

Finalement, toute discussion de stratégie serait incomplète sans aborder la politique d'engagement de la Russie et de la Chine. Reconnus par les États-Unis comme des puissances toujours importantes, ces deux pays sont incités à s'intégrer plus étroitement au réseau de relations qui relient les différentes parties du globe. Leur interdépendance croissante à l'égard du reste du monde serait une garantie contre toute agressivité intempestive. C'est dans cet ordre d'idées que l'on doit comprendre l'accession de la Chine à l'OMC, au grand dam des activistes outrés par les transgressions des droits de la personne commises par le gouvernement chinois. C'est aussi le contexte dans lequel l'inclusion en mars 2002 de la Russie en tant que partenaire de second plan dans le pacte de l'OTAN devrait être comprise.

Si les attentats du 11 septembre clarifient, ne serait-ce que partiellement, les objectifs des grandes puissances dans le domaine de la sécurité et s'ils renforcent la vision de l'ancien secrétaire américain à la défense, William Perry, qui préconise la prévention, l'interdiction et la défaite militaire de l'ennemi, il n'en demeure pas moins que les instruments les mieux appropriés font toujours l'objet de discussions. Dans ce cadre, quatre catégories d'instruments se distinguent : les opérations militaires, les sanctions, la coopération internationale et le droit international.

Le recours aux *opérations militaires* demeure nécessaire dans certains cas. Malgré les récentes réticences des forces occidentales à s'embourber dans des conflits lointains, il n'en demeure pas moins que dans l'impossibilité d'anticiper une menace, il faut y faire face. Le changement le plus important survenu sur ce plan est un changement d'objectif. Si la défaite du réseau terroriste Al-Qaeda est identifiée comme le résultat désirable des frappes en Afghanistan, il est plus difficile de comprendre l'action en Irak où les troupes de la coalition n'ont pas été jusqu'à déposer Saddam Hussein malgré une supériorité militaire écrasante.

Les sanctions sont sans doute l'arme de choix de l'après-guerre froide. Sous le chapitre VII de la Charte des Nations Unies, le Conseil de sécurité peut prendre des mesures coercitives allant des sanctions économiques aux actions militaires internationales pour maintenir ou rétablir la paix et la sécurité internationale. Le Conseil a eu recours à l'instrument des sanctions lorsque la paix a été menacée et que les efforts diplomatiques ont échoué. Durant la dernière décennie, de telles sanctions ont été imposées contre l'Irak, l'ex-Yougoslavie, la Libye, Haïti, le Libéria, le Rwanda, la Somalie, les forces de l'UNITA en Angola, le Soudan, le Sierra Leone, la République fédérale de Yougoslavie (y compris le Kosovo), l'Afghanistan, l'Éthiopie et l'Érythrée. Il peut s'agir de sanctions générales touchant l'économie et le commerce d'un pays, tout comme de mesures plus ciblées comme l'embargo sur les armes, les interdictions de circulation, les restrictions financières ou diplomatiques. Les sanctions ont pour but de faire pression sur les États sans toutefois recourir à l'utilisation de la force. Il s'agit donc d'un instrument de persuasion et de dissuasion. L'efficacité des sanctions reste toutefois à prouver. Dans le cas de l'Irak, une décennie de sanctions n'a pas encore convaincu le président Saddam Hussein de se conformer aux exigences de la communauté internationale. En même temps, les sanctions affectent souvent la partie la plus vulnérable de la population, comme les femmes et les enfants, allant ainsi à l'encontre des objectifs de la sécurité humaine. D'autres inquiétudes ont été émises concernant l'impact négatif que peuvent avoir les sanctions sur l'économie des pays tiers. Pour en revenir à l'exemple irakien, les sanctions imposées contre l'Irak ont contribué à l'effondrement de l'économie jordanienne, hautement dépendante des échanges économiques avec le marché irakien.

Les Nations Unies reconnaissent ce dilemme et œuvrent présentement à améliorer l'application des sanctions. Dans ce domaine, il est aujourd'hui question de sanctions « intelligentes », qui feraient pression sur les régimes plutôt que sur la population. « De telles sanctions, par exemple, peuvent impliquer le gel des actifs financiers ou celui des transactions financières des élites politiques ou de toute entité dont le comportement imposerait des sanctions en priorité.» Deux récents exemples sont notoires : les sanctions contre les diamants sales et les sanctions dans le cadre de la lutte contre le terrorisme.

La coopération internationale dans certains domaines touchant à la sécurité continue tant bien que mal. Deux domaines particulièrement intéressants sont les mines antipersonnelles et les armes légères. L'intérêt pour ces deux questions relève entre autres de l'importance des idées en relations internationales. Le rôle des normes ne peut être négligé dans toute explication de la création d'une coalition internationale opposée à l'utilisation de ces armes peu coûteuses à l'achat mais onéreuses quant à leur prix en vies humaines, mutilations et déminage[32]. Il en est de même pour la vente illicite des armes légères aux pays du tiers-monde. Mais ces efforts de coopération internationale établissant des normes et des attentes de la part de tous les participants posent encore la question de l'efficacité des régimes quand les grandes puissances refusent d'y participer. Tel est le cas du traité bannissant l'utilisation des mines antipersonnelles, un traité rejeté par les États-Unis qui estiment que de telles contraintes nuiraient à la capacité d'action des soldats américains.

Un nouvel instrument incontournable est *le droit international* qui permet la création d'organismes et d'institutions internationales dans le but de réglementer la conduite des relations internationales. Dans le même esprit qui a animé, à la fin de la Seconde Guerre mondiale, la naissance des Nations Unies, un Tribunal pénal international a vu le jour le 25 mai 1993, dans le but de poursuivre les personnes responsables de violations graves du droit international humanitaire sur le territoire de l'ex-Yougoslavie depuis le 1er janvier 1991. Ce premier effort est suivi d'un autre en novembre 1994 avec l'établissement d'un Tribunal pénal international pour le Rwanda chargé de juger les personnes responsables d'actes de génocide et d'autres violations graves du droit international humanitaire commis sur le territoire du Rwanda ou par des citoyens rwandais sur le territoire d'États voisins, entre le 1er janvier et le 31 décembre 1994. Ces deux tribunaux constituent la genèse du projet de statut d'une cour pénale internationale, projet discuté le 15 juin 1998 lors de la conférence de Rome. La rédaction du compromis final est assurée par un très petit nombre d'États pilotes, sensibles aux enjeux politiques (notamment le Canada, la Finlande et l'Argentine), en liaison avec certains groupes régionaux structurés et des pays ayant participé très activement à tout le processus (dont la France). Le 17 juillet 1998, la convention portant sur le statut de la cour est adoptée à l'issue d'un vote demandé par les États-Unis. Cent vingt États se prononcent en faveur du texte. Sept votent contre (les États-Unis, l'Inde, Israël, le Bahreïn, le Qatar, la Chine et le Vietnam) et vingt et un pays s'abstiennent. Le statut de la cour entre en vigueur le 1er juillet 2002 à la suite de la ratification du traité par soixante pays et ce, malgré l'opposition continue des États-Unis.

Repenser le concept de « sécurité »

La multiplication des sujets de sécurité remet en question la primauté de l'État comme acteur en relations internationales. Le défi principal provient d'une vision idéaliste qui préconise la primauté des individus en relations internationales. Dans ce cadre, nombre de problèmes ont occupé les analystes depuis 1989 : le nettoyage ethnique et le génocide bien sûr mais également les mines antipersonnelles, la mutilation, le phénomène des enfants-soldats et l'utilisation du viol comme instrument de guerre. Réunis sous le titre de *sécurité humaine*, ces problèmes occupent une grande proportion des analyses de la décennie suivant la fin de la guerre froide[33]. Dans ce domaine, le Canada est un chef de file. Sous l'impulsion de l'ex-ministre des Affaires étrangères Lloyd Axworthy, la diplomatie canadienne a largement contribué à une prise de conscience internationale de ces aspects non traditionnels mais cruciaux des problématiques de sécurité[34].

Traditionnellement, la sécurité est du ressort de l'État. Cette centralisation de la sécurité est d'ailleurs l'une des pierres d'achoppement de la souveraineté étatique, à savoir que l'État seul a le monopole de l'utilisation de la force. Cette spécialisation était aussi au centre du clivage interne-externe. Mais d'autres acteurs émergent aujourd'hui qui prétendent faire concurrence à l'État dans ce domaine. Les conflits intraétatiques expriment d'ailleurs cette attitude concurrentielle, à savoir qu'un ou plusieurs groupes subétatiques prennent les armes pour défendre des intérêts souvent communautaires menacés dit-on par un État autoritaire et répressif. Mais nous n'assistons pas seulement à un morcellement dans ce sens. La privatisation de la sécurité est aussi un autre phénomène qui prend de l'ampleur. En Afrique, des groupes tels Executive Outcomes, une firme privée composée d'anciens soldats de l'armée sud-africaine blanche, reconvertis en merce naires, vendent leurs services aux différents gouvernements trop faibles pour assurer leur propre sécurité. Ces groupes posent de nouveaux défis analytiques aux internationalistes. D'une part, il s'agit de comprendre comment la géométrie variable de ces groupes influence leur comportement. Certaines hypothèses dans ce domaine lient entre autres structure et objectifs des groupes au genre de violence que ceux-ci pourraient perpétrer[35]. D'autre part, la question de la légitimité de ces groupes est un autre domaine de recherche naissant.

Sécurité politico-militaire, économique, environnementale, humaine — les analystes créent toujours plus de catégories en vue de saisir le changement survenu depuis la fin de la guerre froide. Mais ces catégories sont-elles analytiquement utiles? Il y a bien sûr ceux qui argumentent que la définition des problématiques de sécurité en fonction d'un intérêt national souvent élusif et dans une optique politico-militaire est aujourd'hui caduque. D'autres s'élèvent contre cette plasticité du concept, en argumentant qu'il perd ainsi sa force analytique. Ils préconisent une redéfinition de la sécurité pour inclure des menaces ou risques émanant de tous les secteurs (internes ou externes, militaires, économiques et sociaux) tant que ceux-ci posent un défi à la sécurité nationale, définie comme le bien-être de la population et le maintien de l'intégrité fonctionnelle de l'État[36].

Champ de l'économie politique

La mondialisation économique est l'extension du marché à tous les pays du monde et à des sphères de plus en plus nombreuses de l'activité humaine[37]. Bien sûr, il ne s'agit pas d'un phénomène nouveau. Si l'on en croit Paul Krugman, éminent économiste américain, l'intégration économique à la fin du xxe siècle est légèrement plus grande qu'elle ne l'était à la fin du xixe siècle. Aujourd'hui, par exemple, les importations américaines constituent 11 % du PIB alors qu'elles en constituaient 8 % en 1880. Si nouveauté il y a, celle-ci se situe dans le fait que les contraintes techniques, géographiques et politiques sont moindres. Les échanges mondiaux de biens et services forment aujourd'hui près de 45 % du produit mondial brut. Les flux de capitaux dans les pays industrialisés sont passés à 1 500 milliards de dollars par jour (un chiffre 20 fois supérieur à la production quotidienne de l'économie mondiale).

L'État face à la mondialisation économique

Ces changements sont accompagnés par une augmentation des nouveaux acteurs. Le cadre national de l'économie est grandement supplanté par les réseaux transnationaux d'entreprise. Le poids économique des multinationales va en grandissant. Parmi les cent plus grandes entités économiques mondiales, cinquante et une sont des firmes. Le chiffre d'affaires des cinq plus grandes multinationales est supérieur au PNB cumulé de cent trente-deux États membres de l'ONU. N'empêche que la concentration territoriale ne fait pas complètement partie du passé. Le cas de la compagnie Internet Yahoo, sommée par la justice française de ne plus utiliser son portail pour vendre des objets nazis aux citoyens français, illustre la tension entre les logiques territoriale et transnationale. Alors que Yahoo invoquait une logique transnationale pour justifier sa liberté d'action vis-à-vis de la loi française, l'issue du procès qui donna gain de cause à l'État indique que le conflit entre ces deux logiques n'est assurément pas résolu en faveur de l'une ou de l'autre.

Il existe deux perspectives quant au rôle de l'État dans un contexte de mondialisation économique. L'hyperlibéralisme laisse libre cours aux forces du marché et préconise un retrait de l'État ; le capitalisme d'État redéfinit le rôle de l'État, sensé désormais aider les forces du marché. La mondialisation favorise un démantèlement des règles du marché et une contraction des dépenses destinées à la protection sociale au profit de celles destinées à la concurrence. Selon Dani Rodrik, économiste libéral, la mondialisation peut saper la cohésion sociale en provoquant une redistribution plus favorable aux profits qu'aux revenus de travail (et en avantageant les revenus élevés). Mais comme dans le domaine de la sécurité, des différences importantes se font sentir entre pays du Nord et du Sud. La mondialisation est asymétrique avec quatre pôles — Amérique du Nord, Europe occidentale, Japon, Asie du Sud-Est. Alors que près de 50 % de la richesse mondiale est produite sur 1 % de la surface planétaire, les pays du tiers-monde n'ont pas vraiment le choix. Ils se trouvent obligés d'ouvrir leurs marchés et leurs économies. Il en résulte souvent une augmentation du prix des denrées essentielles et des violences liées aux politiques imposées par le FMI (émeutes du pain en Jordanie en 1988, révolution des casseroles en Argentine en 2001-2002). Pour parer aux inégalités résultant de la mondialisation, le secrétaire général des Nations Unies, Kofi Annan, se réunissait en juillet 2000 avec les patrons de 50 multinationales pour élaborer un plan pour lutter contre les dérives de ce phénomène.

Gérer la coopération dans un contexte de mondialisation

Le champ des études de sécurité n'est pas le seul à subir des transformations importantes à l'occasion de la réflexion sur l'impact de la mondialisation. En économie politique internationale, la coopération était essentiellement analysée sous l'angle de régimes, une approche qui suppose l'existence de règles précises autour d'une question donnée, règles que les États connaissent et auxquelles ils se réfèrent[38]. Cette approche est déficiente quand il s'agit de saisir la complexité de la mondialisation. Pour remédier à cette lacune, de nouveaux concepts, dont ceux de gouvernance et de régionalisme sont apparus.

Selon Rosenau et Czempiel, la *gouvernance* serait un ensemble de régulations qui n'émanent pas d'une autorité officielle mais de la prolifération des réseaux dans un monde de plus en plus interdépendant[39]. C'est une notion proche de celle des régimes mais plus globale et moins structurée car elle ne découpe pas la coopération internationale en domaines. Contrairement aux régimes qui suggèrent l'aboutissement de la coopération et sa codification, la gouvernance est un processus en mouvance continue. Ce concept permet de faire intervenir divers acteurs sociaux, de décrire la gestion d'affaires d'intérêt mondial qui implique des acteurs hétérogènes tant par leur nature que par leurs capacités. Pour reprendre l'exemple de l'environnement, la gouvernance fait intervenir toute une gamme d'acteurs : les experts scientifiques, les ONG environnementales, les entreprises, les ministères et autres départements connexes, les diplomates, les responsables politiques, les pays du Nord et ceux du Sud. À noter, bien sûr, que tous ces acteurs ne constituent pas des entités homogènes.

Comme les régimes, la gouvernance repose sur un critère d'efficacité. Il s'agit de résoudre les problèmes mondiaux, de satisfaire le bien commun. Il n'est donc pas surprenant que les critiques fassent écho à celles de l'analyse des régimes. On se pose des questions sur le rôle des acteurs dominants ou des grandes puissances, comme le démontre d'ailleurs l'échec de la conférence de Kyoto sur le réchauffement climatique, dû principalement à la position des États-Unis. On s'interroge, par ailleurs, sur les critères de sélection et d'inclusion des différents acteurs dans la prise de décision. Comment expliquer les barricades, le mur de la honte, qui séparaient les représentants de la société civile des représentants de l'État et des firmes à Québec en avril 2001?

Un concept qui fait implicitement concurrence à la notion de gouvernance est la notion de *régionalisme*. Comme plusieurs théories et concepts, celui-ci prend pour point de départ une constatation empirique, soit le nombre grandissant de blocs commerciaux—le marché commun au sein de l'UE, l'ALENA, l'ANSEA, le MERCOSUR. Bien que le phénomène ne soit pas nouveau (au XIXᵉ siècle, le commerce intra-européen était, en valeur relative, supérieur à ce qu'il était en 1990), il attire l'attention parce qu'opposé (selon les uns), ou tout au moins complémentaire (selon d'autres), à la mondialisation. Tout comme dans les analyses de régimes, on cherche à déterminer les facteurs à même de faciliter ou de faire obstacle à la mise sur pied de blocs régionaux. On fait par exemple valoir que le libre-échange régional est souvent assorti de la création de barrières douanières internationales comme c'est le cas dans le domaine de la politique agricole au sein de l'Union européenne. On étudie également les conséquences des échanges; si, sur le plan social par exemple, ils avaient pour résultat de mettre fin à la production locale, les demandes d'assistance de la part de l'État risqueraient d'augmenter. Sur le plan politique, on fait valoir que l'asymétrie des partenaires serait porteuse d'une dépendance des partenaires faibles. Bien sûr, il existe aussi toute une batterie de facteurs contextuels (crises politiques, facteurs identitaires ou culturels en commun, géographie, etc.) qui pourraient aussi influencer le développement d'une région.

Le régionalisme questionne aussi les théories sur la coopération et le conflit dans les échanges commerciaux internationaux. Toutefois, les opinions à ce sujet diffèrent. Pour les tenants des principes de l'interdépendance, la création de blocs commerciaux diminue le potentiel de violence car la multitude des liens et des intérêts communs pousse la société à privilégier des méthodes pacifiques de résolution des conflits commerciaux. Mais pour les tenants du libre-échange, les régions sont synonymes de barrières tarifaires et donc de conflits. Par ailleurs, les mercantilistes et néo-mercantilistes font valoir que le régionalisme est porteur de conflits dès que l'un des partenaires est plus puissant que l'autre. Pour illustrer le potentiel conflictuel de ce genre de relations déséquilibrées, il suffit de rappeler que, depuis la mise en application du traité de l'ALENA, la majorité des différends entre le Canada et les États Unis ont été résolus en faveur de ces derniers. Pour évaluer le potentiel du régionalisme comme instrument de coopération, il faut donc bien comprendre l'importance des flux commerciaux dans l'estimation de la puissance potentielle d'un pays par rapport à l'autre. Il semblerait en effet que le rapport flux commerciaux/ puissance soit plutôt complexe. À la fin du XIXe siècle, la Grande-Bretagne contrôlait une fraction importante du commerce mondial. Ceci voulait-il dire que la Grande-Bretagne était le pays le plus puissant? Pas selon les études sur la question[40]. Ce n'est pas le volume de commerce en tant que tel mais la manière dont un pays dépend de son commerce qui donne une meilleure indication de son influence relative. À titre d'exemple, l'Allemagne dépend pour 13 % de son commerce total avec la France, son principal partenaire régional et international, alors que le Canada dépendait des États-Unis pour 87 % de ses exportations en 2001.

Le retour des idées et la pluridisciplinarité

Toute discussion des changements survenus sur la scène internationale et des implications que ceux-ci ont pour l'analyse des relations internationales ne peut être complète sans aborder le rôle des idées. Qu'il s'agisse d'efforts visant à utiliser les idées comme variables explicatives et/ou constitutives ou encore de l'intérêt renouvelé pour l'éthique, force est d'admettre que les idées ont connu un regain de popularité comme élément d'analyse en relations internationales.

Alors que les réalistes séparaient la moralité de la politique étrangère, un nombre croissant de choix en relations internationales sont justifiés en fonction de valeurs morales, de notions de bien et de mal. Prenons, par exemple, les interventions humanitaires en Bosnie, au Rwanda et au Kosovo. Celles-ci sont basées, en partie, sur des positions morales opposées au génocide et au nettoyage ethnique. Plus près de nous, les choix de différents pays dans la guerre contre le terrorisme sont exprimés en fonction de la protection non pas d'intérêts matériels ou de la sécurité nationale des États mais bien en fonction d'une prise de position au sujet de valeurs fondamentales telles la liberté et la démocratie. Les idées ne sont pas toujours utilisées à des fins positives comme la manipulation de l'Islam par l'organisation terroriste Al-Qaeda et par les mouvements contestataires extrémistes le laisse entrevoir. Comme le dit si bien Ariel Colonomos, « contre l'anthropologie réaliste qui conditionne une lecture d'un système international a-moral peuplé de "monstres froids", on cerne les contours d'une société mondiale où la diffusion des enjeux éthiques peut se révéler mobilisatrice[41] ».

Les idées peuvent donc jouer deux rôles principaux dans l'analyse des relations internationales. Pionnière dans le domaine, l'analyse de la « diffusion démocratique » cherchait à comprendre le rôle qu'une idée pouvait jouer dans les choix des décideurs évaluant différents systèmes politiques pour en adopter un. On parle donc de « diffusion par imposition » ou diffusion par le biais de l'intervention étrangère, comme ce serait le cas dans les opérations de construction de la paix, ou alors de « diffusion par imitation » ou contagion démocratique, d'où l'idée de vagues de démocratisation.

Les idées sont également invoquées au même titre que les intérêts pour expliquer la définition et la mise en application de politiques étrangères. Les idées seraient transmises par un ou plusieurs groupes au sein d'institutions nationales ou internationales, une approche qui n'est pas sans rappeler le néofonctionnalisme de Philippe Schmitter. Dans ce cadre d'analyse, idées, acteurs et institutions sont les principales variables des dynamiques de diffusion idéologique. Toutefois, ces idées ne circulent pas librement. Elles sont produites, sélectionnées et partagées par des individus relevant d'une ou de plusieurs communautés épistémiques.

Les idées peuvent aussi être saisies comme variables constitutives. Dans ce contexte, les acteurs agissent sur la base de significations qui ne sont pas des réalités matérielles mais bien des constructions sociales. Par exemple, un pistolet dans les mains d'un ami n'a pas la même signification qu'un pistolet dans les mains d'un ennemi. L'acquisition de l'arme nucléaire par des pays alliés est moins inquiétante que le potentiel d'une telle acquisition par un pays ennemi[42]. Contrairement aux approches traditionnelles des relations internationales, l'approche constructiviste souligne le rôle central de la formation des identités dans la définition des intérêts, des préférences et des interprétations du monde.

Le retour en force des idées souligne un fait ignoré par les théories réalistes et néoréalistes. La pratique des relations internationales met les décideurs face à des questions d'ordre normatif. Il serait donc normal que celles-ci soient au cœur même de l'analyse de ces relations. La mobilisation populaire lors des conflits en ex-Yougoslavie et en Somalie confirme qu'il ne s'agit pas seulement de comprendre ce que nous voulons ou pouvons faire dans le contexte international mais souvent ce que nous devons faire. Si le débat entre réalisme et libéralisme était enterré par l'échec de la Société des Nations et par le début de la Seconde Guerre mondiale, l'avènement de la guerre froide mettait les questions normatives à l'écart. Dans une lutte « pour la survie », il semblait futile de discuter des bases d'un ordre mondial juste. Les considérations d'ordre pragmatique à court terme primaient. La fin de la guerre froide permet le retour des considérations d'ordre normatif sur la scène internationale[43]. Il est intéressant de noter que malgré les descriptions de la guerre contre le terrorisme comme une lutte entre le bien et le mal (descriptions qui rappellent le vocabulaire de la guerre froide), les considérations normatives n'ont pas complètement cédé le terrain à la *realpolitik,* tant dans l'analyse des relations internationales que dans la pratique de celles-ci. Le retour des idées oblige les relations internationales à entretenir un dialogue soutenu avec non seulement d'autres sciences sociales mais également d'autres disciplines, notamment le droit. L'étude des phénomènes internationaux ne peut plus se cantonner dans un domaine exclusif, fait qu'illustre le récent foisonnement de programmes interdisciplinaires d'études internationales. Bien qu'il soit trop tôt pour toute certitude, le retour des idées et l'interdisciplinarité pourraient bien être le véritable tournant décisif dans le domaine des relations internationales au-delà de l'évolution des différentes écoles de pensée classiques et de leur convergence éventuelle.

Notes

1. Gilles Breton, « Mondialisation et science politique : la fin d'un imaginaire théorique ? », *Études internationales*, septembre 1993, 533.

2. *The Military Balance 2002-2003* (International Institute for Strategic Studies : Octobre 2002), 332-333.

3. Joseph S. Nye, « The Power We Must Not Squander », *The New York Times*, 3 janvier 2000.

4. Samuel Huntington, *The Third Wave : Democratization in the Late Twentieth Century* (Norman : University of Oklahoma Press, 1991).

5. Il est à noter que certains politiciens et intellectuels occidentaux ont appelé à un tel impérialisme dans la foulée du 11 septembre 2001. Voir notamment Robert Cooper, « The Post-Modern State », *in* Mark Leonard (dir.), *Reordering the World: the Long-Term Implications of September 11th* (Londres: Foreign Policy Centre, mars 2002).

6. Arielle Denis, *Mondialiser la paix* (Paris: La Dispute, 2000), 154.

7. Samuel Huntington, *The Clash of Civilizations* (New York: Simon and Schuster, 1996).

8. Voir Walter Laqueur, *The New Terrorism: Fanaticism and the Arms of Mass Destruction* (Oxford: Oxford University Press, 1999) et Martha Crenshaw (dir.), *Terrorism in Context* (University Park, PA: Pennsylvania State University Press, 1995).

9. Simon Chesterman (dir.), *Civilians in War* (Boulder: Lynne Rienner, 2001).

10. Stephen Stedman, « Spoiler Problems in Peace Processes », *International Security* 22, 2 (1997).

11. David Malone et Mats Berdal (dir.), *Greed and Grievance: Economic Agendas in Civil Wars* (Boulder: Lynne Rienner, 2000).

12. Notons deux ouvrages clés dans ce domaine, Roy Licklider (dir.), *Stopping the Killing: How Civil Wars End* (New York: New York University Press, 1993); Michael Brown (dir.), *The International Dimensions of Internal Conflict* (Cambridge: The MIT Press, 1996).

13. Voir Stephen Stedman, Donald Rothchild et Elizabeth Cousens (dir.), *Ending Civil Wars: The Implementation of Peace Agreements* (Boulder: Lynne Rienner, 2002).

14. Voir notamment Thomas Homer-Dixon, *Environnment, Scarcity and Violence* (Princeton: Princeton University Press, 1999).

15. Pour des illustrations ponctuelles de ce dilemme dans différents domaines, voir Paul F. Diehl (dir.), *The Politics of Global Governance: International Organizations in an Interdependent World* (Boulder: Lynne Rienner, 1997).

16. John Prendergast, *Frontline Diplomacy: Humanitarian Aid and Conflict in Africa* (Boulder: Lynne Rienner, 1996).

17. Voir Joanna Macrae, *Aiding Recovery: The Crisis of AID in Chronic Political Emergencies* (Londres et New York: Overseas Development Institute et Zed Books, 2001).

18. *Id., ibid.*, 533.

19. Voir par exemple David Held, *Political Theory and the Modern State: Essays on State, Power, and Democracy* (Stanford, Californie: Stanford University Press, 1989).

20. Kenneth Waltz, *Theory of International Politics* (New York: Random House, 1979).

21. Voir Serge Latouche, « L'irruption des identités et le retour des aspirations communautaires », *Études internationales*, 21, 4 (1990), 749-757.

22. Voir les écrits d'Ariel Colonomos à ce sujet, notamment « Les évangélistes en Amérique latine: de l'expression religieuse à la mobilisation sociale et politique transnationale », *Cultures et Conflits*, 15-16, automne-hiver 1994, 209-238.

23. Voir Ernst Haas, *When Knowledge is Power: Three Models of Change in International Organizations* (Berkeley: University of California Press, 1990).

24. Thomas Risse-Kappen (dir.), *Bringing Transnational Relations Back In: Non-State Actors, Domestic Structures, and International Institutions* (New York: Cambridge University Press, 1995).

25. Voir surtout Robert Cox et Timothy J. Sinclair, *Approaches to World Order* (Cambridge et New York: Cambridge University Press, 1996).

26. Francis Fukuyama, *The End of History and the Last Man* (New York: Free Press, 1992).

27. En mars 1995, sept pays membres de l'Union européenne signent un accord pour éliminer les contrôles frontaliers entre eux. Depuis huit autres pays se sont joints à cet accord. Les quinze pays de la zone Schengen sont: l'Allemagne, l'Autriche, la Belgique, le Danemark, l'Espagne, la Finlande, la France, la Grèce, l'Islande, l'Italie, le Luxembourg, la Norvège, les Pays-Bas, le Portugal et la Suède. À l'exception de la Norvège et de l'Islande, il s'agit de membres de l'UE.

28. Anne-Marie Le Gloannec, « Y a-t-il une pensée stratégique dans l'après-guerre froide? » *in* Marie-Claude Smouts (dir.), *Les nouvelles relations internationales* (Paris: Presses de Sciences Po, 1998), 355-376.

29. Voir notamment Daniel Colard, « Une idée nouvelle: la sécurité négociée et contrôlée par le désarmement », *in* Charles-Philippe David (dir.), *La fin de la guerre froide* (Québec et Paris: CQRI et Fondation pour les études de défense nationale, 1990), 99-124.

30. Le Gloannec, *loc. cit.*

31. Voir l'ouvrage de Thomas Schelling, *The Strategy of Conflict* (Cambridge: Harvard University Press, c. 1960).

32. Richard Price, « Reversing the Gun Sights: Transnational Civil Society Targets Landmines », *International Organization*, 52:3, (été 1998), 613-644.

33. Voir Fen Osler Hampson *et al.*, *Madness in the Multitude: Human Security and World Disorder* (Oxford: Oxford University Press, 2001).

34. Voir Fen Hampson, Norman Hillmer et Maureen Appel-Molot (dir.), *Canada Among Nations 2001: The Axworthy Legacy* (Oxford: Oxford University Press, 2001).

35. Marie-Joëlle Zahar, « Protégés, Clients, Cannon Fodder: Civilians in the Calculus of Militias », *International Peacekeeping*, 7, 4, (hiver 2000), 107-128.

36. Michel Frédérick, « La sécurité environnementale: éléments de définition,» *Études internationales*, 24, 4 (1993), 753-767.

37. Pascal Boniface, *Le monde contemporain: grandes lignes de partage* (Paris: PUF, 2001).

38. Marie-Claude Smouts, « La coopération internationale: de la coexistence à la gouvernance mondiale », *in* Marie-Claude Smouts (dir.), *op. cit.*, 135-160.

39. James Rosenau et Ernst-Otto Czempiel (dir.), *Governance Without Government: Order and Change in World Politics* (Cambridge, NY: Cambridge University Press, 1992).

40. Voir particulièrement Mark Brawley, *Liberal Leadership: Great Powers and Their Challengers in Peace and War* (Ithaca: Cornell University Press, 1994).

41. Ariel Colonomos, « L'acteur en réseau à l'épreuve de l'international », *in* Marie-Claude Smouts (dir.), *op. cit.*, 223.

42. Alexander Wendt, « Anarchy is What States Make of It: The Social Construction of Power Politics », *International Organization*, 46 (2), 1992, 391-425.

43. Voir par exemple Mervyn Frost, *Ethics in International Relations: A Constitutive Theory* (Cambridge: Cambridge University Press, 1996).

RÉFÉRENCES [1]

Annuaires

Asia Yearbook
Europa Yearbook
L'État du monde
La Documentation française, « Les pays de l'Europe occidentale »
La Documentation française, « Les pays de l'Europe centrale et orientale »
Stockholm International Peace Research Institute Yearbook
Yearbook of International Organizations

CIA the WorldFactbook
http://www.odci.gov/cia/publications/factbook

Facts on File
http://www.facts.com/

The Economist Intelligence Unit Country Reports
http://www.eiu.com/

USAID Country Profiles
http://www.usaid.gov/profiles

---

1. Cette liste de références en relations internationales n'est évidemment pas exhaustive, mais elle est largement suffisante pour le lecteur qui désire se familiariser avec les principales ressources du domaine. Il est important de noter que les adresses Internet recensées sont susceptibles de modifications.

Centres de recherche et carrefours de ressources

Brookings Foreign Policy Studies Program
http://www.brook.edu/fp/fp_hp.htm

Carnegie Endowment for International Peace
http://www.ceip.org/index.html

Center for Defense Information

Center for Strategic and International Studies

Centre d'études sur les politiques étrangères et de sécurité
http://www.er.uqam.ca/nobel/cepes/

Danish Institute of International Affairs
http://www.dupi.dk

Europa : portail de l'Union européenne
http://europa.eu.int/index_fr.htm

Groupe d'études et de recherches en relations internationales
http://www.hei.ulaval.ca

Groupe de recherche et d'information sur la paix et la sécurité
http://www.ib.be/grip/

Institut de relations internationales et stratégiques
http://www.iris-france.org/

International Affairs
http://www.internationalaffairs.com/

International Peace Research Institute-osco
http://www.prio.no/page/cscwresearchdetail/

International Relations and Security Network
http://www.isn.ethz.ch/

Introduction to International Politics
http://www.polisci.nelson.com/introip.html

Jolicœur Pierre, *Ressources Internet en relations internationales*, Montréal, CEPES, UQAM, 2000.

L'Observatoire d'analyses des relations internationales contemporaines
http://www.oaric.com/

Observatoire stratégique
http://www.ceic.com/obses/

Social Science Online Periodicals
http://www.unesco.org/shs/shsdc/journals/

WWW Virtual Library : International Affairs Resources
http://www.etown.edu/vl/

Dictionnaires[2]

BEAUD Michel et DOSTALER Gilles, *La pensée économique depuis Keynes*, Paris, Le Seuil, 1993.

BONIFACE Pascal (dir.), *Dictionnaire des relations internationales*, Paris, Hatier, 1996.

BOUDON Raymond et BOURRICAUD François, *Dictionnaire critique de la sociologie*, Paris, Presses universitaires de France, 3ᵉ éd. 1990.

BREMOND Janine et GELEDAN Alain, *Dictionnaire économique et social*, Paris, Hatier, 1990.

BREMOND Janine et GELEDAN Alain, *Dictionnaire des théories et mécanismes économiques*, Paris, Hatier, 1995.

CLARKE Patricia, *Lexique du commerce international : français-anglais, anglais-français*, Paris, Foucher, 1993.

EVANS Graham et NEWNHAM Jeffrey, *The Penguin Dictionary of International Relations*, Londres, Penguin Books, 1998.

HERMET Guy, BADIE Bertrand, BIRNBAUM Pierre et BRAUD Philippe, *Dictionnaire de la science politique*, 4ᵉ éd., Paris, Armand Colin, 2000.

JONES Barry B.J. (ed.), *Routledge Encyclopedia of Interrnational Political Economy*, Londres, Routledge, 2001.

MACLEOD Alex, DUFAULT Evelyne, DUFOUR F. Guillaume (dir.), *Relations internationales. Théories et concepts*, Montréal, Ed. Athéna/CEPES, 2002.

SCHIAVONE Giuseppe (ed.), *International Organizations : A Dictionary and Directory*, Houndmills (Hampshire), Palgrave, 2001.

ZWRING Lawrence, PLANO Jack C. et OLTON Roy, *International Relations : A Political Dictionary*, Santa Barbara, Ca, ABC-Clio, 5ᵉ éd., 1995.

Documents juridiques internationaux

COLARD Daniel, *Droit des relations internationales : documents fondamentaux*, Paris, Masson, 2ᵉ éd., 1988.

GRENVILLE John et WASSERSTEIN Bernard, *Major International Treaties of the Twentieth Century*, 2 volumes, Londres, Routledge, 2ᵉ éd., 2001.

LEXUM

http://www.lexum.umontreal.ca

MORIN Jacques-Yvan, RIGALDIES Francis et TURP Daniel, *Droit international public. Tome I—Documents d'intérêt général, Tome II—Documents d'intérêt canadien et québécois*, Montréal, Thémis, 3ᵉ éd., 1997.

Réseau Internet pour le droit international (RIDI)

http://www.ridi.org/

2.   Le lecteur doit rechercher l'édition la plus récente des dictionnaires mentionnés.

Index et bibliographies

– ABC Pol Sci
– American Book Publishing Record
– Bibliographie internationale de science politique
– Bibliographie nationale française
– Book Review Digest
– Book Review Index to Social Science Periodicals
– Books in Print
– Documentation française internationale
– Foreign Affairs Bibliography
– Francis
– New York Times Index
– Pais
– Pais International in Print

Journaux et magazines[3]

Foreign Policy Magazine
http://foreignpolicy.com/

Le Monde
http://tout.lemonde.fr/

The Economist
http://www.economist.com/

The Guardian
http://www.guardian.co.uk/guardian

The Independent
http://www.independent.co.uk/www/

The New York Times
http://www.nytimes.com/

3. La plupart des journaux et magazines offrent un accès gratuit limité à leurs publications sur leurs sites Internet. Très souvent, seul le dernier numéro et des extraits des autres numéros sont disponibles. On peut cependant procéder à une recherche dans les archives de certains journaux par quelques banques de données électroniques fournies par les universités. C'est le cas de la banque *Bibliobranchée* de l'Université de Montréal. On trouvera les adresses Internet des principaux journaux des divers pays dans la rubrique « Le monde sur Internet » de l'*État du monde*.

Manuels[4]

AGNIEL Guy, *Droit des relations internationales*, Paris, Hachette, 1997.

BARSTON R.P., *Modern Diplomacy*, 2ᵉ éd., Londres, Longman, 1997.

BRAILLARD Philippe et DJALILI Mohammad-Reza, *Relations internationales*, Paris, Seuil, 5ᵉ éd., 1997.

COLARD Daniel, *Les relations internationales de 1945 à nos jours*, Paris, Masson, 8ᵉ éd., 1999.

COLLIARD Claude-Albert, *Institutions des relations internationales*, Paris, Dalloz, 1990.

DE SENARCLENS Pierre, *La politique internationale*, Paris, A. Colin, 3ᵉ éd., 2000.

DUROSELLE Jean-Baptiste, *Histoire des relations internationales*, Paris, A. Colin, 12ᵉ éd., 2001.

GOUNELLE Max, *Relations internationales*, Paris, Dalloz, 5ᵉ éd, 2001.

HUGHES, Barry B. *Continuity and Change in World Politics*, Upper Saddle River, N.J., Prentice Hall, 3ᵉ éd., 1997.

LE PRESTRE Philippe, *Écopolitique internationale*, Guérin Universitaire, 1997.

MILZA Pierre, *Les relations internationales de 1973 à nos jours*, Paris, Hachette, 2001.

MOREAU-DESFARGES Philippe, *Relations internationales*, Paris, Seuil, 3ᵉ éd., 1997.

NOSSAL Kim Richard, *The Patterns of World Politics*, Scarborough, Prentice Hall, 1998.

NYAHOHO Emmmanuel et PROULX Pierre-Paul, *Le commerce international*, Québec, Presses de l'Université du Québec, 1997.

PACTEAU Séverine et MOUGEL François-Charles, *Histoire des relations internationales (1815-1993)*, Paris, Presses universitaires de France, 4ᵉ éd., 1993.

PEASE Kelly-Kage L., *International Organizations*, Upper Saddle River, N.J., Prentice Hall, 2000.

REUTER Paul et COMBACAU Jean, *Institutions et relations internationales*, Paris, Presses universitaires de France, 1998.

ROCHE Jean-Jacques, *Théories des relations internationales*, Paris, Montchrestien, 3ᵉ éd, 1999.

SMOUTS Marie-Claude, *Les nouvelles relations internationales: pratiques et théories*, Paris, Presses de Sciences Po, 1998.

VASQUEZ John A., Editor, *Classics of International Relations*, Upper Saddle River, N.J., Prentice-Hall, 3ᵉ éd., 1996.

VIOTTI Paul R. et KAUPPI Mark V., *International Relations Theory*, Boston/Londres/Toronto, Allyn and Bacon, 3ᵉ éd., 1999.

WEISS Pierre, *Les organisations internationales*, Paris, Nathan, 1998.

YODER Amos, *The Evolution of the United Nations System*, 3ᵉ éd.,Washington, Taylor and Francis, 1997.

ZORGBIBE Charles, *Les organisations internationales*, Paris, Presses universitaires de France, 4ᵉ éd., 1997.

ZORGBIBE Charles, *Les relations internationales*, Paris, Presses universitaires de France, 5ᵉ éd., 1994.

---

4.   Le lecteur doit rechercher l'édition la plus récente des manuels cités.

Périodiques[5]

- Africa
- Africa Today
- African Affairs
- African American Review
- African Development Review
- African Studies
- Arab Studies Quarterly
- Asian Affairs
- Asian Survey
- Australian Journal of International Affairs
- Background on World Politics
- British Journal of Middle Eastern Studies
- Central Asian Survey
- China Quarterly
- Conflit Resolution
- Débats sur l'Europe : revue trimestrielle du parlement européen
- Development
- Development and Change
- East Asia International Quarterly
- East European Quarterly
- Études internationales*
- Europe Asia Studies
- European Foreign Affairs Review
- Far Eastern Quarterly
- Far Eastern Survey
- Foreign Affairs
- Foreign Policy
- Harvard Journal of Asiatic Studies
- Human Rights Quarterly

- International Affairs
- International Journal of Conflict Management
- International Journal of Middle East Studies
- Forum du droit international
- International Negociation
- International Organization
- International Peacekeeping
- International Politics
- International Relations*
- International Security
- International Studies Quarterly
- Journal of Asian Studies
- Journal of British Institute of International Affairs
- Journal of Conflict Resolution
- Journal of Contemporary African Studies
- Journal of Democracy
- Journal of Developing Societies
- Journal of International Affairs*
- Journal of Latin American Studies
- Journal of Peace Research
- Journal of Refugees Studies
- Journal of Royal Institute of International Affairs
- Journal of Southern African Studies
- Journal of World Trade
- Latin American Perspectives
- Latin American Policies
- Middle-East Policy
- Modern Asian Studies
- Nations and Nationalism

5. Tous ces périodiques, à l'exception de ceux qui sont suivis d'un astérisque, sont accessibles en version électronique aux étudiants de l'Université de Montréal à l'adresse : http://www.bib.umontreal.ca

- Northeast African Studies
- Pacific Affairs
- Peace and Change
- Politique étrangère*
- Review of International Affairs*
- Review of International Studies
- Revue internationale et stratégique*
- Security Studies*
- Strategic Studies*

- Terrorism and Political Violence*
- Transition
- War in History
- World Bank Economic Review
- World Bank Research Observer
- World Development*
- World Economy
- World Policy Institute and Journal*
- World Politics

Sites Internet des États et des OI

Voir entre autres l'annuaire l'*État du monde*, rubriques «Les organisations internationales», «Les organisations régionales» et «Le monde sur Internet».

INDEX

TABLE DES MATIÈRES

...es disponibles dans la collection Paramètres

MEMBRE DE SCABRINI MEDIA

Québec, Canada
2004